# Louisa May Alcott

# Mulherzinhas

Tradução
Filipe Teixeira

Principis

Esta é uma publicação Principis, selo exclusivo da Ciranda Cultural
© 2020 Ciranda Cultural Editora e Distribuidora Ltda.

Traduzido do original em inglês
*Little women*

Texto
Louisa May Alcott

Tradução
Beluga Editorial (Filipe Teixeira)

Preparação
Beluga Editorial (Paula Medeiros)

Revisão
Beluga Editorial (Carla Nascimento)

Produção editorial e projeto gráfico
Ciranda Cultural

Imagens
Bokica/Shutterstock.com;
eva_mask/Shutterstock.com;
anamardesign/Shutterstock.com;
Ihnatovich Maryia/Shutterstock.com;
NadzeyaShanchuk/Shutterstock.com;
Trigubova Irina/Shutterstock.com;
Christos Georghiou/Shutterstock.com;
Frame Art/Shutterstock.com;
Lorelyn Medina/Shutterstock.com;
Olga Milagros/Shutterstock.com;
vectortatu/Shutterstock.com;

Dados Internacionais de Catalogação na Publicação (CIP) de acordo com ISBD

| | | |
|---|---|---|
| A355m | Alcott, Louisa May | |
| | Mulherzinhas / Louisa May Alcott. - Jandira, SP : Principis, 2020. 256 p. ; 16cm x 23cm. – (Clássicos da Literatura Mundial) | |
| | Inclui índice. ISBN: 978-65-509-7000-0 | |
| | 1. Literatura americana. 2. Romance. I. Filipe Teixeira. II. Título. III. Série. | |
| 2020-150 | | CDD 813.5 CDU 821.111(73)-31 |

Elaborado por Vagner Rodolfo da Silva - CRB-8/9410

Índice para catálogo sistemático:
1. Literatura americana : Romance 813.5
2. Literatura americana : Romance 821.111(73)-31

1ª edição em 2020
www.cirandacultural.com.br
Todos os direitos reservados.
Nenhuma parte desta publicação pode ser reproduzida, arquivada em sistema de busca ou transmitida por qualquer meio, seja ele eletrônico, fotocópia, gravação ou outros, sem prévia autorização do detentor dos direitos, e não pode circular encadernada ou encapada de maneira distinta daquela em que foi publicada, ou sem que as mesmas condições sejam impostas aos compradores subsequentes.

# Sumário

**Volume 1** ........................................................................... 7
Brincando de peregrinas ............................................... 9
Um Natal feliz ................................................................ 20
O jovem Laurence .......................................................... 32
Obrigações ..................................................................... 43
Boas vizinhas ................................................................. 56
Beth encontra o belo palácio ........................................ 68
O vale da humilhação de Amy ..................................... 75
Jo encontra-se com Apollyon ....................................... 82
Meg vai à feira das vaidades ........................................ 94
P.C. e C.P. ...................................................................... 111
Experimentos ................................................................. 122
Acampamento Laurence ............................................... 134
Castelos de areia ............................................................ 155
Segredos ......................................................................... 164
Um telegrama ................................................................ 174
Cartas ............................................................................. 184
A menina leal ................................................................. 193
Dias sombrios ................................................................ 200
O testamento de Amy ................................................... 209
Confidência ................................................................... 218
A travessura de Laurie, o perdão de Jo ....................... 225
Prados aprazíveis .......................................................... 237
Tia March resolve a questão ........................................ 244

# Volume 1

## Brincando de peregrinas

– O Natal não será o mesmo sem presentes – resmungou Jo, deitada no tapete.

– É tão horrível ser pobre! – suspirou Meg, olhando para seu vestido velho.

– Não acho justo que algumas garotas tenham várias coisas lindas e outras não tenham nada – acrescentou a pequena Amy, fungando tristemente.

– Temos pai e mãe e umas às outras – disse Beth, satisfeita, no seu canto.

Os quatro rostos jovens, iluminados pela luz do fogo, brilharam ao ouvir as palavras alegres, mas escureceram de novo quando Jo disse, com voz triste:

– Não temos um pai e não o teremos por um bom tempo[1]. – Ela não disse "talvez nunca mais", mas cada uma adicionou a expressão silenciosamente, pensando no pai longe, onde ocorria a batalha.

Ninguém falou durante um minuto; então Meg disse, com um tom alterado:

– Vocês sabem que nossa mãe sugeriu não ganharmos presentes neste Natal porque seria um inverno difícil para todos; e ela acha que não devemos gastar dinheiro com diversão quando nossos homens estão sofrendo no exército. Não temos muito a fazer, mas podemos fazer pequenos sacrifícios e devemos fazer isso de bom grado. Porém, receio que eu não faça – e Meg balançou a cabeça, enquanto pensava, arrependida, em todas as coisas belas que queria.

– Mas não acho que o pouco que gastaríamos faria algum bem. Cada uma tem um dólar, e oferecê-lo ao exército não faria diferença alguma.

---

1. O pai das "Mulherzinhas" fora convocado para a Guerra de Secessão, ou Guerra Civil Americana, que aconteceu nos Estados Unidos entre os estados do Norte e os estados do Sul, de 1861 a 1865. Esse conflito foi iniciado quando os estados do Sul separaram-se da União e formaram os Estados Confederados da América. A Guerra de Secessão foi motivada pela divergência que havia entre os dois grupos a respeito da abolição da escravatura e da extensão dos novos territórios que estavam sendo ocupados no Oeste. (N.E.)

Concordo em não esperar nada de nossa mãe ou de vocês, mas quero comprar *Undine* e *Sintram*[2] para mim. Faz tempo que quero – disse Jo, que adorava livros.

– Planejei gastar o meu dólar com música – disse Beth, com um leve suspiro que ninguém ouviu, a não ser a escova da lareira e o suporte da chaleira.

– Eu irei comprar uma bela caixa de lápis de desenho da Faber[3]; realmente preciso deles – disse Amy, decidida.

– Nossa mãe não disse nada sobre nosso dinheiro e ela não deseja que desistamos de tudo. Vamos comprar o que quisermos e nos divertir um pouco; tenho certeza de que trabalhamos para merecer – proclamou Jo, examinando de maneira distinta os saltos dos seus sapatos.

– Eu mereço; ensinando aquelas crianças trabalhosas quase o dia todo, enquanto desejo estar em casa – começou Meg, novamente em tom de reclamação.

– Seu sofrimento não é metade do meu – disse Jo. – Você gostaria de ficar trancada durante horas com uma senhora nervosa e exigente, que a faz correr de um lado para o outro, nunca está satisfeita e a perturba ao ponto de você quase pular pela janela ou chorar?

– Não é correto reclamar, mas acho que lavar pratos e manter tudo arrumado é o pior trabalho do mundo. Isso me irrita e minhas mãos ficam tão rígidas que eu mal posso tocar. – Beth olhou para suas mãos ásperas com um suspiro que qualquer pessoa poderia ouvir àquela altura.

– Não acredito que qualquer uma de vocês sofra como eu – reclamou Amy –, pois vocês não têm de ir à escola com garotas impertinentes, que a atormentam se você não faz suas tarefas, riem dos seus vestidos, *desafamam* seu pai por não ser rico e a insultam porque seu nariz não é bonito.

– Você quis dizer difamam, não *desafamam*... como se o papai fosse alguém famoso! – Corrigiu Jo, rindo.

---

2. Livro do escritor alemão Friedrich de la Motte Fouqué, que teve uma edição popular nos Estados Unidos em 1845. (N. E.)
3. Referência ao lápis da marca criada em 1761 por Kasper Faber em Stein, Nuremberg, Alemanha, que hoje conhecemos como Faber-Castell. (N.E.)

– Eu sei o que quis dizer, e você não precisa ser *sartástica*. É adequado ter um bom *vocabilário* e aprimorá-lo – redarguiu Amy, com dignidade.

– Não se aborreçam umas com as outras, meninas. Você não gostaria que nós tivéssemos o dinheiro que papai perdeu quando éramos pequenas, Jo? Nossa! Como seríamos felizes se não tivéssemos com o quê nos preocupar! – disse Meg, que conseguia se lembrar de épocas melhores.

– Você disse, dia desses, que considerava a gente muito mais feliz do que os filhos dos King, pois eles brigavam e se chateavam o tempo todo, apesar de todo o dinheiro.

– Sim, eu disse, Beth. Bom, acho que somos. Embora tenhamos que trabalhar, nós nos divertimos, e somos uma turma bem animada, como Jo costuma dizer.

– Jo e suas gírias! – observou Amy, com um olhar reprovador direcionado ao corpo longilíneo de Jo esparramado no tapete.

Jo sentou-se imediatamente, colocou as mãos nos bolsos e começou a assoviar.

– Não, Jo. Isso é coisa de menino!

– Por isso que faço.

– Eu detesto meninas rudes, masculinas!

– E eu odeio menininhas afetadas e delicadas demais!

– Chega dessa discussão – disse Beth, a pacificadora, com uma expressão tão engraçada que fez as vozes aguçadas suavizarem até se tornarem um riso, e a rusga terminou por ora.

– Francamente, meninas, vocês duas têm culpa – disse Meg, começando a palestrar com seu jeito de irmã mais velha. – Você já é madura o suficiente para deixar de lado essas infantilidades e se comportar melhor, Josephine. Não importava quando você era uma garotinha, mas agora você está grande e já faz penteados nos cabelos, deveria se lembrar de que é já uma mocinha.

– Eu não! E se fazer penteados me torna uma moça, vou usar duas tranças até os vinte anos – protestou Jo, retirando sua fita e balançando seus volumosos cabelos castanhos. – Odeio pensar que tenho que crescer e ser a Miss March, usar vestidos longos e ficar extravagante como uma áster-da-china! Já é ruim o suficiente ser uma garota enquanto gosto das brincadeiras, dos trabalhos e dos modos dos meninos! Não me conformo por não ter nascido homem, e é ainda pior agora, pois morro de vontade de estar lutando ao lado do papai. E só posso ficar em casa e tricotar, como uma velha lerda!

Jo brandiu a meia azul do exército até as agulhas tilintarem como castanholas e seu novelo sair rolando pela sala.

– Pobrezinha da Jo! É muito ruim, mas é assim que é. Portanto, você deve tentar se contentar com seu nome quase de menino e brincar de irmão conosco – disse Beth, fazendo um cafuné com as mãos; nem toda lavagem de louça e faxina do mundo poderiam tirar a delicadeza do seu afago.

– E você, Amy – continuou Meg –, é exagerada e empolada demais. Sua aparência é engraçada agora, mas, se não tiver cuidado, vai crescer como uma bobinha afetada. Eu gosto dos seus modos simpáticos e do seu jeito refinado de falar, quando você não tenta ser elegante. Mas suas palavras absurdas são tão nocivas quanto as gírias da Jo.

– Se a Jo é uma moleca e a Amy é uma boba, o que eu sou? – perguntou Beth, pronta para fazer parte daquilo.

– Você é um amor e nada mais – respondeu Meg cordialmente, e ninguém a contradisse, pois "a ratinha" era a preferida da família.

Como jovens leitores gostam de saber qual a aparência das pessoas, vamos aproveitar este momento para fazer uma pequena descrição das quatro irmãs, que estavam sentadas, tricotando à luz do crepúsculo, enquanto a neve de dezembro caía suavemente do lado de fora e o fogo alegre estalava ali dentro. Era uma sala confortável, embora o carpete estivesse desbotado e os móveis fossem muito simples; pendurados nas paredes, havia um retrato e dois quadros; livros preenchiam os espaços vazios, crisântemos e rosas de Natal enfeitavam as janelas e uma atmosfera de paz permeava o ambiente.

Margaret, a mais velha das quatro, tinha dezesseis anos e era muito bonita, bem feita de corpo, olhos grandes, farto cabelo castanho claro, lábios suaves e mãos alvas, das quais se envaidecia. Jo tinha quinze anos, era morena, muito alta e magra, desengonçada como um potro, pois nunca sabia o que fazer com seus longos braços. Sua boca era expressiva;

o nariz, engraçado; e seus olhos perspicazes e acinzentados pareciam ver tudo e eram por vezes agressivos, divertidos ou contemplativos. Os cabelos longos e espessos eram sua única beleza, mas estavam geralmente presos em uma touca, para não lhe atrapalhar. Seus ombros eram arredondados; suas mãos e pés, grandes; uma olhada rápida para suas roupas revelava a incômoda aparência de uma menina que se tornava mulher rápido demais e não gostava nada disso. Elizabeth, ou Beth, como todos a chamavam, era uma garota de treze anos, de pele rosada, olhos vivos, introvertida, com uma voz tímida e um semblante tranquilo, raramente perturbado. Seu pai a chamava Miss Tranquilidade, que combinava perfeitamente com ela, já que parecia viver em um mundo próprio de felicidade, envolvendo-se apenas com aqueles que amava e confiava. Amy, embora fosse a caçula, era a pessoa mais importante, ao menos em sua própria opinião. Muito branca, pálida e magra, de olhos azuis e cabelos loiros e cacheados que chegavam até os ombros; sempre se comportava como uma jovem dama, segura de suas maneiras. Quanto à personalidade das quatro irmãs, vamos deixar para descobrir mais tarde.

O relógio bateu seis horas e, depois de varrer o pé da lareira, Beth colocou ali um par de pantufas para aquecer. De alguma forma, a visão das velhas pantufas causou um efeito positivo nas meninas, pois significava que a mãe estava chegando, e todas se iluminaram para recebê-la. Meg interrompeu o sermão e acendeu a luz, Amy pulou da poltrona sem que fosse solicitada e Jo esqueceu-se do quanto estava cansada e endireitou-se para colocar as pantufas mais próximas da chama.

– Elas já estão bem desgastadas. Mamãe está precisando de um novo par.

– Pensei em comprar com meu dólar – disse Beth.

– Não, eu que vou comprar! – disse Amy.

– Eu sou a mais velha – começou Meg, mas Jo interveio, decididamente.

– Eu sou o homem da casa agora que o papai está fora e devo comprar as pantufas, pois ele me pediu especialmente que cuidasse da mamãe em sua ausência.

– Vou dizer o que vamos fazer – disse Beth –, vamos cada uma comprar algo para ela de Natal, em vez de comprar para nós mesmas.

– Ótimo, querida! O que compramos? – exclamou Jo.

Todas pararam para pensar um pouco, então Meg anunciou, como se a ideia tivesse sido sugerida pela visão de suas belas mãos:

– Eu lhe darei um lindo par de luvas.

– Botas, o que há de melhor – disse Jo.

– Uns lenços, todos embainhados – disse Beth.

– Eu vou dar uma colônia. Ela gosta, e não é algo muito caro, então vai sobrar dinheiro para comprar meus lápis – acrescentou Amy.

– Como vamos dar os presentes? – perguntou Meg.

– Colocamos sobre a mesa para que a vejamos abrir os pacotes. Não se lembra como fazíamos nos nossos aniversários? – respondeu Jo.

– Eu ficava tão assustada quando era minha vez de sentar na cadeira, pôr a grinalda e receber de vocês todas os presentes com um beijo. Eu gostava das coisas e dos beijos, mas era terrível sentar e vê-las me olhando enquanto eu abria os pacotes – disse Beth, com o rosto quente de preparar as torradas para o chá.

– Deixemos a mamãe pensar que vamos comprar coisas para nós e, então, a surpreenderemos. Temos que ir às compras amanhã à tarde, Meg. Há muito o que fazer para a peça da noite de Natal – disse Jo, andando para lá e para cá, com as mãos nas costas e o nariz empinado.

– Esta será a última vez que vou atuar. Estou ficando muito velha para essas coisas – observou Meg, que, na verdade, adorava essas brincadeiras tal como uma criança.

– Eu sei que não vai parar enquanto puder usar vestidos brancos de cauda longa, seu cabelo solto e joias de papel dourado. Você é a melhor atriz que temos e será o fim de tudo se desistir dos palcos – disse Jo. – Temos que ensaiar hoje à noite. Venha aqui, Amy, e treine a cena do desmaio, pois você está caindo dura como uma tábua.

– Não consigo evitar. Nunca vi ninguém desmaiar e não consigo mudar de cor e cair como você. Se eu puder cair aos poucos, tudo bem. Mas, se não for possível, posso desmaiar em uma cadeira, graciosamente. Não me importo se o Hugo vier em minha direção com uma pistola – respondeu Amy, que nasceu sem o dom da dramaturgia, mas foi escolhida porque era pequena o suficiente para ser carregada, aos berros, pelo antagonista da obra.

— Faça assim: junte suas mãos e cambaleie pela sala gritando, desesperadamente, "Roderigo, me salve! Me salve!" — e Jo deu um grito melodramático que foi realmente emocionante.

Amy acatou, mas esticou as mãos e pulou para frente como se tivesse sido empurrada por algum mecanismo, e seu "Ai!" pareceu mais um grito de dor que de angústia. Jo deu um gemido desesperançado e Meg gargalhou, enquanto Beth deixava o pão queimar, interessada em assistir à brincadeira.

— Isso foi péssimo! Faça o melhor que puder quando for a hora; e se o público rir, não me culpe. Vamos, Meg.

Então, as coisas se acalmaram, pois Dom Pedro desafiou o mundo com um discurso de duas páginas sem uma única pausa. Hagar, a bruxa, recitou um encanto horrível sobre seus feitiços com sapos cozidos, de efeito bizarro. Roderigo quebrou as correntes com vigor. E Hugo morreu, agonizando por remorso e arsênico, desatando um "Ah! Ah!" como se fosse um bicho.

— É o que temos de melhor — disse Meg, enquanto o antagonista morto sentava e esfregava seus cotovelos.

— Não sei como você consegue escrever peças tão maravilhosas e ainda atuar, Jo. Você é um Shakespeare! — exclamou Beth, que acreditava de verdade que suas irmãs tinham um talento especial para todas as coisas.

— Nem tanto — respondeu Jo, modestamente. — Acho que *A Maldição das Bruxas, uma Tragédia Lírica* é boa de certa forma, mas gostaria de tentar *Macbeth*, se pelo menos tivéssemos um alçapão para Banquo. Sempre quis fazer a parte do assassinato: "Será um punhal o que vejo em minha frente?" — murmurou Jo, virando os olhos e agarrando o ar, como se imitasse o famoso dramaturgo.

— Não, é o garfo de torrar, com a pantufa da nossa mãe na ponta, em vez do pão. Acorda, Beth! — gritou Meg, e o ensaio acabou em uma explosão de gargalhadas.

— Que bom ver minhas meninas tão animadas — disse uma voz alegre à porta, e então atrizes e público voltaram-se para receber a senhora alta e maternal cujo olhar de "posso ajudar?" era realmente gratificante. Não estava vestida de forma elegante, mas tinha ar de nobreza, e, para as meninas, a capa cinza e o gorro fora de moda cobriam a mãe mais esplêndida do mundo.

– Bem, meus anjos, como passaram o dia? Tinha tanta coisa a fazer, aprontar as caixas para amanhã, que não pude vir para casa jantar. Alguém me procurou, Beth? Está melhor do resfriado, Meg? Jo, você parece tão cansada. Vem aqui me dar um beijo, filhinha.

Enquanto fazia esse interrogatório maternal, a sra. March tirou as peças de roupa molhadas, calçou as pantufas aquecidas e sentou-se na poltrona, colocando Amy no colo e preparando-se para desfrutar da hora mais feliz do seu dia tão ocupado. As meninas saltitavam, tentando tornar tudo confortável, cada uma à sua maneira. Meg organizou a mesa para a ceia, Jo trouxe lenha e cadeiras, derrubando tudo em que tocava e fazendo muito barulho. Beth corria de um lado a outro entre a cozinha e a sala, calada e agitada, enquanto Amy orientava todas, sentada com os braços cruzados.

Assim que arrumaram a mesa, a sra. March disse, com uma expressão particularmente animada:

– Tenho uma surpresa para vocês depois da ceia.

Um sorriso rápido e claro surgiu em todas como um raio de sol. Beth bateu palmas, sem se importar com o biscoito que segurava, e Jo atirou seu guardanapo, chorando:

– Uma carta! Uma carta! Três vivas para nosso pai!

– Sim, uma carta bonita e longa. Ele está bem, e acha que pode passar pela estação fria melhor do que imaginávamos. Ele manda lembranças carinhosas para o Natal e uma mensagem especial para vocês – disse a sra. March, dando palmadinhas em seu bolso como se escondesse um tesouro ali.

– Vamos logo! Não perca tempo empinando o dedinho sobre o prato, Amy – reclamou Jo, engasgando-se com seu chá e deixando cair o pão no carpete, com a manteiga virada para baixo, de tão ansiosa que estava pela surpresa.

Beth não comeu mais e foi sentar-se em seu canto escuro, pensando na alegria que estava por vir, até que as outras estivessem prontas.

– Achei ótimo nosso pai ir como capelão, já que ele era muito velho para ser convocado e não muito forte para ser um soldado – disse Meg, afetuosamente.

– Queria eu ter ido como tocadora de tambor, uma *vivan*... como é mesmo o nome? Ou enfermeira, então poderia ficar perto dele e ajudá-lo – exclamou Jo, com um gemido.

– Deve ser muito desagradável dormir em uma barraca, comer coisas com gosto ruim e beber em uma caneca de latão – suspirou Amy.

– Quando ele vem para casa, mamãe? – perguntou Beth, com certo tremor em sua voz.

– Ainda irá demorar meses, querida, a menos que ele adoeça. Ele vai ficar e dedicar-se ao trabalho o quanto puder, e não vamos pedir que ele venha nem um minuto antes do que ele possa oferecer. Agora venham, vou ler a carta.

Todas elas puseram-se próximas ao fogo: a mãe na poltrona grande, com Beth aos seus pés, Meg e Amy no braço da poltrona e Jo apoiada nas costas, onde ninguém veria qualquer sinal de emoção caso a carta fosse emocionante. Poucas cartas escritas nesta época tão difícil não eram comoventes, especialmente aquelas que os pais mandavam para casa. Nesta, pouco foi dito sobre as dificuldades suportadas, os perigos enfrentados ou a nostalgia arrebatadora. Era uma carta alegre, esperançosa, cheia de vívidas descrições da vida no campo, das marchas, das novidades no exército e, apenas ao final, o coração do pai transbordou de amor e saudade das suas filhas.

*"Dê a elas todo o meu amor e um beijo. Diga que penso nelas todos os dias, rezo por elas todas as noites e em todo momento encontro comforto no afeto delas. Um ano parece uma espera muito longa para vê-las, mas diga que, enquanto esperamos, todos podemos trabalhar, assim esses dias difíceis não precisam ser desperdiçados. Sei que vão se lembrar de tudo o que eu disse, e serão amáveis com você, cumprirão o dever delas com dedicação, lutarão bravamente contra seus inimigos íntimos e terão tão belo domínio de si que, quando eu voltar, a afeição e o orgulho pelas minhas mulherzinhas serão maiores do que nunca".*

Todas fungaram quando ouviram essa parte. Jo não ficou com vergonha da enorme lágrima que caiu da ponta do seu nariz, e Amy não se importou em amarrotar os cachos ao esconder o rosto no ombro da sua mãe e dizer, soluçando:

– Eu sou egoísta! Mas vou tentar ser melhor, assim ele não vai se decepcionar quando chegar.

– Seremos todas melhores – afirmou Meg. – Eu dou muita atenção à minha aparência e detesto trabalhar, mas não serei mais assim, se eu puder evitar.

– Tentarei e serei aquilo de que ele adora me chamar, "uma mulherzinha": não serei rude e agressiva, cumprirei meu dever aqui ao invés de desejar estar em outro lugar – disse Jo, concluindo que controlar seu temperamento em casa era muito mais difícil do que enfrentar rebeldes no Sul.

Beth não disse nada, apenas limpou suas lágrimas com a meia azul do exército e começou a tricotar com toda sua dedicação, sem perder tempo, envolvendo-se em sua tarefa que estava ali próximo enquanto resolvia, em sua alma calada, ser tudo o que seu pai esperava encontrar quando finalmente voltasse para casa.

A sra. March quebrou o silêncio que se seguiu às palavras de Jo, dizendo com a voz animada:

– Vocês se lembram como gostavam de representar *A Viagem do Peregrino*[4] quando eram mais novas? Nada as deixava mais animadas do que quando eu amarrava sacolas de retalhos nas costas de vocês, lhes dava chapéus, cajados e rolos de papel e as deixava viajar do porão até a casa, que era a Cidade da Destruição, subindo, subindo, até o telhado, onde juntavam tudo que conseguiram coletar para construir a Cidade Celestial.

– Como era divertido, especialmente andar entre os leões, lutar contra Apollyon e passar pelo vale onde viviam os duendes – disse Jo.

– Eu gostava do momento em que os pacotes caíam e rolavam pela escada – disse Meg.

---

4. Referência ao livro *O Peregrino*, romance alegórico escrito pelo pastor protestante inglês John Bunyan. (N. E.)

– Não me lembro de muita coisa, só de como eu tinha medo do porão e sua entrada escura, e de como sempre gostei do bolo com leite que comíamos quando chegávamos lá em cima. Se eu não for muito velha para essas coisas, gostaria de brincar disso novamente – disse Amy, que começava a falar sobre renunciar às atividades infantis do alto dos seus doze anos.

– Nunca seremos velhas demais para isso, minha querida, porque é uma peça que representamos sempre, de um jeito ou de outro. Nossos fardos estão aqui, a estrada está à nossa frente, e o desejo por bondade e felicidade nos guiará pelos vários problemas e controvérsias até a paz, que é uma verdadeira Cidade Celestial. Agora, minhas pequenas peregrinas, suponham que estão começando novamente, não a peça, mas de verdade, e vejam o quão longe conseguem chegar antes que vosso pai volte para casa.

– Sério, mãe? Onde estão nossos fardos? – perguntou Amy, que era uma moça bastante literal.

– Cada uma de vocês contou agora há pouco qual eram seus fardos, menos a Beth. Talvez porque não tenha nenhum – disse sua mãe.

– Mas eu tenho. O meu fardo são os pratos, a faxina, invejar as meninas com belos pianos e ter medo das pessoas.

O fardo de Beth era tão engraçado que todas tiveram vontade de rir, mas ninguém o fez, pois isso a magoaria profundamente.

– Vamos fazer isso – disse Meg, pensativa. – É apenas mais um nome para tentarmos ser bons, e a história pode nos ajudar, pois embora queiramos ser bons, este é um trabalho duro e podemos nos esquecer, e não fazermos o nosso melhor.

– Estávamos no Lamaçal do Desânimo esta noite, e mamãe nos salvou, assim como Ajuda fez no livro. Devemos ter nossa lista de orientações, como cristãos. O que podemos fazer a esse respeito? – perguntou Jo, satisfeita com a sofisticação que um pequeno romance emprestou à sua tarefa tão prosaica[5].

---

5. Jo volta ao livro de John Bunyan e faz referências aos personagens e cenários alegóricos presentes em *O peregrino*. (N. E.)

– Confiram o que haverá debaixo dos seus travesseiros na manhã de Natal e encontrarão seu manual – respondeu a sra. March.

Elas conversaram sobre o novo plano enquanto a velha Hannah tirava a mesa. Depois, pegaram quatro pequenas cestas, e as agulhas passaram a trabalhar bem rápido conforme as meninas faziam os lençóis da tia March. Era uma costura desinteressante, mas naquela noite ninguém reclamou. Elas adotaram o plano de Jo de dividir a costura em quatro partes, e as chamaram de Europa, Ásia, África e América, dando importância maior ao trabalho, especialmente quando falavam sobre os diferentes países à medida que os visitavam com a costura.

Às nove, pararam de trabalhar e cantaram antes de irem para a cama, como de costume. Dentre elas, apenas Beth sabia tocar alguma música no velho piano, e o fazia passeando suavemente pelas teclas amarelas, criando um agradável acompanhamento às canções simples que cantavam. Meg tinha uma voz doce e, junto à sua mãe, conduzia o coro. Amy chilreava como um grilo, e Jo perambulava pelo ar à própria vontade, sempre fora de compasso, com um coaxar ou um trinado que estragava a melodia. Cantavam *"bilha, bilha, stelinha"* desde quando mal sabiam falar, e isso tornou-se um costume da casa, já que a mãe era uma cantora nata. O primeiro som da manhã era sua voz, quando ela começava a cuidar dos afazeres domésticos, cantando como uma cotovia, e o último som da noite era o mesmo, pois as meninas nunca cresceriam o suficiente para não ouvir as familiares canções de ninar.

# Um Natal feliz

Jo foi a primeira a levantar na cinzenta manhã de Natal. Na lareira, não havia nenhuma meia pendurada e, por um momento, ficou decepcionada, assim como havia ficado no passado, quando sua pequena meia caiu por estar abarrotada de tantas guloseimas. Contudo, logo se lembrou da promessa de sua mãe e, deslizando a mão sob seu travesseiro, encontrou um pequeno livro de capa carmim. Ela o conhecia muito bem: era aquela linda história da melhor vida já vivida, e percebeu que era um verdadeiro guia para qualquer peregrino em uma longa viagem. Acordou Meg com um "Feliz Natal" e pediu que ela visse o que havia embaixo do seu travesseiro. Um livro de capa verde surgiu, com a mesma figura dentro e algumas palavras escritas pela mãe, o que tornou aquele único presente preciosíssimo. Nesse momento, Beth e Amy acordaram e também encontraram seus livrinhos, um acinzentado e o outro azul; então, todas se sentaram para folhear os livros e conversar sobre eles, enquanto o céu ao leste ficava rosado com o nascer do dia.

Apesar de suas pequenas vaidades, Margaret era naturalmente doce e empática, o que inconscientemente influenciava suas irmãs, especialmente Jo, que a amava com muita ternura e sempre seguia os conselhos tão gentis da irmã.

— Meninas — disse Meg com ar sério, olhando para a cabeça caída ao seu lado e para as outras duas ainda usando o gorro do pijama –, nossa mãe nos pediu para ler, amar e cuidar desses livros, por isso devemos começar já. Costumávamos nos dedicar a isso, mas desde que nosso pai foi embora e a guerra nos trouxe todos esses problemas, acabamos negligenciando várias coisas. Façam como quiserem, mas eu vou deixar meu livro aqui na mesa e o lerei um pouco todas as manhãs, logo que acordar, pois sei que me fará bem e me ajudará a enfrentar o dia.

Logo em seguida, ela abriu seu novo livro e começou a ler. Jo abraçou a irmã e, encostando sua bochecha na dela, também passou a ler, com uma expressão tranquila, algo raro de ser visto em seu rosto agitado.

— Como Meg é boazinha! Venha, Amy, vamos fazer como elas. Eu ajudo você com as palavras difíceis e elas explicam o que não entendermos — sussurrou Beth, muito impressionada com a beleza dos livros e com o exemplo das irmãs.

— Fico feliz pelo meu livro ser azul — disse Amy.

Então, os quartos ficaram tranquilos conforme as páginas viravam suavemente e o brilho do sol do inverno chegava para dar um ar natalino aos rostos concentrados.

– Onde está a mamãe? – perguntou Meg enquanto descia com Jo para agradecer a sra. March pelos presentes, cerca de meia hora depois.

– Só Deus sabe. Alguma pobre criatura deve ter precisado dela, e sua mãe foi imediatamente ajudar. Nunca houve uma mulher tão desprendida, que doe desde comida e bebida a roupas e lenha – respondeu Hannah, que vivia com a família desde que Meg nasceu e era considerada por todos mais como amiga do que como empregada.

– Ela voltará logo, eu acho, então preparem seus bolinhos e deixem tudo arrumado – disse Meg, olhando para os presentes que foram guardados em uma cesta sob o sofá, prontos para serem entregues no momento ideal. – Ué, onde está a colônia da Amy? – acrescentou, ao perceber que o pequeno frasco não estava lá.

– Ela pegou agora há pouco e saiu com ele para colocar um laço ou algo assim – respondeu Jo, dançando pela sala para amaciar as botas novas.

– Meus lenços são lindos, não acham? Hannah os lavou e passou e eu mesma os bordei – disse Beth, olhando orgulhosa para as letras desiguais que lhes deram tanto trabalho.

– Bobinha! Bordou a palavra "Mamãe" neles, em vez de "M. March". Que engraçado! – disse Jo, pegando um dos lenços.

– Não está certo? Pensei que seria melhor assim, já que as iniciais da Meg também são M. M., e eu não queria que ninguém os usasse, além de mamãe – disse Beth, com ar aflito.

– Está tudo certo, querida, foi uma ótima ideia, muito sensível também, e agora ninguém vai se confundir. Tenho certeza que ela ficará muito feliz – disse Meg, franzindo o cenho para Jo e sorrindo para Beth.

– Lá vem a mamãe. Esconda a cesta, rápido! – disse Jo, enquanto uma porta era fechada e o barulho de passos chegava à sala.

Amy apressou-se e olhou envergonhada para as irmãs, que a esperavam.

– Onde você estava e o que está escondendo atrás de você? – perguntou Meg, surpresa em ver, pelo capuz e pela capa que vestia, que a preguiçosa Amy havia saído desde cedo.

– Não ria de mim, Jo! Não queria que ninguém soubesse até o momento certo. Fui trocar o frasco pequeno por um maior e usei todo o meu dinheiro para comprá-lo, pois estou realmente tentando ser menos egoísta.

Enquanto falava, Amy mostrou o belo frasco, que substituíra o mais barato, e pareceu tão verdadeira e humilde em seu pequeno esforço para ser altruísta que Meg a abraçou ali mesmo, Jo disse-lhe que era "um espécime raro" e Beth correu para a janela e colheu a rosa mais bonita para enfeitar o imponente frasco.

– Sabe, fiquei com vergonha do meu presente depois de ler e falar sobre ser uma pessoa boa hoje de manhã. Por isso, assim que levantei, fui até a esquina e fiz a troca, e estou muito satisfeita, pois agora o meu presente é o mais bonito.

Outro barulho vindo da porta da rua fez a cesta voltar para debaixo do sofá e as garotas irem para a mesa, ávidas pelo café da manhã.

– Feliz Natal, mamãe! Hoje e sempre! Obrigada pelos livros. Já lemos um pouco e queremos fazê-lo todos os dias – disseram, em coro.

– Feliz Natal, filhinhas! Fico feliz que já começaram a ler e espero que continuem. Mas quero dizer algo antes de nos sentarmos. Não muito longe daqui, vive uma mulher pobre com um bebê recém-nascido. Seis crianças se amontoam em uma única cama para não congelarem, pois não há fogo lá. Também não há nada para comer e o filho mais velho me disse que estão todos sofrendo com fome e frio. Minhas meninas, vocês lhes dariam seu café da manhã como um presente de Natal?

Elas estavam com uma fome fora do comum, pois já esperavam quase uma hora pela refeição. Ficaram caladas por um momento, muito curto, e Jo exclamou, impetuosamente:

– Estou tão feliz que você veio antes de começarmos a comer!

– Posso ir e ajudá-la a levar as coisas para as pobres criancinhas? – perguntou Beth, ansiosa.

– Eu levo o creme e os bolinhos – acrescentou Amy, abrindo mão heroicamente do seu item preferido.

Meg já estava cobrindo os bolos de trigo e empilhando o pão em um prato grande.

– Eu sabia que vocês concordariam – disse a sra. March, sorrindo com satisfação. – Quero que vocês venham para me ajudar e, quando voltarmos, comeremos pão e leite de café da manhã, mas compensaremos no jantar.

Em pouco tempo, estavam prontas e saíram. Felizmente era cedo e as ruas ainda estavam calmas, assim poucas pessoas as viram e ninguém riu daquele grupo singular.

O quarto era simples e muito pobre, com janelas quebradas e sem fogo; as roupas de cama estavam esfarrapadas; a mãe, doente; o bebê, choramingando e um grupo de crianças pálidas e famintas abraçavam-se sob uma manta velha, uma tentativa para se manterem aquecidas.

Todos os olhos arregalaram-se e os lábios azulados sorriram quando viram as meninas entrar.

– *Ach, mein Gott*[6]! Os anjos vieram até nós! - disse a mulher, chorando de alegria.

– Anjos engraçados, com capuzes e luvas - disse Jo, e todos riram.

Durante alguns minutos, realmente pareceu que bons espíritos haviam agido ali. Hannah, que carregara a lenha, acendeu o fogo e tampou as vidraças quebradas usando chapéus velhos e sua própria capa. A sra. March deu chá e mingau à mãe, e a confortou com promessas de ajuda enquanto vestia o bebezinho com tanta ternura como se fosse o seu próprio. Nesse meio tempo, as meninas puseram a mesa, colocaram as crianças próximas ao fogo e as alimentaram como se fossem passarinhos famintos, rindo, conversando e tentando entender aquela língua estranha que falavam.

– *Das ist gut! Die Engel-kinder*[7]! - diziam as criancinhas enquanto comiam e aqueciam as mãozinhas roxas de frio na chama. As garotas nunca haviam sido chamadas de anjos antes e gostaram muito, especialmente Jo, considerada um "moleque" desde que nasceu. Foi um café da manhã muito animado, embora elas não tenham comido nada. Quando foram embora, deixando conforto para aquela família, não havia quatro pessoas mais felizes em toda a cidade do que aquelas garotinhas famintas, que renunciaram ao seu café da manhã e contentaram-se com pão e leite na manhã de Natal.

---

6. "Oh, meu Deus!", em alemão. (N. T.)
7. "Isto está ótimo! Que anjinhas!", em alemão. (N. T.)

– Isso se chama amar ao próximo mais até do que a nós mesmos, e eu gosto disso – disse Meg, organizando os presentes enquanto sua mãe estava no andar de cima separando roupas para os pobres Hummels.

Não era um espetáculo esplêndido, mas havia um grande gesto de amor nos poucos e pequenos embrulhos, e o grande vaso com rosas vermelhas, crisântemos brancos, e folhas de videira dava um ar bastante elegante à mesa.

– Ela está vindo! Comece a tocar, Beth! Abra a porta, Amy! Três vivas para a mamãe! – gritou Jo, empinando-se enquanto Meg conduzia a mãe ao assento de honra.

Beth tocou sua marcha mais alegre, Amy escancarou a porta e Meg encenou uma escolta com muita distinção. A sra. March, surpresa e emocionada, sorriu com os olhos marejados enquanto examinava os presentes e lia os pequenos bilhetes que os acompanhavam. As pantufas foram calçadas imediatamente; um novo lenço, perfumado com a colônia de Amy, foi colocado em seu bolso; a rosa foi posta em seu peito; e as belas luvas serviram perfeitamente.

Durante um bom momento, houve risos, beijos e explicações, de forma simples e amável que torna essas festividades domésticas tão agradáveis no momento em que acontecem, e também tornam doces as lembranças no futuro. Logo depois, todas puseram-se a trabalhar.

As caridades e as cerimônias da manhã tomaram tanto tempo que o restante do dia foi dedicado aos preparativos das festividades noturnas. Sendo ainda muito jovens para irem com frequência ao teatro e não ricas o suficiente para arcar com espetáculos privados, as meninas deixavam a imaginação fluir e, como a necessidade é a mãe da invenção, faziam tudo de que precisavam. Suas produções eram bastante inteligentes, com violões de papelão, abajures antigos feitos de potes de manteiga cobertos com papel prateado, belíssimos vestidos de algodão antigo, reluzindo com lantejoulas feitas de latas de uma fábrica de conservas, e armaduras cobertas com pedaços em forma de diamante cortados das tampas das conservas. A grande sala já havia sido cenário de várias diversões inocentes.

Não era permitida a entrada de nenhum cavalheiro, assim Jo representava os personagens masculinos, para sua alegria, e ficava imensamente satisfeita quando calçava o par de botas de couro avermelhado que ganhara de presente de uma amiga, a qual conhecia uma moça que conhecia um ator. Estas botas, um florete velho e uma jaqueta rasgada (usada uma vez por certo artista em uma peça), eram os principais tesouros de Jo e apareciam em todas as ocasiões. O número limitado de atrizes da companhia obrigava as duas principais a assumirem diversos papéis, e elas, certamente, mereciam algum crédito pelo trabalho duro que realizavam ao representar três ou quatro personagens diferentes, trocando constantemente de figurino, além de dirigirem a peça. Era um excelente treino para suas memórias, uma diversão inofensiva, e ocupava muitas horas que, caso contrário, seriam ociosas, solitárias ou dedicadas a atividades muito menos proveitosas.

Na noite de Natal, sentadas perante a cortina de chita azul e amarelo, uma dúzia de garotas em estado lisonjeiro de expectativa empilharam-se na cama usada como camarote. Por trás da cortina, vinham murmúrios e sussurros, o esfumaçar do lampião e uma eventual risadinha de Amy, que estava pronta para ficar histérica com a excitação do momento. Então, soou um sino, as cortinas abriram e a tragédia lírica teve início.

"Um bosque sombrio", de acordo com o cartaz, era representado por algumas latas com arbustos, um feltro verde no chão e uma gruta a certa distância. A gruta era feita com um pequeno varal aéreo de roupas, as paredes eram feitas por escrivaninhas, e havia uma pequena fornalha lá dentro a pleno vapor, com um caldeirão preto, e uma velha bruxa debruçada nele. O palco era escuro e a luz da fornalha fazia um belo efeito, especialmente quando a bruxa tirou a tampa e saiu vapor de verdade do caldeirão. Depois daquela primeira empolgação, Hugo, o antagonista, entrou em cena com uma espada tilintante a tiracolo, um chapéu frouxo, uma barba negra, uma capa misteriosa e botas. Caminhou para lá e para cá com bastante agitação, bateu na própria testa e desatou a cantar de um jeito bárbaro sobre seu ódio por Roderigo, seu amor por Zara e sua decisão de matar um e conquistar a outra. O tom áspero da voz de Hugo, com gritos ocasionais quando seus sentimentos se sobrepunham a si próprio, foram impressionantes, e o público aplaudiu no momento em que ele parou para tomar fôlego. Fazendo uma reverência com ar de quem está acostumado aos elogios do público, aproximou-se da gruta e ordenou que Hagar saísse com um comando:

– Ó, mulher, preciso de ti!

Meg surgiu, com uma crina de cavalo cinza caindo sobre seu rosto, um vestido vermelho e preto, um cajado e símbolos cabalísticos por cima de sua capa. Hugo pediu à bruxa uma poção para que Zara o amasse e outra para destruir Roderigo. Hagar, em uma melodia dramaticamente bela, prometeu ambas e começou a invocar o espírito que traria a poção do amor.

> Aéreo espírito, vem até mim,
> Servir-me é o teu fim!
> Nasceste da rosa, orvalho é teu alimento,
> Podes, enfim, criar encantamento?
> Vem veloz, trata-te de se apressar
> Traz já a poção fragrante que faz amar
> A demanda aqui está posta
> Ó, espírito, qual é tua resposta?

Uma suave melodia soou e, então, do fundo da gruta, apareceu uma pequena figura vestida de branco, com asas cintilantes, cabelos dourados e uma guirlanda de rosas. Balançando uma varinha, ela cantou:

> Do meu lar aéreo,
> Vim resolver teu mistério
> Saudoso da lua prateada
> O feitiço aqui tem, usa-o bem
> Ou seu poder não valerá de nada!

E, deixando cair um frasco pequeno e dourado aos pés da bruxa, o espírito desapareceu. Outro canto de Hagar produziu mais uma aparição, mas dessa vez não era amável, e sim um diabinho feio que, coaxando sua resposta, arremessou um frasco escuro para Hugo e desapareceu com uma risada zombeteira. Após cantarolar agradecimentos e guardar as poções nas botas, Hugo partiu e Hagar informou ao público que ele havia assassinado alguns de seus amigos no passado e, por isso, ela o amaldiçoara e pretendia vingar-se dele, frustrando-lhe os planos. Em seguida, a cortina caiu e o público descansou e comeu guloseimas enquanto discutia os méritos do espetáculo.

Ouviu-se um contínuo martelar antes que a cortina subisse novamente, mas, quando ficou evidente que uma obra-prima da carpintaria cenográfica havia sido feita, ninguém reclamou do atraso. Era realmente magnífico. Uma torre subia até o teto; na metade de cima, via-se uma janela com uma luz acesa e detrás da cortina branca apareceu Zara em um lindo vestido azul e prata, à espera de Roderigo. Ele entrou em cena em grande gala, com chapéu de plumas, capa vermelha, cabelos castanhos, um violão e as botas, obviamente. Ajoelhado ao pé da torre, ele cantou uma serenata em tom meloso. Zara respondeu e, após o diálogo musical, concordou com a fuga sugerida. E, então, ocorreu o momento mais espetacular da peça: Roderigo engendrou uma escada de cordas, com cinco degraus, arremessou uma ponta e convidou Zara a descer. Com muito cuidado, ela passou pela grade, colocou a mão no ombro de Roderigo e estava prestes a fazer graciosamente o último movimento rumo ao chão, quando – "Ai, ai, ai, Zara!" – ela esqueceu-se da cauda do vestido. O tecido ficou preso na janela, o que fez a torre cambalear e inclinar-se para frente, caindo com estrondo e soterrando os infelizes amantes nas ruínas.

Um grito em coro invadiu o ambiente quando as botas avermelhadas surgiram com violência dos escombros e uma cabeça dourada surgiu, exclamando:

– Eu avisei! Eu avisei!

Com uma maravilhosa presença de espírito, Dom Pedro, o cruel senhor, adiantou-se, e arrastou sua filha com um aparte brusco.

– Não riam! Ajam como se estivesse tudo bem! – e, ordenando que Roderigo se levantasse, baniu-o do reino com ira e desprezo. Embora claramente abalado pela queda da torre sobre si, Roderigo desafiou o velho senhor e recusou-se a sair. Zara encorajou-se com um intrépido exemplo: também desafiou o senhor, que prendeu a ambos na masmorra mais profunda do castelo. Veio, então, o carcereiro baixinho e parrudo com as correntes e levou o casal embora, parecendo assustado e evidentemente esquecendo o pronunciamento que deveria ter feito.

O terceiro ato passava-se no saguão do castelo, e aqui Hagar apareceu para libertar os amantes e derrotar Hugo. Ao perceber que este se aproximava, escondeu-se e o viu colocar as poções em dois cálices de vinho e ordenar ao pequeno servo:

– Leve isso aos cativos em suas celas, e diga que irei visitá-los mais tarde.

O servo puxou Hugo para um canto para dizer-lhe algo, e Hagar aproveitou para trocar os dois cálices por outros, inofensivos. Ferdinando, o servo, levou os cálices e Hagar pôs de volta o cálice que continha a poção destinada a Roderigo. Hugo, sedento após uma longa cantoria, bebeu-o, perdeu os sentidos e, após agonizar por um bom tempo, caiu duro e morreu, enquanto Hagar contava o que fez por meio de uma canção de melodia e força extraordinárias.

Foi uma cena realmente fascinante, embora algumas pessoas possam ter achado que a queda súbita da longa peruca ruiva tenha amenizado o efeito da morte do vilão. Ele foi chamado ao palco e, com bastante propriedade, apareceu conduzindo Hagar, cujo canto foi considerado mais maravilhoso do que a peça como um todo.

O quarto ato mostrou o desespero de Roderigo ao ponto de esfaquear a si próprio quando soube que Zara o abandonara. Assim que pôs o punhal em seu peito, uma delicada canção soou sob sua janela, dizendo-lhe que Zara era fiel, porém estava em perigo e que poderia salvá-la, se assim desejasse. Uma chave foi jogada para dentro da cela e, em um arroubo, Roderigo rompeu as correntes e fugiu para encontrar e resgatar sua amada.

O quinto ato começou com uma tempestuosa cena entre Zara e Dom Pedro. Ele desejava que a filha fosse para um convento, mas ela não queria nem ouvir falar disso e, após um comovente apelo do pai, prestes a convencê-la, Roderigo entrou de repente e pediu sua mão em casamento. Dom Pedro recusou, pois o pretendente não era rico. Eles gritaram e gesticularam com veemência, mas não chegavam a um acordo, e quando Roderigo estava na iminência de levar Zara, já exausta, embora dali, o tímido servo entrou com uma carta e uma bolsa enviadas por Hagar, que desaparecera misteriosamente. A carta informava a todos que ela legara uma herança inestimável ao jovem casal e um destino terrível a Dom Pedro, caso ele não os fizesse feliz. Ao abrir a bolsa, uma chuva de moedas de latão caiu no palco, deixando-o todo brilhante. Tudo isso abrandou o rígido senhor, que deu, por fim, seu consentimento, e todos se uniram em um coro alegre, até que a cortina caiu sobre os amantes ajoelhados, prontos para receber as bênçãos de Dom Pedro.

Seguiram-se calorosos aplausos, mas outro desastre aconteceu, pois a cama na qual a plateia se acomodara cedeu subitamente, acabando com o entusiasmo do público. Roderigo e Dom Pedro apressaram-se rumo ao resgate e todas foram salvas incólumes, embora muitas não conseguissem falar de tanto rir. A animação mal havia terminado quando Hannah apareceu dizendo:

– Com os cumprimentos da sra. March, convido as meninas a descerem para a ceia.

Mesmo para as atrizes aquilo foi uma surpresa e, quando viram a mesa, entreolharam-se em um maravilhoso êxtase. Era típico da mamãe promover agrados a elas, mas algo assim tão exuberante não era visto desde o fim dos dias de fartura. Havia dois pratos de sorvete, um rosa e outro branco, além de bolo, frutas e bombons franceses decorados; no meio da mesa, quatro grandes buquês de flores de estufa.

A cena era estonteante, e elas ficaram paradas encarando primeiramente a mesa e depois a mãe, que demonstrava imensa satisfação no olhar.

– Foram as fadas? – perguntou Amy.

– Papai Noel – disse Beth.

– Foi a mamãe – disse Meg com seu sorriso mais doce, apesar da barba grisalha e das sobrancelhas brancas.

– Deve ter sido tia March quem teve a ideia e proporcionou a ceia – disse Jo, com uma súbita inspiração.

– Tudo errado. Foi o velho sr. Laurence que nos enviou – respondeu a sra. March.

– O avô do jovem Laurence! Por que será que ele teve essa ideia? Nós sequer o conhecemos! – exclamou Meg.

– Hannah contou a um de seus empregados sobre a festa do café da manhã. É um senhor um tanto estranho, mas aquilo o agradou. Ele conheceu meu pai anos atrás e me enviou um bilhete cordial esta tarde, dizendo que esperava poder expressar sua amizade para minhas filhas enviando-lhes algo para celebrar o dia de hoje. Não pude recusar e, portanto, agora vocês têm um pequeno banquete para compensar o café da manhã de pão e leite.

– Foi o garoto que colocou isso na cabeça dele, estou certa disso! Ele é uma ótima pessoa e desejo um dia conhecê-lo. Tem um olhar de quem gostaria de nos conhecer, mas é tímido, e Meg é tão rigorosa que nunca permite que eu me dirija a ele quando passa por nós – disse Jo, enquanto os pratos passeavam pela mesa e o sorvete começava a derreter, com "ohs" e "ahs" de satisfação.

– Você se refere aos vizinhos que moram no casarão ao lado, não é? – perguntou uma das garotas. – Minha mãe conhece o velho sr. Laurence, mas conta que ele é muito soberbo e não gosta de se misturar com os vizinhos. Mantém o neto trancado e, quando não está cavalgando ou caminhando com seu tutor, obriga-o a estudar muito. Nós o convidamos para nossa festa, mas ele não veio. Mamãe diz que ele é muito simpático, embora nunca fale conosco.

– Nossa gata fugiu de casa uma vez e ele a trouxe de volta, então conversamos através da cerca, com intimidade, sobre críquete e outras coisas. Mas quando viu Meg se aproximar, foi embora. Queria conhecê-lo um dia, pois ele precisa divertir, tenho certeza que sim – disse Jo, decidida.

– Gosto dos seus modos, parece um pequeno cavalheiro. Portanto, não vejo problema em vocês o conhecerem, caso surgir uma oportunidade adequada. Ele mesmo trouxe as flores. Eu deveria tê-lo convidado a entrar, se soubesse do que estava acontecendo lá em cima. Parecia tão triste ao ir embora, ouvindo a brincadeira, pois claramente não costuma ter momentos assim. – disse a sra. March.

– Ainda bem que não o convidou, mamãe! – riu-se Jo, olhando para suas botas. – Mas encenaremos outra peça um dia, à qual ele poderá assistir. Quem sabe ele também participe. Não seria divertido?

– Nunca tive um buquê tão elegante como esse! Como é lindo! – disse Meg, examinando as flores com grande interesse.

– São adoráveis, mas as rosas de Beth me parecem ainda melhores – disse a sra. March, cheirando o ramalhete quase morto na sua cintura.

Beth aninhou-se à mãe e sussurrou, suavemente:

– Queria poder enviar meu ramo ao papai. Receio que seu Natal não esteja sendo tão feliz quanto o nosso.

## O jovem Laurence

– Jo! Jo! Cadê você? – gritou Meg ao pé da escada do sótão.

– Aqui! – respondeu uma voz rouca lá de cima e, ao subir, Meg encontrou a irmã comendo maçãs e chorando sobre *O herdeiro de Redclyffe*[8], enrolada em um cobertor no velho sofá próximo à janela por onde entrava a luz do sol. Era o refúgio favorito de Jo. Ela adorava recolher-se ali com meia dúzia de maçãs e um bom livro, para aproveitar o silêncio e ter a companhia de um ratinho de estimação que vivia por ali e não se importava de dividir o espaço. Quando Meg apareceu, Scrabble correu de volta para seu buraco. Jo enxugou as lágrimas do rosto e aguardou para ouvir as novidades.

– Que divertido! Veja só! Um convite da sra. Gardiner para amanhã à noite! – animou-se Meg, balançando o precioso papel e, em seguida, procedendo a leitura com uma empolgação de menina. "A sra. Gardiner ficaria feliz em ver a srta. March e a srta. Josephine em um pequeno baile na noite de Ano Novo." Mamãe nos deixou ir, mas o que vamos vestir?

– Qual o sentido de perguntar isso se você sabe que usaremos nossos vestidos de popelina, já que não temos outra roupa? – respondeu Jo com a boca cheia.

– Se eu pelo menos tivesse um de seda! – suspirou Meg. – Mamãe disse que talvez eu ganhe um quando completar dezoito anos, mas dois anos é um longo tempo de espera.

– Tenho certeza de que nossas popelinas parecem seda e que são bonitas o suficiente para usarmos. O seu vestido está bom e novo, mas havia esquecido que o meu está queimado e rasgado. E agora, o que faço? A parte queimada está bem feia e não consigo tirar.

---

8. Livro da autora **Charlotte Mary Yonge** publicado em 1854. Novelista inglesa, renomada por seu grande número de obras publicadas, porém, atualmente, é pouco divulgada. (N. E.)

– Você deve ficar sentada o máximo que puder e nunca mostrar as costas. A parte da frente não tem nenhum defeito. Eu arrumarei um novo laço para o meu cabelo, e mamãe vai me emprestar seu pequeno broche de pérola. Já os meus sapatos novos são lindos e vou com as luvas que tenho, embora não estejam tão bonitas como gostaria.

– As minhas estão manchadas de limonada e não posso comprar novas, então vou sem luvas mesmo – disse Jo, que não se preocupava muito com a maneira de se vestir.

– Você tem que ir de luvas, senão eu nem irei – afirmou Meg, incisiva. – Luvas são mais importantes do que qualquer outra coisa. Você não pode dançar sem elas e, se fizer isso, vou morrer de constrangimento.

– Ficarei quieta, então. Nem gosto de dançar acompanhada. Não vejo a menor graça em sair rodando assim pelo salão. Prefiro fazer piruetas e correr por aí.

– Você não pode pedir luvas novas à mamãe, são muito caras e você é descuidada. Ela disse que se você as estragasse, não ganharia novas no inverno. Não tem jeito de lavá-las?

– Posso segurá-las em minhas mãos apenas, assim ninguém verá como estão manchadas. É tudo que posso fazer. Não! Já sei o que faremos: cada uma veste uma luva limpa e leva a outra suja na mão. O que acha?

– Suas mãos são maiores que as minhas, e você vai estragar minhas luvas esticando-as – começou Meg, cujas luvas eram um assunto sensível para ela.

– Então, vou sem luvas. Não me importo com comentários! – aborreceu-se Jo, pegando de volta o livro.

– Está bem, fique com uma das minhas! Só não a manche e comporte-se bem. Não coloque as mãos nas costas nem encare as pessoas, muito menos saia gritando "Cristóvão Colombo!", entendeu?

– Não se preocupe comigo. Farei tudo que for possível para não cometer gafes e evitar confusões. Agora vá responder ao convite e me deixe terminar essa história maravilhosa.

Meg retirou-se dali para aceitar com gratidão o convite, conferir seu vestido e cantar alegremente, arrumando seu babado de renda.

Enquanto isso, Jo terminava de ler sua história, comia suas maçãs e brincava com Scrabble.

Na noite de Ano-Novo, a sala ficou deserta, pois as duas irmãs mais novas brincavam de ser criadas e as duas mais velhas estavam concentradas na importante empreitada de prepararem-se para a festa. Embora fossem simples toaletes, havia um alvoroçado ir e vir, e risos e conversas ecoavam pelo espaço, até que, em determinado momento, um forte cheiro de cabelo queimado dominou a casa. Meg queria fazer cachos em volta do rosto, então Jo enrolou as mechas em papel e as apertou com ferro de frisar quente.

– Esse cheiro é normal? – perguntou Beth, sentada na cama.

– É a umidade secando – respondeu Jo.

– Que cheiro estranho! Parece de penas queimadas – observou Amy, acariciando seus próprios cachos com ar de superioridade.

– Pronto! Agora vou tirar os papéis e você verá uma nuvem de pequenas argolinhas – disse Jo tirando o ferro de frisar.

Ela retirou os papéis, mas não apareceu nenhuma nuvem de argolinhas, pois o cabelo saiu junto com os papéis. A cabeleireira horrorizada pôs uma fila de pacotinhos queimados na penteadeira da vítima.

– Oh, oh, oh! O que você fez? Estou arruinada! Não posso ir! Meu cabelo, ai, meu cabelo! – lamentou Meg, olhando desesperada para a franja desproporcional em sua testa.

– Como sou azarada! Você não deveria ter me pedido para fazer isso. Eu sempre estrago tudo. Desculpa, mas o ferro estava quente demais e causei essa bagunça – lastimou-se a pobrezinha da Jo, olhando para os pequenos cachinhos pretos e chorando de arrependimento.

– Não está estragado. Basta frisá-lo e amarrá-lo com um laço de modo que as pontas caiam um pouco sobre a testa, vai até parecer que você está na moda. Já vi muitas meninas usarem assim – disse Amy, consoladora.

– Isso que dá querer ficar bonita. Devia simplesmente não ter mexido no meu cabelo – reclamou Meg.

– Eu também, estava tão macio e bonito. Mas vai crescer logo – disse Beth, beijando e consolando a ovelhinha tosada.

Após vários pequenos desastres, Meg estava finalmente pronta e, graças aos esforços conjuntos de toda a família, o cabelo de Jo ficou pronto e ela se vestiu. As duas irmãs estavam muito bonitas com suas roupas simples: Meg com seu vestido cinza, uma faixa de veludo azul, babados de renda e um broche de pérola; Jo usava um vestido marrom, com uma gola de linho elegante, e um ou dois crisântemos brancos de enfeite como seus únicos acessórios. Cada uma vestia uma luva limpa e levava outra manchada na mão, aparentando, assim, que tudo estava bem. Os sapatos de salto alto de Meg eram muito apertados e a machucavam, embora ela não assumisse, e os dezenove grampos presos ao cabelo de Jo pareciam querer furar-lhe a cabeça, o que não era nada confortável, mas que assim fosse, pois a regra era estar elegante ou morta.

– Divirtam-se, minhas queridas! – disse a sra. March, enquanto as irmãs saíam graciosamente para a calçada. – Não comam muito no jantar e voltem às onze, quando eu mandar a Hannah buscar vocês.

Quando o portão se fechou atrás delas, uma voz soou da janela:

– Meninas, meninas! Vocês estão levando lenços bonitos nos bolsos?

– Sim, sim, belíssimos, e Meg passou até colônia no dela – gritou Jo, rindo em seguida. – Não duvido que mamãe faria a mesma pergunta se estivéssemos todas fugindo de um terremoto.

– É uma das suas manias aristocráticas e bastante adequada, pois uma verdadeira dama é sempre conhecida por ter sapatos, luvas e lenço impecáveis – respondeu Meg, que também tinha das suas manias aristocráticas.

– Não se esqueça de esconder a parte estragada do vestido, Jo. Minha faixa está alinhada? E meu cabelo? Muito feio? – disse Meg afastando-se do espelho da penteadeira da sala da sra. Gardiner, onde passou um bom tempo se arrumando.

– Sei que vou esquecer. Se você me vir fazendo algo de errado, me avise com uma piscadela, combinado? – respondeu Jo, ajustando a gola e escovando os cabelos.

– Não, uma dama não pisca o olho. Levantarei minhas sobrancelhas caso algo de errado ocorrer e, se estiver tudo bem, acenarei com a cabeça.

Agora mantenha a coluna reta, dê passos curtos e não aperte a mão se for apresentada a alguém. Isso não se faz.

– Onde você aprendeu todas essas boas maneiras? Nunca irei conseguir. Não é animada essa música?

As meninas desceram, mesmo sentindo-se um tanto tímidas, afinal raramente frequentavam festas e, por mais informal que fosse essa reunião, era um grande evento para elas. A imponente sra. Gardiner cumprimentou-as com gentileza e pediu à mais velha de suas seis filhas que cuidasse delas. Meg conhecia Sallie e logo ficou à vontade, mas Jo, que não ligava muito para meninas ou fofocas, ficou parada, com as costas cuidadosamente viradas para a parede, sentindo-se tão deslocada quanto um potro em um jardim de flores. Meia dúzia de rapazes conversava sobre patinação em outra parte da sala, e ela desejou juntar-se a eles, pois patinar era um dos seus maiores prazeres da vida. Trocou olhares com Meg revelando seu desejo, mas recebeu de volta um levantar de sobrancelhas tão alarmante que nem sequer ousou se mexer. Ninguém conversou com ela, e o grupo foi perdendo seus componentes, um a um, até que ficou sozinha. Nem ao menos podia andar pela sala e tentar divertir-se, pois acabaria mostrando a parte queimada do vestido; assim, desolada, ficou observando as pessoas, até que a dança começou. Sem demora, Meg foi tirada para dançar, e seus sapatos apertados percorreram o salão com tanta vivacidade que ninguém poderia imaginar a dor que a sorridente menina sentia. Jo percebeu um jovem ruivo aproximar-se de onde estava e, receando que ele a tirasse para dançar, esgueirou-se depressa para um compartimento acortinado no qual era possível apenas espiar o salão e desfrutar da festa em paz. Infelizmente, outra pessoa tão tímida quanto ela escolhera o mesmo refúgio e, quando a cortina se fechou atrás dela, viu-se cara a cara com o jovem Laurence.

– Oh céus, não sabia que já havia alguém aqui! – gaguejou Jo, preparando-se para sair com a mesma agilidade que entrou.

Mas o garoto riu, embora parecesse um pouco sobressaltado, e disse, com simpatia:

– Não se preocupe comigo. Pode continuar aqui, se quiser.

– Não vou incomodá-lo?

– Nem um pouco. Só vim para cá porque não conheço quase ninguém e me senti bem desconfortável, você sabe como é.

– Eu também. Não saia daqui, por favor, a não ser que prefira.

O garoto sentou-se novamente e olhou para os seus sapatos, até que Jo disse, tentando ser educada e simpática:

– Acho que já tive o prazer de vê-lo antes. Você mora perto da nossa casa, não é?

– Somos vizinhos – então, ele levantou o olhar e riu com prazer, pois a formalidade de Jo que estava ali lhe pareceu engraçada, em comparação com o modo como ela se comportara quando conversaram sobre críquete na ocasião em que ele devolveu a gatinha fujona.

Jo, então, descontraiu-se e acompanhou o riso, dizendo, da maneira mais calorosa possível:

– Nós nos divertimos bastante com seu presente de Natal.

– Foi coisa do vovô.

– Mas foi você que deu a ideia, não foi?

– Como está sua gatinha, srta. March? – perguntou o menino, tentando parecer sério apesar dos olhos negros brilharem com alegria.

– Muito bem, obrigado, sr. Laurence. Mas eu não sou nenhuma srta. March, me chame apenas de Jo – respondeu a jovem dama.

– E eu não sou sr. Laurence, pode me chamar de Laurie.

– Laurie Laurence, que nome estranho.

– Meu nome é Theodore, mas eu não gosto, porque meus amigos me chamavam de Dora, então passei a usar Laurie.

– Odeio meu nome também, é muito sentimental! Queria que todas as pessoas me chamassem de Jo ao invés de Josephine. Como você fez para que seus amigos parassem de chamá-lo de Dora?

– Eu bati neles.

– Não posso bater na tia March, então acho que vou ter que aguentar. – e Jo resignou-se com um suspiro.

– Você não gosta de dançar, srta. Jo? – perguntou Laurie, que parecia achar que o nome combinava com ela.

– Gosto quando há espaço suficiente e todos estão animados. Em um lugar como esse, tenho certeza de que eu causaria algum incômodo, pisaria nos pés das pessoas ou faria algo horrível. Então, para evitar confusão, é melhor só a Meg dançar. Você dança?

– Às vezes. Como morei no exterior durante muitos anos, sinto que não voltei há tempo suficiente de saber como fazem as coisas por aqui.

– No exterior! – exclamou Jo. – Oh, conte-me tudo! Adoro ouvir as pessoas descreverem suas viagens.

Laurie pareceu não saber por onde começar, mas as perguntas de Jo logo o fizeram encontrar um caminho. Ele contou a ela como foi durante seu tempo na escola em Vevay na Suíça, onde os meninos nunca usavam chapéus e onde havia uma frota de barcos no lago. E durante os feriados, faziam excursões e passeios pelo país com os professores.

– Como queria ter conhecido lá! – exaltou-se Jo. – Você já foi a Paris?

– Passamos o último inverno lá.

– Você fala francês?

– Não podemos falar outra língua em Vevay.

– Fale alguma coisa em francês! Eu sei ler, mas não sei falar.

– *Quel nom à cette jeune demoiselle en les pantoufles jolis*?

– Como você fala bem! Deixe-me ver... você disse "Quem é a jovem com esses belos sapatos?", não foi?

– *Oui, mademoiselle.*

– É minha irmã, Margaret, e você sabia que era ela! Então a acha bonita?

– Sim, ela me lembra as garotas alemãs, tem um ar muito fresco e tranquilo e dança como uma dama.

Jo resplandeceu de prazer com o elogio do menino à sua irmã e o decorou para repetir a Meg. Os dois passaram o resto do tempo bisbilhotando, criticando e conversando até se sentirem como velhos conhecidos. A timidez de Laurie logo desapareceu, pois a conduta educada de Jo o divertiu e fez com que se sentisse à vontade, ao passo que ela voltou ao seu estado de alegria natural, pois ali pôde esquecer-se do vestido e das sobrancelhas levantadas que a recriminavam. Ela gostou do jovem Laurence ainda mais e o observou bem para que pudesse descrevê-lo da melhor forma às irmãs, já que não tinham irmãos e os primos homens eram poucos; portanto, meninos eram como criaturas quase desconhecidas para elas.

"Cabelo preto encaracolado, pele morena, grandes olhos negros, um belo nariz, assim como os dentes, mãos e pés pequenos, mais alto que eu e bastante educado, para um garoto, além de muito divertido. Pergunto-me, qual será sua idade?"

Jo estava prestes a perguntar, mas conteve-se a tempo e, com uma discrição incomum, tentou descobrir de forma indireta.

– Suponho que você vá para a faculdade em breve. Vejo que está sempre grudado nos livros, ou melhor, quero dizer, vejo que tem estudado muito. – Jo corou por ter deixado escapar a palavra "grudado".

Laurie sorriu, mas não pareceu chocado, e respondeu encolhendo os ombros:

– Vai demorar pelo menos um ano ou dois. Não vou antes dos dezessete, de qualquer forma.

– Você tem quinze anos? – perguntou Jo, olhando para o garoto alto, que ela imaginava já ter dezessete.

– Dezesseis no mês que vem.

– Como eu queria ir para a faculdade! Você não parece gostar da ideia.

– Odeio! Nada além de opressão e alvoroço. E não gosto do modo como meus colegas lidam com isso neste país.

– E o que gostaria de fazer?

– Morar na Itália e me divertir do meu jeito.

Jo queria muito perguntar qual era seu jeito, mas as sobrancelhas negras do rapaz pareciam ameaçadoras, então ela mudou de assunto, balançando o pé ao ritmo da música e dizendo:

– É uma ótima polca! Por que você não tenta ir lá?

– Só se você também for – respondeu ele, curvando-se com ar galanteador.

– Não posso, eu disse a Meg que não iria, porque... – então, Jo fez uma pausa, sem ainda decidir se contava ou se ria.

– Por que o quê?

– Promete que não conta a ninguém?

– Nunca!

– Bom, tenho uma mania feia de sentar-me junto ao fogo, então sempre queimo os meus vestidos, e foi assim que arruinei este que estou usando. E, embora tenha sido consertado, ainda dá para perceber o estrago, por isso Meg ordenou que eu ficasse parada, assim ninguém poderia ver. Pode rir se quiser. É engraçado, eu sei.

Mas Laurie não riu. Apenas olhou para baixo por um momento e a expressão em seu rosto confundiu Jo quando ele falou, de forma muito gentil:

– Não se preocupe com isso. Sei como podemos resolver. Há um grande saguão lá fora, onde podemos dançar perfeitamente e ninguém poderá nos ver. Venha, por favor.

Jo agradeceu-lhe e foi com prazer, desejando que tivesse duas luvas novas quando viu as belas e peroladas que seu parceiro vestia. O saguão estava vazio, e eles dançaram uma grandiosa polca; Laurie dançava bem e ensinou a Jo o passo alemão, que a deixou encantada, pois era cheio de ritmo e rodopios. Quando a música parou, foram sentar nos degraus para recuperar o fôlego; Laurie estava no meio de um relato sobre um festival de estudantes em Heidelberg, quando Meg apareceu em busca da irmã. Ela acenou, e Jo a seguiu, relutante, para uma sala paralela, onde encontrou Meg em um sofá, segurando seu pé, com o rosto pálido.

– Torci meu tornozelo. Esse salto alto estúpido virou e deslocou meu pé. Está doendo tanto, mal posso ficar em pé e nem sei como vou conseguir ir para casa – disse ela, contorcendo-se de dor.

– Eu sabia que você ia acabar se machucando com esses sapatos idiotas. Sinto muito. Mas não vejo o que possa ser feito, a não ser tentar conseguir uma carruagem, ou ficaremos aqui a noite inteira – respondeu Jo, massageando devagar o tornozelo da irmã enquanto falava.

– Não tenho como pagar por uma carruagem. Ouso dizer que, mesmo se pudesse, não haveria como conseguir uma, pois a maioria das pessoas vieram nas suas próprias e, além disso, o estábulo fica muito distante daqui e não há ninguém que possa ir lá.

– Eu vou.

– Não, de jeito nenhum! Já passa das nove, e está muito escuro. Não posso ficar parada aqui, a casa está cheia. Sallie está com umas meninas. Vou descansar até Hannah chegar e então farei o melhor que posso.

– Vou pedir a Laurie. Ele irá até lá – disse Jo, aliviada com a ideia que lhe ocorreu.

— Por Deus, não! Não conte a ninguém. Passe minhas galochas e coloque estes sapatos junto com nossas coisas. Não posso mais dançar, mas assim que a ceia acabar, fique de olho em Hannah e me avise assim que a vir chegar.

— A ceia vai começar agora. Vou ficar com você. Prefiro assim.

— Não, querida, vá lá, e me traga um pouco de café. Estou tão cansada, nem consigo me mexer.

Meg reclinou-se, com as galochas bem escondidas, e então Jo saiu estabanada em direção à sala de jantar, a qual só encontrou depois de entrar em um armário de louças por acidente e abrir a porta de uma sala onde o velho sr. Gardiner fazia um pequeno lanche a sós. Quando, enfim, encontrou a mesa, assegurou-se de pegar um pouco do café, mas não sem derramá-lo logo em seguida, fazendo com que a frente do seu vestido ficasse tão feia quanto as costas.

— Meu Deus, como sou desastrada! — exclamou Jo, estragando a luva limpa de Meg, pois foi com ela que limpou o vestido.

— Posso ajudá-la? — disse uma voz amigável. E lá estava Laurie, com um copo cheio em uma mão e um prato de gelo na outra.

— Estava tentando pegar algo para Meg, pois ela está muito cansada, mas alguém esbarrou em mim e agora aqui estou eu, neste estado — respondeu Jo, olhando ora para o vestido manchado, ora para a luva suja de café.

— Que pena! Eu estava procurando alguém para entregar isto. Posso levar para sua irmã?

— Oh, obrigado! Vou mostrar-lhe onde ela está. Só não me ofereço para levar eu mesma porque vou acabar me metendo em problemas de novo.

Jo indicou o caminho e, como se estivesse acostumado a servir damas, Laurie arrumou uma pequena mesa e uma segunda porção de café e gelo para Jo, e o fez de forma tão amável que mesmo a reservada Meg referiu-se a ele como um "bom menino". Todos tiveram um momento muito feliz, com bombons e brincadeiras, e estavam no meio de uma partida de *buzz*, com mais dois ou três participantes, quando Hannah apareceu. Por um momento, Meg esqueceu-se do pé e levantou-se muito rápido e teve de se apoiar em Jo, soltando um gemido de dor.

– Vamos logo! Não diga nada – sussurrou ela, acrescentando em voz alta: – Não é nada. Torci um pouco meu pé, só isso – e resolveu subir para pegar suas coisas.

Hannah a repreendeu, Meg chorou e Jo, que estava no limite da sua paciência, decidiu ela mesma resolver as coisas. Encontrou um empregado e perguntou se ele poderia conseguir uma carruagem. Mas era um garçom contratado, portanto não conhecia nada do bairro; Jo continuou tentando buscar ajuda quando Laurie, que tinha ouvido a conversa, ofereceu a carruagem de seu avô, que acabara de chegar para levá-lo embora.

– Mas está muito cedo! Você já vai embora? – começou Jo, aliviada, mas hesitante em aceitar a oferta.

– Eu sempre vou embora cedo, sempre! Deixe-me levá-las para casa. Não precisarei desviar o caminho, você sabe, e parece que está chovendo.

Ficou tudo acertado, e Jo, ao contar a ele sobre o incidente com Meg, aceitou com gratidão a oferta e apressou-se em buscar suas acompanhantes. Hannah detestava chuva tanto quanto um gato, por isso não se opôs à ideia, e logo o grupo foi embora na luxuosa carruagem, com as meninas sentindo-se bastante festivas e elegantes. Laurie ficou na boleia, de modo que Meg pudesse manter seu pé suspenso, e assim elas puderam conversar livremente sobre a festa.

– Eu me diverti muito. E você? – perguntou Jo, arrumando o cabelo e ajeitando-se no carro.

– Sim, até a hora em que me machuquei. A amiga de Sallie, Annie Moffat, gostou muito de mim e me convidou para passar uma semana com ela quando a Sallie for visitá-la. Ela vai na primavera, quando a ópera iniciar a temporada. Vai ser maravilhoso, se mamãe me deixar ir, claro – respondeu Meg, animando-se com a ideia.

– Eu vi você dançando com aquele rapaz ruivo de quem me esquivei. Ele era interessante?

– Oh, muito! Seu cabelo estava mais para castanho do que ruivo; ele era muito educado e dançamos uma ótima redova.

– Ele pareceu um gafanhoto quando tentou um novo passo de dança. Laurie e eu não parávamos de rir. Você nos ouviu?

– Não, mas isso não é nada educado. O que vocês estavam fazendo o tempo todo, escondidos?

Jo contou suas aventuras e, no momento em que terminava a história, chegaram em casa. Após vários agradecimentos, desejaram boa noite e entraram, com cuidado para não acordar ninguém, mas mal a porta se fechou, dois pequenos gorros de pijama apareceram e duas vozes sonolentas, porém ansiosas, soaram...

– Contem sobre a festa! Contem sobre a festa!

Em um gesto considerado por Meg uma grande falta de educação, Jo trouxe para casa alguns bombons para as meninas, que logo se acalmaram, após ouvir sobre os mais emocionantes eventos da noite.

– Devo dizer que me senti como uma jovem e elegante dama vindo da festa para casa em uma carruagem e sentando-me sobre o vestido com uma aia à minha espera – disse Meg, enquanto Jo massageava seu pé com arnica e escovava seu cabelo.

– Não acredito que qualquer dama jovem e elegante tenha se divertido tanto quanto nós; apesar do cabelo queimado, dos vestidos velhos, das luvas sem par e dos sapatos apertados que torcem tornozelos quando somos bobas o suficiente para calçá-los.

E acho mesmo que Jo tinha razão.

## Obrigações

– Oh, Deus, que difícil será voltar à vida real! – suspirou Meg na manhã seguinte à festa, pois os dias festivos já tinham acabado e a semana de diversões não fora suficiente para que retornasse tranquila aos deveres de que nunca gostara.

– Queria que fosse Natal ou Ano-Novo o tempo todo. Não seria divertido? – respondeu Jo, bocejando desanimada.

– Não nos divertiríamos nem a metade como dessa vez. Mas seria mesmo ótimo ter essas ceias e buquês, ir a festas, voltar para casa, ler, descansar e não trabalhar. Algumas pessoas vivem assim, sabe, e eu sempre invejei as meninas que têm essa vida, pois adoro luxo – disse Meg –, tentando decidir qual dos vestidos surrados estava menos surrado.

– Bom, não podemos levar essa vida, então vamos parar de lamentar e fazer nosso trabalho com alegria, como mamãe faz. Sei bem como a tia March é um fardo bem pesado, mas acho que quando eu aprender a lidar com ela sem reclamar, ela vai ceder e esse fardo ficará tão leve que nem vou me importar em carregá-lo – disse Jo.

Essa ideia seduziu o espírito de Jo e a deixou de bom humor; mas Meg não se animou, pois seu fardo consistia em quatro crianças mimadas, e parecia mais pesado do que nunca. Estava tão desanimada que nem se embelezou como de costume, com uma fita azul no pescoço e o penteado da moda.

– Não faz sentido me embelezar se ninguém me vê, a não ser aquelas crianças chatas. Ninguém repara se estou bonita ou não – murmurou, batendo a gaveta com força. – Tenho mesmo é que trabalhar e me fatigar todos os dias, me divertindo apenas aqui e acolá até ficar velha, feia e ranzinza, porque sou pobre e não posso aproveitar a vida como as outras meninas. Que desgosto!

Então, Meg desceu com uma expressão contrariada e permaneceu assim durante todo o café da manhã. Todas estavam irritadas e prontas para resmungar algo.

Beth estava com dor de cabeça e deitou-se no sofá, buscando conforto ao lado da gata e dos três filhotes. Amy estava chateada porque não aprendeu as lições e não conseguia encontrar a borracha. Jo assoviava e fazia um barulho insuportável enquanto se arrumava.

A sra. March estava muito ocupada tentando terminar uma carta que deveria ser postada imediatamente, e Hannah estava mal-humorada, pois não gostava de acordar tarde.

– Nunca vi uma família tão birrenta! – reclamou Jo, exaltando-se após derramar o tinteiro, romper os cadarços do sapato e sentar-se em cima de seu chapéu.

– Você é a mais birrenta de todas! – respondeu Amy, apagando com suas lágrimas a conta completamente errada que fizera.

– Beth, se você não deixar esses gatos horríveis no porão, eu vou afogá-los – exclamou Meg furiosa, enquanto tentava sem sucesso se livrar do gatinho que escalava suas costas.

Jo riu, Meg a repreendeu, Beth implorou e Amy lamentou-se por não lembrar o resultado de nove vezes doze.

– Meninas, meninas, calem-se um minuto! Tenho que colocar esta carta no correio hoje cedo e vocês estão me distraindo com toda essa agitação – falou a sra. March, errando pela terceira vez a mesma frase.

Ocorreu uma trégua momentânea, quebrada por Hannah, que apareceu de repente, colocou dois folhados quentes em cima da mesa e desapareceu. Os folhados eram uma instituição, e as meninas os chamavam de "regalos", pois não tinham outros, e os achavam agradáveis às mãos naquelas manhãs frias.

Hannah nunca esquecia de fazê-los, não importa quão ocupada ou nervosa estivesse, pois a caminhada das meninas era longa e desoladora. As coitadinhas não comiam nada até o almoço e, raramente, chegavam antes das duas.

– Abrace seus gatos e cure-se dessa dor de cabeça, Beth. Tchau, mamãe. Agora estamos bem travessas, mas quando chegarmos nos comportaremos como anjos. Vamos, Meg! – Jo saiu, sentindo que as peregrinas não estavam partindo como deveriam.

Elas sempre olhavam para trás antes de virarem a esquina, pois a sra. March estava sempre na janela acenando e sorrindo. De certa forma, parecia que não conseguiriam aguentar o dia sem aquilo, afinal não importava seus humores, o último vislumbre daquele rosto maternal seguramente as tocava como um raio de sol.

– Se mamãe nos reprimisse em vez de mandar beijos, não poderíamos reclamar, pois somos umas megeras ingratas – lamentou Jo, sentindo um misto de satisfação e remorso, enquanto percorria o caminho cheio de neve e vento cortante.

– Não diga esse tipo de coisa – respondeu Meg das profundezas do véu em que estava envolvida, como uma freira cansada do mundo.

– Eu gosto de palavras fortes, com significado – respondeu Jo, pegando seu chapéu antes que voasse.

– Chame a si mesma pelo nome que quiser, mas não sou megera nem ingrata, e não escolhi ser chamada assim.

– Você está insuportável hoje, só porque não pode estar em meio ao luxo o tempo todo. Pobrezinha, espere só até eu fazer minha fortuna; aí você poderá se divertir em carros, tomar sorvete, usar sapatos de salto alto, comprar buquês e dançar com rapazes ruivos.

– Como você é ridícula, Jo! – Mas Meg riu, mesmo não querendo, do disparate e sentiu-se melhor.

– Ainda bem que sou assim. Imagine se eu fosse tensa e desanimada como você, estaríamos em uma situação bem pior. Graças a Deus, consigo ver o lado bom e seguir em frente. Não resmungue mais, volte para casa feliz, pois lá há uma pessoa boa.

Jo deu um tapinha encorajador nas costas da irmã quando se despediram, indo cada uma para um lado, segurando seu folhado quente e tentando animar-se apesar do inverno, do trabalho duro e dos desejos não satisfeitos de uma juventude terna e prazerosa.

Quando o sr. March perdeu sua propriedade tentando ajudar um amigo desafortunado, as duas filhas mais velhas imploraram para trabalhar pelo menos para garantir o próprio sustento. Acreditando que nunca é cedo demais para cultivar vitalidade, habilidade e independência, os pais consentiram e ambas começaram a trabalhar com boa vontade; o que, apesar de todas as dificuldades, é certamente o caminho para o sucesso.

Margaret encontrou uma vaga como babá e logo sentiu-se rica com seu pequeno salário. Como ela própria dizia, era uma "admiradora do luxo" e seu principal problema era a pobreza. Achava ter mais dificuldades em lidar com a pobreza porque conseguia se lembrar do tempo em que a casa era bonita, a vida cheia de facilidades e prazeres, e necessidades de qualquer tipo eram desconhecidas. Tentava não sentir inveja ou ficar descontente, mas era muito natural que a jovem moça desejasse coisas boas, amigos alegres, conquistas e uma vida feliz. Na casa de seus patrões, os King, via todo o dia o que desejava, pois quando as irmãs mais velhas das crianças saíam, Meg espreitava com frequência os delicados vestidos e buquês de baile, ouvia as alegres fofocas sobre teatros, concertos, passeios em trenós e diversões de todos os tipos; via dinheiro, que para ela seria precioso, ser gasto frequentemente em frivolidades. A pobrezinha da Meg mal reclamava, mas, às vezes, uma sensação de injustiça a fazia se sentir amarga em relação a todos, pois ainda haveria de aprender como era rica nas bênçãos, e estas, sim, poderiam fazer uma vida feliz.

Jo ficou encarregada de acompanhar a tia March, que era manca e precisava de uma pessoa ativa ao seu lado. A senhora, que não tinha filhos, ofereceu-se para adotar uma das meninas quando os problemas apareceram e ficou muito ofendida quando sua oferta foi recusada. Alguns amigos disseram aos March que eles haviam perdido todas as chances de serem lembrados pelo testamento da tia rica, mas os March, que não eram apegados a coisas materiais, apenas disseram: "Não desistiríamos das nossas filhas nem por uma dúzia de fortunas. Ricos ou pobres, ficaremos juntos e assim seremos felizes".

A velha senhora cortou relações com eles por um tempo, mas um dia, ao encontrar Jo na casa de uma amiga, algo no rosto da menina e em seus modos bruscos arrebatou o espírito da senhora, que lhe propôs o trabalho de acompanhante. Não era o ideal para Jo de maneira nenhuma, mas aceitou a tarefa, já que nada melhor aparecera e, para a surpresa de todos, deu-se muito bem com sua irascível parenta. Aconteciam eventuais desavenças. E, uma vez, Jo chegou em casa declarando que não aguentaria mais aquilo; porém, a irritação de tia March passava sempre muito rápido e a chamava de volta com uma urgência que não podia ser recusada, pois em seu íntimo Jo gostava da velhinha rabugenta.

Suspeito que a verdadeira atração fosse a enorme biblioteca, repleta de bons livros e entregue à poeira e às aranhas desde que tio March morrera. Jo lembrou-se do velho e gentil cavalheiro, que lhe deixava construir ferrovias e pontes com seus grandes dicionários, contava-lhe histórias sobre as inusitadas figuras dos seus livros latinos e comprava biscoitos de gengibre para ela sempre que se encontravam na rua. O quarto escuro e empoeirado, observado constantemente pelos bustos expostos no alto das estantes, as poltronas confortáveis, os globos e, o melhor de tudo, a abundância de livros em que ela podia perambular quando quisesse tornavam aquela biblioteca um refúgio abençoado.

Sempre que tia March tirava seu cochilo ou estava ocupada com uma visita, Jo corria para a tranquilidade do lugar e se aconchegava na poltrona para devorar livros de poesia, romances, histórias, viagens e imagens.

Mas, como toda alegria, essa não durava muito, pois mal chegava ao cerne da história, ao verso mais doce de um poema, ou à mais ousada aventura de um viajante, uma voz estridente a chamava: "Josy-phine! Josy-phine! ", e ela tinha que deixar seu paraíso para enrolar lã, banhar o *poodle* ou ler os ensaios de Belsham[9] durante uma hora junto à senhora.

A ambição de Jo era fazer algo realmente esplêndido. O quê, exatamente, não fazia ideia ainda, então deixava a cargo do tempo revelar isso a ela. Entretanto, angustiava-se com o fato de que não podia ler, correr e passear tanto como desejava. Seu temperamento ansioso, sua língua afiada e sua personalidade implacável sempre a metiam em dificuldades, o que tornava a vida cheia de altos e baixos, todos cômicos e patéticos. Mas o treinamento que recebeu de tia March era exatamente o que precisava, e a ideia de que estava fazendo algo para ajudar a si mesma a alegrava, apesar do constante "Josy-phine!".

Beth era muito tímida para ir à escola. Já haviam tentado, mas ela sofreu tanto que desistiram da ideia e a deixaram fazer as lições em casa, com o pai. Mesmo quando ele partiu e sua mãe foi convocada para dedicar suas habilidades e sua energia às Associações de Ajuda aos Militares[10], Beth continuou sozinha, com dedicação, e fez o melhor que pôde. Era como uma pequena dona de casa, ajudando Hannah a manter a casa limpa e confortável para as que trabalhavam fora, sem esperar qualquer recompensa para além de se sentir amada. Passava longos dias quieta, mas não de forma solitária ou alheia, pois seu mundinho era povoado de amigos imaginários, além de ser naturalmente alguém que sempre estava ocupada com alguma coisa. Todas as manhãs, vestia e cuidava de seis bonecas, já que ainda era uma criança e amava seus brinquedinhos como nunca. Nenhuma delas estava inteira ou sequer era bonita; todas haviam sido preteridas até Beth recolhê-las, pois quando as irmãs estavam muito crescidas para tais ídolos, repassaram as bonecas para ela, afinal Amy jamais ficaria com algo velho ou feio. Já Beth gostava ainda

---

9. William Belsham (1752-1827), historiador e prosador político inglês. (N. E.)
10. Eram organizações formadas por mulheres durante a Guerra Civil Americana, dedicadas a fornecer suprimentos a soldados no campo de batalha e a cuidar dos doentes e feridos. (N. E.)

mais das bonecas justamente por esse motivo, e até montou um hospital para as que estavam enfermas. Nunca enfiava agulhas em seus órgãos vitais de algodão nem usava palavras duras ou lhes batia; até mesmo as mais repulsivas não poderiam reclamar de negligência, pois todas estavam bem alimentadas, vestidas, cuidadas e acariciadas com um afeto que nunca falhava. Uma das bonecas pertencera a Jo e, tendo levado uma vida turbulenta, acabou fragmentada e jogada no saco de retalhos, que funcionava como um abrigo de mendigos para bonecas, mas foi logo resgatada por Beth e levada para seu refúgio. Como não tinha escalpo, ela lhe conseguiu um belo chapeuzinho e, por ter tido também todas as pernas e braços arrancados, a enrolou em um cobertor para esconder tais deficiências e a colocou na melhor cama, como uma inválida crônica. Se alguém soubesse do cuidado destinado àquela boneca, com certeza teria o coração tocado, mesmo que achasse tudo muito engraçado. Ela levava flores e lia para a boneca, levava-a para tomar ar fresco, escondia-a sob seu casaco, cantava canções de ninar e nunca ia dormir sem beijar o rosto sujo da boneca e sussurrar em seu ouvido, com ternura: "Tenha uma boa noite, minha querida pobrezinha".

Beth tinha problemas tanto como suas irmãs, e como não era nenhum anjo e sim uma garotinha muito humana, fazia muita birra, como dizia Jo, por não poder ter aulas de música e um bom piano. Amava tanto música, tentava tanto aprender e praticava com tanta paciência no instrumento velho e barulhento que mais parecia que estava insinuando para alguém (para não citar tia March) ajudá-la. Ninguém o fez, no entanto, e ninguém via Beth enxugar suas lágrimas das teclas amareladas, que nunca estavam afinadas, quando se encontrava sozinha. Trabalhava cantarolando como uma cotovia, nunca estava cansada para a mãe e as irmãs e todos os dias dizia a si mesma, com esperança: "Sei que vou encontrar minha música se eu for realmente boa".

Há muitas outras Beths no mundo: tímidas e quietas, sentadas pelos cantos esperando o momento de ser útil e vivendo para os outros com tanto prazer sem ninguém perceba os sacrifícios que faz, até o momento em que o pequeno grilo para de cantar e sua doce e radiante presença se esvai, deixando silêncio e sombra para trás.

Se alguém perguntasse a Amy qual sua maior provação na vida, ela responderia imediatamente: "meu nariz". Quando era apenas um bebê, Jo a derrubou acidentalmente em um balde feito de carvão, e Amy dizia que a queda havia estragado seu nariz para sempre. Não era grande ou vermelho, como o da coitada da Petrea; era apenas achatado, e nem todos os beliscões do mundo poderiam dar-lhe uma aparência aristocrática. Ninguém, a não ser ela, se importava, e ele estava fazendo seu melhor para crescer, mas Amy desejava profundamente um nariz grego e desenhava narizes em folhas inteiras para consolar-se.

A "pequena Rafael", como era chamada pelas irmãs, tinha talento para o desenho e para ela não havia momento mais feliz do que quando estava copiando flores, desenhando fadas ou ilustrando histórias com suas artes criativas. Seus professores reclamavam que, em vez de fazer seus deveres, Amy cobria o caderno com animais, as páginas em branco do atlas eram usadas para copiar mapas, e caricaturas com os tipos mais estranhos saltavam de todos os seus livros nos momentos mais inoportunos. Fazia as lições o melhor que podia e conseguia escapar das reprimendas por conta de seu bom de comportamento. Era a preferida entre as amigas, com sua personalidade branda e a alegre arte de cativar sem esforço. Seus gestos e graças eram muito admirados, assim como seus talentos, pois, além de desenhar, sabia tocar uma dúzia de músicas, tricotar e ler em francês sem errar a pronúncia de mais de dois terços das palavras. Tinha um jeito queixoso de dizer "quando o papai era rico, fazíamos isso e aquilo" que era muito comovente, e suas longas palavras eram consideradas perfeitamente sofisticadas pelas irmãs.

Amy estava a um passo de se tornar um garota mimada, pois suas pequenas vaidades e egoísmos eram graciosamente cultivados. Um fato, contudo, brecava tais vaidades: ela tinha que usar as roupas de sua prima. A mãe de Florence não tinha lá muito bom gosto, e Amy sofria profundamente por ter que vestir um gorro vermelho em vez de um azul, vestidos horrorosos e aventais chamativos que não lhe serviam. Tudo era bem-feito e nada parecia desgastado, mas os olhos artísticos de Amy estavam sempre aflitos, especialmente naquele inverno, pois o vestido da escola era violeta opaco com bolinhas amarelas e sem acabamento algum.

– Meu único consolo – disse ela a Meg, com lágrimas nos olhos –, é que mamãe não encurta meus vestidos como castigo por alguma travessura, como a mãe da Maria Parks faz. Ai, querida, é mesmo horrível, pois às vezes ela se comporta tão mal que seus vestidos vão só até o joelho e ela nem consegue ir à escola. Quando penso nessa humilhação, sinto como se pudesse suportar até meu nariz achatado e o vestido roxo com explosões amarelas.

Meg era confidente e conselheira de Amy e, por uma estranha atração de opostos, Jo, a mais gentil e conselheira de Beth. Só para Jo a menina tímida contava seus segredos, ao passo que Beth exercia uma influência inconsciente sobre a impetuosa irmã, mais do que qualquer outra pessoa da família. As duas meninas mais velhas eram muito amigas, mas cada uma tomou para si uma das irmãs mais novas para cuidar à sua maneira; brincando de mãe, como diziam, e colocando as irmãs no lugar das bonecas de infância, com o instinto maternal de uma jovem e pequena mulher.

– Alguém tem algo a dizer? O dia está bem desanimado, e estou precisando muito me divertir – disse Meg, quando se sentaram juntas para costurar naquela noite.

– Tive um dia bem estranho com a tia hoje e, como decidi ver o lado bom, vou contar a vocês como foi – começou Jo, que adorava contar histórias. – Estava lendo o interminável Belsham com minha voz mais monótona, a fim de que ela pegasse logo no sono e eu pudesse escolher um livro melhor para devorar até que acordasse. Eu mesma fui ficando com sono e, antes que ela começasse a adormecer, bocejei tão alto que me perguntou se eu queria engolir o livro abrindo a boca daquele jeito. Respondi: "bem que eu queria, assim não teríamos mais que lê-lo", tentando descontrair. Então, me deu um longo sermão sobre meus pecados, e me disse para sentar e pensar neles enquanto ela descansava. Tia March nunca descansa rápido, assim no minuto em que sua touca começou a cair como uma dália muito pesada, tirei *O Vigário de Wakefield*[11] do bolso e li-o, com um olho no livro e outro na tia.

---
11. Romance do escritor irlandês Oliver Goldsmith. Publicado em 1766, foi um dos romances mais populares do século XVIII entre os vitorianos. (N. E.)

Quando cheguei à parte em que todos caem na água, me distraí e dei uma gargalhada. Ela acordou e, com um humor melhor do que estava antes de cochilar, me disse para ler um pouco para ela e mostrar qual livro bobo eu preferia em comparação ao digno e instrutivo Belsham. Fiz o melhor que pude e ela gostou, embora seu único comentário tenha sido: "Não entendi do que se trata. Volte para o começo, minha filha". Comecei de novo e transformei os Primrose nos personagens mais interessantes. Como não sou flor que se cheire, interrompi a leitura no momento mais emocionante e disse de maneira delicada: "Acho que está entediada, senhora. Quer que eu pare agora?". Ela recolheu seu tricô, que caíra das suas mãos, me encarou com um olhar afiado através dos seus óculos e disse, diretamente: "Acabe o capítulo e não seja impertinente, mocinha".

– Ela admitiu que estava gostando? – perguntou Meg.

– Oh, de jeito nenhum! Mas deixou o velho Belsham descansar e, quando voltei para buscar minhas luvas à tarde, lá estava ela, tão concentrada no *Vigário* que nem me ouviu rir enquanto dançava no salão, aguardando a melhor hora do dia chegar. Que vida agradável ela poderia ter se quisesse! Não a invejo muito, apesar de todo o dinheiro que possui, afinal os ricos têm tantas preocupações quanto os pobres, eu acho – acrescentou Jo.

– Isso me faz lembrar – disse Meg – que tenho uma coisa para contar. Não é engraçada, como a história de Jo, mas pensei bastante nisso no caminho de casa. Hoje, na casa dos King, todos estavam agitados. Uma das crianças disse que seu irmão mais velho havia feito algo terrível e que o pai o havia mandado embora. Ouvi a sra. King chorar e o sr. King falar muito alto, e Grace e Ellen viraram os rostos quando passei ao lado delas, para que eu não visse como seus olhos estavam vermelhos e inchados. Não perguntei nada, obviamente, mas senti pena deles e fiquei aliviada por não ter nenhum irmão problemático que fizesse coisas para humilhar a família.

– Acho que ser humilhado na escola é pior do que qualquer coisa que meninos levados possam fazer – disse Amy, balançando a cabeça, como se sua experiência de vida fosse muito vasta. – Susie Perkins foi à escola hoje com um lindo anel de cornalina vermelha. Quis tanto aquela joia que desejei ser ela com todas as minhas forças. Bom, Susie fez uma caricatura do sr. Davis com um nariz monstruoso, uma corcunda e as palavras "Senhoritas, estou de olho em vocês!" saindo da sua boca em um balão. Estávamos rindo disso quando de repente ele apareceu e ordenou que Susie mostrasse seu caderno. Ela ficou paralisada de susto, mas foi e, oh!, vocês não vão acreditar no que ele fez! Pegou-a pela orelha (pela orelha! Imaginem o horror!), levou-a até o púlpito de declamação e a fez ficar lá por meia hora, segurando o caderno para que todos vissem.

— As garotas não riram da cena? — perguntou Jo, que adorava presenciar esse tipo de situação.

— Rir? Claro que não! Sentaram-se quietinhas, e Susie chorou bastante, eu sei que sim. Nessa hora não senti inveja dela, pois nem um milhão de anéis de cornalina me fariam feliz depois daquilo. Nunca, nunca superaria uma situação tão ridiculamente embaraçosa.

E Amy voltou ao seu trabalho, orgulhosa da própria virtude e da bem-sucedida pronúncia de duas palavras tão grandes em um só fôlego.

— Vi algo que gostei hoje de manhã e queria contar no jantar, mas esqueci — disse Beth, organizando a cesta de Jo, que estava totalmente desorganizada, enquanto falava. — Quando saí para pegar ostras para Hannah, o sr. Laurence estava na peixaria, mas não me viu, pois me escondi atrás de um barril, e ele estava ocupado com o sr. Cutter, o peixeiro. Uma mulher pobre entrou com um balde e um esfregão e perguntou ao sr. Cutter se podia limpar o chão em troca de um pedaço de peixe, pois não tinha nada para dar de jantar aos filhos e o trabalho do dia havia sido prejudicado. O sr. Cutter estava apressado e disse apenas "não", com ar irritado. Então, quando a mulher estava indo embora com ar faminto e triste, o sr. Laurence fisgou um peixe grande com a ponta da bengala e entregou nas mãos dela. Ela ficou tão feliz e surpresa que abraçou o peixe e agradeceu repetidas vezes. Disse que fosse embora e o cozinhasse, e assim ela saiu feliz da vida! Não foi bom o que ele fez? Oh, ela parecia tão alegre, abraçando o peixe grande e escorregadio e desejando que a cama do sr. Laurence já estivesse preparada no céu.

Depois de rirem da história de Beth, as meninas pediram à mãe para que lhes contasse uma e, após pensar por um momento, ela disse, com ar sóbrio:

— Hoje, enquanto estava cortando jaquetas azuis de flanela, fiquei preocupada com seu pai, pensando como ficaríamos sozinhas e desamparadas se algo lhe acontecesse. Não foi algo sensato a se fazer, mas continuei pensando nisso até que um homem veio a mim e me pediu algumas roupas. Ele sentou-se ao meu lado e comecei uma conversa, pois ele parecia pobre, cansado e ansioso. "Seus filhos estão no exército?", perguntei, pois o bilhete que trazia não era para mim. "Sim, senhora. Tinha quatro, mas dois morreram, um está preso e estou indo encontrar o outro, que está muito doente em um hospital de Washington", respondeu com tranquilidade. "Você contribuiu enormemente com o país, senhor", eu disse, agora sentindo respeito por ele, não mais pena. "Não faço mais que minha obrigação, senhora. Eu mesmo iria, se ainda servisse para alguma coisa. Como não sirvo, enviei meus meninos e o fiz de bom grado". Ele falava com tanto otimismo, parecia tão sincero e realmente feliz por renunciar a tudo, que eu me senti envergonhada. Renunciei a um homem e já achava muito, enquanto ele dera quatro filhos sem relutar. Eu tinha todas as minhas filhas para me confortar em casa e o último filho dele o aguardava, a quilômetros de distância, para talvez apenas dizer-lhe adeus! Senti-me tão rica, tão feliz pensando em minhas bênçãos, que fiz um belo pacote, dei algum dinheiro a ele e o agradeci do fundo do coração pela lição que havia me ensinado.

— Conta mais uma história, mamãe, que tenha uma moral como essa. Gosto de pensar sobre elas depois, se forem reais e não muito enfadonhas — disse Jo, após um minuto de silêncio.

A sra. March sorriu e começou imediatamente, pois contava histórias para aquele pequeno público há muito tempo e sabia como agradá-lo.

— Era uma vez quatro meninas que tinham o suficiente para comer, beber e vestir, vários confortos e prazeres, amigas simpáticas e pais que as amavam muito, mas, mesmo assim, elas não estavam contentes. — (Neste ponto, as ouvintes trocaram olhares dissimulados e começaram a entender do que se tratava a história.) — Essas meninas queriam ser pessoas boas e tomar excelentes decisões, mas não eram muito fiéis ao que decidiam e, com frequência, diziam: "se ao menos tivéssemos isso" ou "se ao menos pudéssemos fazer aquilo", esquecendo-se completamente do quanto já possuíam e de quantas coisas podiam, de fato, fazer. Então, elas pediram a uma velha que lhes lançasse um feitiço para que fossem felizes, ao que a velha retrucou: "Quando vocês se sentirem tristes, pensem em suas bênçãos e agradeçam". – (Aqui Jo olhou para cima rapidamente, como se fosse começar a falar, mas mudou de ideia ao perceber que a história ainda não havia acabado.) – Como eram garotas sensíveis, decidiram aceitar o conselho e logo ficaram surpresas ao ver como estavam bem. Uma descobriu que o dinheiro não conseguia afastar a vergonha e a tristeza das casas dos ricos; a outra, que, embora fosse pobre, era muito mais feliz com sua juventude, sua saúde e seu humor do que certa senhora mal-humorada e frágil que não conseguia usufruir dos seus confortos; a terceira, que, por mais maçante que fosse ajudar a fazer o jantar, era ainda mais difícil implorar para ter um; e a quarta, que mesmo anéis de cornalina não eram tão valiosos quanto um bom comportamento. Então, elas concordaram em parar de reclamar, aproveitar as bênçãos que já possuíam e tentar merecê-las, com medo de que lhes fossem tiradas completamente, em vez de ampliadas, e acredito que nunca mais tiveram decepções ou arrependimentos, pois é certo que seguiram o conselho da velha senhora.

– Mamãe, muita esperteza da senhora jogar nossas próprias histórias contra nós e nos dar um sermão em vez de um romance! – reclamou Meg.

– Gosto desse tipo de sermão. É do tipo que o papai costumava dar – disse Beth, pensativa, colocando as agulhas na almofada de Jo.

– Eu nem de longe reclamo como as outras, e agora devo ter mais cuidado do que nunca, já que tive o exemplo da vergonha de Susie – disse Amy, moralista.

– Precisávamos dessa lição, e não a esquecerei. Se fizermos isso, basta falar como a velha Chloe em *A cabana do pai Tomás*[12]: "Lembrem-se das suas aventuras, crianças! Lembrem-se das suas aventuras!" – acrescentou

---

12. Romance sobre a escravatura no Estados Unidos da escritora norte-americana Harriet Beecher Stowe. Publicado em 1852. (N. E.)

Jo que, sendo como era, não podia deixar de fazer uma de suas brincadeiras com o pequeno sermão, embora o tenha guardado no coração assim como as outras.

## Boas vizinhas

— O que você vai fazer agora, Jo? — perguntou Meg em uma tarde de neve, vendo sua irmã perambular pelo vestíbulo, de galochas, usando um vestido velho e capuz, com uma vassoura em uma mão e uma pá na outra.

— Vou sair para fazer exercícios — respondeu Jo com um brilho maquiavélico no olhar.

— Parece que as duas longas caminhadas dessa manhã não foram suficientes! Está frio e nublado lá fora; meu conselho é que você se mantenha aquecida e seca ao pé do fogo, como eu — disse Meg com um tremor.

— Nunca aceito conselhos! Não posso ficar parada o dia inteiro e, como não sou uma gatinha, não gosto de dormir ao pé do fogo. Gosto de aventuras, e vou encontrar uma.

Meg voltou a esquentar os pés e ler *Ivanhoé*[13], e Jo começou a escavar o caminho com bastante vigor. A neve estava leve e, com sua vassoura, logo traçou um caminho ao redor do jardim para que Beth o percorresse quando o sol saísse e as bonecas aleijadas precisassem de ar. Agora, a casa dos March estava separada da casa do sr. Laurence pelo jardim. Ambas localizavam-se no subúrbio da cidade, que ainda tinha um ar bucólico, com bosques e gramados, grandes jardins e ruas calmas. Uma cerca baixa delimitava as duas propriedades. De um lado, uma casa velha e marrom, com aparência desgastada e surrada, sem os cipós que no verão cobriam suas paredes e sem as flores que então a circundavam. Do outro lado, havia uma majestosa mansão de pedra, indicando claramente toda sorte de conforto e luxo, desde a grande cocheira e os jardins bem cuidados até a estufa e todas as coisas adoráveis que podiam, às vezes, ser vistas por entre as ricas cortinas.

---

13. Romance histórico do escritor escocês Walter Scott, publicado em 1820. (N. E.)

No entanto, parecia uma casa solitária e sem vida, pois não havia crianças saltitando no gramado nem nunca houve uma face maternal sorrindo pelas janelas; quase ninguém entrava e saía, com exceção do velho senhor e de seu neto.

Na sempre vívida imaginação de Jo, essa bela casa parecia um palácio encantado, cheia de esplendores e delícias que ninguém aproveitava. Ela há muito desejava desfrutar dessas glórias ocultas e conhecer o jovem Laurence, que também parecia querer ser conhecido, se ao menos soubesse como fazer isso. Desde a festa, ela estava mais ansiosa do que nunca, e planejara várias maneiras de alimentar a amizade com o menino, embora ele não houvesse aparecido ultimamente. Jo começou a achar que havia partido, até que um dia espiou uma face morena em uma janela superior, olhando com desânimo para o jardim onde Beth e Amy jogavam bolas de neve uma na outra.

– Esse garoto está implorando para socializar e se divertir – disse ela a si mesma. – Seu avô não sabe o que é bom para ele e o mantém trancado, sozinho. Ele precisa brincar com rapazes divertidos ou alguém jovem e ativo. Tenho muita vontade de subir lá e dizer isso ao avô!

A ideia divertiu Jo, que gostava de fazer essas coisas ousadas e sempre escandalizava Meg com suas atitudes estapafúrdias. O plano de "subir lá" não foi esquecido. E quando chegou a tarde de neve, Jo resolveu tentar pô-lo em prática. Viu o sr. Laurence sair e, então, começou a cavar seu caminho por debaixo da cerca, onde parou para fazer uma análise. Tudo tranquilo, cortinas descidas nas janelas de baixo, nenhum empregado à vista e nada humano visível, a não ser uma cabeça de cabelos encaracolados apoiada em uma mão magra, na janela superior.

– Lá está ele – pensou Jo. – Pobrezinho! Completamente sozinho e cansado desse dia infeliz. Que pesar! Vou jogar uma bola de neve para chamar sua atenção e cumprimentá-lo.

Jo arremessou uma bola de neve suave, fazendo a cabeça do menino virar de repente, mostrando um semblante que perdera seu olhar indiferente em um instante, pois os grandes olhos brilharam e a boca começou a sorrir. Jo acenou e riu; depois, agitou sua vassoura, dizendo:

– Como vai? Está doente?

Laurie abriu a janela e falou com voz rouca, como um corvo:

– Estou melhor, obrigado. Tive um resfriado sério e fiquei trancado por uma semana.

– Sinto muito. E o que você faz para se divertir?

– Nada. Aqui está monótono como uma sepultura.

– Você não lê?

– Não muito. Eles não deixam.

– Alguém pode ler para você?

– O vovô lê às vezes, mas meus livros não o interessam, e eu detesto pedir a Brooke o tempo todo.

– Então, por que você não convida alguém para visitá-lo?

– Não há ninguém que eu queira ver. Meus amigos fazem muita bagunça, e minha cabeça está fraca.

– Não há nenhuma menina simpática que possa ler para você e distraí-lo? Meninas são quietas e gostam de brincar de enfermeira.

– Não conheço nenhuma.

– Você nos conhece – começou Jo, depois riu e parou.

– Pois conheço! Você pode vir, por favor? – pediu Laurie.

– Não sou quieta e simpática, mas eu vou, se a mamãe deixar. Vou pedir a ela. Feche a janela, como um bom menino, e me espere.

Com isso, Jo pôs a vassoura no ombro e entrou em casa, imaginando o que todos diriam a ela. Laurie estava especialmente animado com a ideia de ter companhia e foi aprontar-se, pois como a sra. March dissera, ele era um pequeno cavalheiro e, para honrar a visita que receberia, escovou seus cabelos encaracolados e tentou arrumar o quarto, que, apesar de meia dúzia de empregados da casa, estava totalmente desarrumado. Logo soou alto uma campainha e uma voz decidida perguntou pelo sr. Laurie; então, um empregado com ar surpreso apressou-se em anunciar a jovem.

– Tudo bem, peça que suba, é a srta. Jo – disse Laurie, indo até a porta do seu pequeno quarto para encontrar Jo, que apareceu corada e desinibida, com um prato coberto em uma mão e os três gatinhos de Beth na outra.

– Aqui estou, de mala e cuia – disse ela, animada. – Mamãe mandou lembranças e ficou feliz por eu poder fazer algo por você. Trouxe um pouco do manjar que Meg fez. Está muito bom. E Beth achou que seus gatinhos poderiam animá-lo. Eu sabia que você riria disso, mas não pude recusar, ela estava muito ansiosa para fazer algo.

Afinal, os gatinhos de Beth foram ideais, pois rindo e brincando com eles, Laurie esqueceu a timidez e logo se soltou.

– Está com uma cara ótima – disse ele, sorrindo com prazer, quando Jo descobriu o prato e mostrou o manjar rodeado por uma guirlanda de folhas verdes e flores escarlate do gerânio de Amy.

– Não é nada, mas quiseram mostrar generosidade. Diga à empregada para guardá-lo para o chá. É bem simples e você conseguirá comê-lo, pois, como é mole, vai deslizar pela sua garganta inflamada sem machucá-la. Como este quarto é aconchegante!

– Seria se fosse arrumado, mas os empregados são preguiçosos e não sei como fazê-los se importar. Isso me incomoda bastante.

– Vou arrumá-lo rapidinho. Basta limpar a lareira, assim, e arrumar as coisas aqui em cima, assim; colocar os livros aqui, os frascos aqui, seu sofá virado para a luz e ajeitar os travesseiros. Agora sim, está tudo certo.

E estava mesmo, pois, enquanto ria e conversava, Jo colocava as coisas no lugar e dava um ar completamente diferente ao quarto. Laurie observou-a com um silêncio respeitoso e, quando Jo apontou para ele e para o sofá, sentou-se com um suspiro de satisfação, dizendo, agradecido:

– Como você é boazinha! Sim, era disso que eu precisava. Agora sente-se naquela poltrona e me permita fazer algo para entreter minha companhia.

– Não, eu vou entretê-lo. Quer que eu leia em voz alta? – e Jo olhou afetuosa para uns livros convidativos que estavam próximos.

– Obrigado! Eu li todos esses e, se você não se importar, prefiro conversar – respondeu Laurie.

– Nem um pouco. Se você deixar, falo o dia inteiro. Beth diz que nunca sei a hora de parar.

– Beth é aquela corada, que fica bastante em casa e, às vezes, sai com uma cestinha? – perguntou Laurie com interesse.

– Sim, essa é Beth. Ela é muito boazinha, e eu cuido dela.

– A mais bonita é a Meg, e a de cabelos cacheados é a Amy, certo?

– Como você sabe?

Laurie corou, mas respondeu com sinceridade:

– Sempre ouço você chamá-las e, quando estou aqui sozinho, não consigo evitar olhar para sua casa. Vocês sempre parecem estar se divertindo. Perdoe-me se sou rude, mas às vezes vocês se esquecem de baixar a cortina da janela onde ficam as flores. Quando as lâmpadas estão acesas, é como apreciar um quadro ao observar o fogo e vocês todas ao redor da mesa com sua mãe. O rosto dela fica do lado oposto e emana doçura por trás das flores, não consigo parar de ver. Não tenho mãe, você sabe –, e Laurie cutucou o fogo para disfarçar um pequeno tremor nos lábios que não conseguiu controlar.

O olhar solitário e angustiado do menino tocou em cheio o coração de Jo. Ela fora criada com tanta simplicidade que não havia malícia em sua mente e, aos quinze anos, era tão inocente e sincera como uma criança. Laurie estava doente e sozinho e ela, percebendo como era rica e feliz em casa, tentou alegremente compartilhar esses sentimentos com ele. Sua face estava muito amigável e sua voz aguda soou muito amável quando disse:

– Nunca mais fecharemos aquela cortina, e eu lhe dou permissão para olhar o quanto quiser. Só queria que, ao invés de espiar, você fosse nos visitar. A mamãe é maravilhosa, ela papaicaria você aos montes. E Beth cantaria para você se eu pedisse, enquanto Amy seria a dançarina. Meg e eu faríamos você rir contando sobre nossas dramatizações, e teríamos momentos muito divertidos. Será que seu avô permitiria?

– Acho que sim, se sua mãe pedisse. Ele é muito gentil, embora nem sempre pareça, e geralmente me deixa fazer o que quiser, só tem receio de que eu aborreça estranhos – começou Laurie, animando-se cada vez mais.

– Não somos estranhas, somos vizinhas, e não pense que nos aborreceria. Queremos conhecer você. Tenho tentado fazer isso há muito tempo. Não moramos aqui há tanto tempo, você sabe, mas já conhecemos quase todos os vizinhos, menos você.

– Olhe, meu avô vive entre os livros e não se importa muito com o que acontece fora deles. O sr. Brooke, meu tutor, não fica aqui, sabe, e eu não tenho ninguém para me fazer companhia, então fico em casa e me viro como posso.

– Isso é ruim. Você deveria fazer um esforço e visitar todos que o convidam, assim você teria vários amigos e ótimos lugares para ir. Não se importe com a timidez. Não vai durar muito se você começar a sair.

Laurie corou mais uma vez, mas não ficou chateado por sua timidez ter vindo à tona; afinal, Jo tinha tanta boa vontade que era impossível interpretar suas falas como grosserias.

– Você gosta da sua escola? – perguntou o menino, mudando de assunto após uma pequena pausa, durante a qual encarou o fogo e Jo observava a si mesma com satisfação.

– Não vou à escola, sou um homem de negócios... Quer dizer, uma menina de negócios. Sou dama de companhia da minha tia, uma alma bondosa, porém ranzinza – respondeu Jo.

Laurie respirou para fazer outra pergunta, mas lembrou-se a tempo de que não era educado fazer muitas perguntas sobre as pessoas, então desistiu, sentindo-se um tanto incomodado. Jo gostava dessa educação e, sem querer zombar da tia March, fez uma descrição fiel da inquieta senhora, mencionando seu *poodle* gordo, o papagaio que falava espanhol e a biblioteca onde ela se divertia.

Laurie desfrutou imensamente e, quando ela contou sobre o dia em que um pomposo senhor foi cortejar a tia March e, no meio do seu elegante discurso, Poll puxou sua peruca, provocando-lhe grande embaraço, o rapaz contorceu-se de rir até caírem lágrimas pelas suas bochechas, ao ponto de uma empregada ir lá espiar para ver o que estava acontecendo.

– Oh! Isso é muito engraçado. Continue, por favor – disse ele, afastando o rosto vermelho e radiante de alegria da almofada do sofá.

Eufórica com seu sucesso, Jo continuou contando sobre suas brincadeiras e seus planos, suas expectativas e seus medos em relação ao pai e os eventos mais interessantes do mundinho em que as irmãs viviam. Então, começaram a falar sobre livros e, para deleite de Jo, descobriu que Laurie também os amava e havia lido ainda mais do que ela.

– Se você gosta tanto deles, desça e veja os nossos. O vovô saiu, você não precisa ter medo – disse Laurie, levantando-se.

– Não tenho medo de nada – respondeu Jo, empinando a cabeça.

– Não acredito! – exclamou o rapaz, mirando-a com muita admiração, embora em seu íntimo pensasse que ela teria uma boa razão para sentir um pouquinho de medo do velho senhor, se presenciasse um de seus acessos de mau humor.

Laurie indicava o caminho pela casa, que tinha uma atmosfera de verão, permitindo que Jo parasse para examinar o que lhe desse vontade. Chegaram afinal à biblioteca, onde ela bateu palmas e pulou de espanto, como sempre fazia quando estava especialmente encantada. O cômodo estava repleto de livros, quadros e estátuas, de pequenas estantes cheias de moedas e curiosidades, além de poltronas, mesas, peças de bronze e, o melhor de tudo, uma grande lareira revestida de peculiares ladrilhos.

– Que riqueza! – suspirou Jo, afundando-se em uma poltrona aveludada e olhando em volta com ar de intensa satisfação. – Theodore Laurence, você deveria ser o rapaz mais feliz do mundo – acrescentou ela, impressionada.

– Não se pode viver de livros – disse Laurie, balançando a cabeça enquanto se empoleirava em uma mesa do lado oposto.

Antes que pudesse continuar, a campainha soou, e Jo levantou-se de repente, exclamando com alarme:

– Misericórdia! É seu avô!

– Bom, e se for? Você não tem medo de nada, não é mesmo? – respondeu o garoto, com olhar travesso.

– Acho que tenho um pouco de medo dele, mas não sei o por quê. Mamãe disse que eu poderia vir, e acho que você não piorou por isso – disse Jo, recompondo-se, mas com os olhos voltados para a porta.

– Na verdade estou muito melhor, por isso sou muito grato. Só tenho medo de que você esteja cansada de conversar comigo. Foi tão agradável, não suportaria ter de parar – disse Laurie, agradecido.

– O doutor veio examiná-lo, senhor – disse a empregada, chamando-o.

– Você se importa se eu a deixar por um minuto? Acho que preciso vê-lo – disse Laurie.

– Não se preocupe comigo. Estou muito bem aqui – respondeu Jo.

Laurie saiu, e Jo distraiu-se à sua maneira. Estava parada perante um belo retrato do velho senhor quando a porta se abriu novamente e, sem virar, disse, decidida:

– Tenho certeza de que não deveria ter medo dele; seus olhos são cordiais, embora sua boca seja sinistra e tenha o semblante de alguém que possui personalidade muito forte. Não é tão bonito quanto meu avô, mas gosto dele.

– Obrigado, madame – disse uma voz áspera atrás dela, e lá, para seu espanto, estava o velho sr. Laurence.

A pobre Jo ficou vermelha até não poder mais, e seu coração acelerou com uma rapidez incômoda quando pensou no que tinha dito. Durante um momento, uma intensa vontade de fugir dali a possuiu, mas seria uma atitude covarde, e as irmãs ririam dela. Então, resolveu ficar e se livrar daquela situação da maneira que pudesse. Um segundo olhar revelou-lhe que os olhos cordiais, sob as fartas sobrancelhas, eram ainda mais cordiais do que os do retrato e havia um brilho dissimulado neles, o que diminuiu bastante o medo que sentia. A voz áspera ficou ainda mais áspera quando o velho senhor disse, de repente, após uma pausa mortífera:

– Então você não tem medo de mim, hein?

– Não muito, senhor.

– E você não me acha tão bonito quanto seu avô?

– Também não, senhor.

– E tenho uma personalidade forte, é isso?

– Eu só disse que achava que sim.

– Mas você gosta de mim, apesar de tudo?

– Sim, senhor.

Aquela resposta agradou o velho cavalheiro. Ele soltou uma breve risada, apertou a mão da menina e, com dedos sob o queixo dela, levantou-lhe o rosto, examinando-o profundamente e dizendo com um movimento de cabeça, ao soltá-lo:

– Você tem o jeito do seu avô e, até mesmo, os traços. Era um homem bom, minha querida, mas o mais importante é que era também corajoso e honesto, e eu tinha orgulho de ter sua amizade.

– Obrigado, senhor – e Jo ficou bastante confortável depois disso, pois era exatamente o que queria ouvir.

– O que você fez com meu menino hoje, hein? – foi a pergunta seguinte, de forma direta.

– Estou apenas tentando ser uma boa vizinha, senhor – disse Jo, antes de contar como teve a ideia da visita.

– Você acha que ele precisa se animar um pouco, não é?

– Sim, senhor, ele parece um pouco solitário, e talvez ter jovens por perto possa fazer bem. Somos apenas garotas, mas ficaríamos felizes em ajudar, se pudermos, pois não esquecemos o Natal maravilhoso que o senhor nos proporcionou – disse Jo, entusiasmada.

– Não, não, não... Aquilo foi coisa do menino. Como está a pobre mulher?

– Está indo bem, senhor – Jo continuou, falando muito rápido e contando logo depois tudo sobre os Hummel, em quem sua mãe havia encontrado ricos amigos.

– É o mesmo jeito do pai dela de fazer o bem. Devo visitar sua mãe qualquer dia. Diga a ela. Agora é a hora do chá, que tomamos mais cedo por causa do menino. Venha e continue sendo uma boa vizinha.

– Se você quiser minha companhia, senhor.

– Não a teria chamado, se não quisesse – e o sr. Laurence fez uma cortesia antiquada, dando-lhe o braço.

"O que Meg vai achar disso", pensou Jo, enquanto caminhava e seus olhos dançavam alegremente ao imaginar o momento em que estivesse contando a história em casa.

– Ei! Mas que diabo aconteceu com esse menino? – disse o velho senhor ao mesmo tempo em que Laurie descia a escada correndo até parar estupefato, ao ver Jo de braço dado com seu temível avô.

– Não vi o senhor chegar – ele começou, enquanto Jo lhe lançava um olhar de triunfo.

– Isso é óbvio, pelo modo como você desceu a escada. Venha tomar seu chá, senhor, e comporte-se como um cavalheiro.

E puxando os cabelos do neto, como se fizesse um carinho, o sr. Laurence continuou andando, enquanto Laurie fazia uma porção de macaquices às suas costas, fazendo com que Jo quase explodisse em gargalhadas.

O velho senhor não falou muito enquanto bebia suas quatro xícaras de chá, mas ficou observando os jovens conversarem como se fossem velhos amigos, e a mudança em seu neto não lhe passou despercebida. Havia cor, brilho e vida no rosto do garoto, vivacidade em seus trejeitos e uma alegria genuína em seu riso.

"Ela está certa, o rapaz está solitário. Vou ver o que essas garotinhas podem fazer por ele", pensou o sr. Laurence, enquanto observava e ouvia. Ele gostou de Jo, pois seus modos esquisitos e bruscos combinavam com ele; ela parecia entender o menino quase tão bem quanto se a própria fosse um.

Se os Laurence fossem o que Jo chamava de "afetados e tolos", ela não teria continuado ali, já que esse tipo de pessoa sempre a deixava tímida e constrangida. Mas vendo como eram extrovertidos e simples, também se sentiu livre para ser assim, deixando-lhes uma boa impressão. Terminado o chá, fez menção de ir embora, mas Laurie disse que tinha algo mais para mostrar-lhe, e a levou para a estufa, a qual havia sido iluminada por causa dela. Jo sentiu-se deslumbrada, observando as paredes floridas de cada lado, a luz suave, o ar úmido e doce e as maravilhosas videiras e galhos de árvores que se penduravam sobre ela, enquanto seu novo amigo cortava as mais belas flores até ter as mãos dela cheias. Em seguida, amarrou-as, dizendo com uma alegria no olhar que Jo gostava de ver:

– Por favor, ofereça estas flores à sua mãe e diga a ela que adorei o remédio que me enviou.

Encontraram o sr. Laurence diante da lareira na grande sala de visitas, mas a atenção de Jo foi totalmente absorvida por um grande piano aberto.

– Você toca? – ela perguntou, voltando-se para Laurie com uma expressão respeitosa.

– Às vezes – respondeu ele, modesto.

– Toque agora, por favor. Quero ouvir, para contar a Beth.

– Não quer ir primeiro?

– Não sei tocar. Sou muito burra para aprender, mas adoro música.

Então, Laurie tocou e Jo escutou, com seu nariz luxuosamente escondido em heliotrópios e rosas-chás. Seu respeito e consideração pelo jovem Laurence aumentaram muito, pois ele tocou extraordinariamente bem e sem afetação. Ela queria que Beth pudesse ouvi-lo, mas não disse nada, apenas o elogiou até deixá-lo bastante tímido, e o avô veio em seu socorro.

– Já basta, já basta, mocinha. Doces demais não lhe fazem bem. Sua música não é ruim, mas espero que ele se concentre em coisas mais importantes. Você já vai? Bem, fico muito agradecido e espero que volte. Meus respeitos à sua mãe. Tenha uma boa noite, doutora Jo.

Ele a cumprimentou gentilmente, mas olhou como se algo não o agradasse. Quando chegaram ao vestíbulo, perguntou a Laurie se ela tinha dito algo de errado. Ele sacudiu a cabeça.

– Não, o problema sou eu. Ela não gosta de me ouvir tocar.

– Por que não?

– Um dia conto a você. John vai acompanhá-la até sua casa, já que eu não posso.

– Não é preciso. Não sou criança, e é tão perto. Cuide-se, está bem?

– Sim, mas você vai voltar outras vezes, espero?

– Só se você prometer que irá nos visitar quando estiver melhor.

– Irei, sim.

– Boa noite, Laurie.

– Boa noite, Jo, boa noite!

Quando todas as aventuras daquela tarde foram finalmente contadas, a família sentiu-se inclinada a fazer uma visita coletiva, pois cada uma delas percebeu ter uma certa atração por alguma coisa a respeito da mansão do outro lado da cerca: a sra. March queria conversar sobre seu pai com o velho cavalheiro que não o esquecera, Meg desejava caminhar pela estufa, Beth suspirava pensando no grande piano, e Amy estava ansiosa para ver os belos quadros e estátuas.

– Mamãe, por que o sr. Laurence não gostou de ver Laurie tocar piano? – perguntou Jo, com sua personalidade questionadora.

– Não tenho certeza, mas acredito ser por causa do seu filho, o pai de Laurie, o qual se casou com uma musicista italiana, desagradando o velho senhor, que é muito orgulhoso. A senhora era boa, amável e talentosa, mas ele não gostava dela e perdeu o contato com o filho após o casamento. Ambos morreram quando Laurie era ainda criança; então, o avô o trouxe para viver com ele. Imagino que o menino, nascido na Itália, não seja muito forte, por isso o velho tem medo de perdê-lo e é muito cuidadoso. Laurie herdou da mãe o amor pela música e até arrisco a dizer que o temor do avô é ele pensar em ser músico. Em todo caso, o talento do menino o faz lembrar da mulher que nunca gostou, por isso ficou carrancudo, como comentou Jo.

– Minha nossa, que romântico! – exclamou Meg.

– Que tolice! – disse Jo. – Deixe-o ser músico, se quiser, e que não estraguem sua vida fazendo-o ir para a faculdade quando, claramente, detesta a ideia.

– Por isso tem aqueles lindos olhos negros e modos educados. Italianos são sempre simpáticos – disse Meg, que era um tanto sentimental.

– O que você sabe sobre seus olhos e modos? Você mal falou com ele – reclamou Jo, que não era nada sentimental.

– Eu o vi na festa e o que você conta mostra como ele sabe se comportar. Fez um belo discurso sobre o remédio que mamãe enviou a ele.

– Devia estar falando do manjar.

– Como você é estúpida, menina! Ele estava falando de você, obviamente.

– De mim? – e Jo abriu os olhos como se isso nunca lhe tivesse ocorrido antes.

– Nunca vi uma menina assim! Você não reconhece um elogio quando recebe um – disse Meg, com ar de quem sabia tudo do assunto.

– Acho tudo isso um absurdo, e agradeço se puder não ser tola e estragar minha diversão. Laurie é um bom garoto, gosto dele e não sou sentimental em relação a elogios e a qualquer tolice dessas. Seremos todas boas com ele porque ele não tem mãe, e ele pode vir nos visitar em breve, não é, mamãe?

– Sim, Jo, seu amiguinho é muito bem-vindo, e espero que Meg lembre-se de que crianças devem ser crianças o quanto puderem.

– Não me considero criança, mas também não completei treze anos ainda – observou Amy. – Qual sua opinião, Beth?

– Estava pensando sobre nossa *Viagem do Peregrino* – respondeu Beth, que não havia prestado atenção em nada. – Saímos do Lamaçal e passamos pelo Portão ao resolvermos ser boas, e subimos a colina íngreme com isso em mente. Talvez aquela casa, cheia de coisas maravilhosas, seja nosso Belo Palácio.

– Temos que passar pelos leões primeiro – disse Jo, gostando daquela perspectiva.

## Beth encontra o belo palácio

A mansão provou ser o Belo Palácio, embora tenha demorado até todas entrarem e Beth tenha achado bem difícil passar pelos leões. O velho sr. Laurence era o maior de todos, mas ele logo disse algo engraçado ou carinhoso a cada uma das meninas, contou sobre os velhos tempos com a mãe delas e ninguém teve mais tanto medo dele, a não ser a acanhada Beth. O outro leão era o fato de que elas eram pobres e Laurie rico, o que as deixava com vergonha de aceitar favores que não poderiam retribuir. Mas, depois de algum tempo, entenderam que ele as considerava benfeitoras e que não conseguiria demonstrar o quanto era grato ao acolhimento maternal da sra. March, sua agradável companhia e o conforto que sentia naquele humilde lar. O orgulho logo foi esquecido e todos trocaram gentilezas sem parar para pensar quais eram as mais grandiosas.

Todos os tipos de divertimentos aconteceram naquela época, e a nova amizade floresceu como grama na primavera. Todas gostavam de Laurie e ele confidenciou ao seu tutor que as March eram esplêndidas. Com o entusiasmo encantador da juventude, levaram o jovem solitário para seu meio e cuidaram dele, que achou muito cativante a companhia inocente dessas meninas de coração simples. Como nunca tivera mãe ou irmãs, logo deixou-se influenciar por elas, e a vida ocupada e intensa que as meninas levavam fizeram-no sentir vergonha da sua própria vida ociosa. Sentiu-se cansado dos livros e passou a achar as pessoas tão interessantes agora que o sr. Brooke viu-se obrigado a escrever relatórios bastante insatisfatórios, uma vez que Laurie estava sempre matando aulas e fugindo para a casa das March.

– Não importa, deixe que ele tire férias e depois compense – disse o velho senhor. – Nossa querida vizinha disse que ele está estudando muito e precisa de companhias jovens, diversão e exercícios. Suspeito que esteja certa, talvez eu prenda demais o menino, agindo como se fosse sua avó. Deixe-o fazer o que gosta, o importante é que esteja feliz. Nada de ruim vai acontecer com ele naquele conventozinho, e a sra. March está fazendo mais por ele do que somos capazes.

Foi uma época realmente muito boa. Foram tantas brincadeiras, passeios de trenó, horas de patinação e agradáveis noites na velha sala, além de, vez ou outra, festas animadas na mansão. Meg podia caminhar pela estufa e se divertir com os buquês sempre que quisesse, Jo explorou a nova biblioteca com voracidade e alvoroçava o velho senhor com suas críticas, Amy copiou quadros e admirou a beleza para contentamento do seu coração, e Laurie atuava como senhor do lugar, no estilo mais encantador.

Já Beth, embora estivesse ansiosa para tocar o grande piano, não tinha coragem de ir à Mansão da Alegria, como Meg chamava a casa. Chegou a ir uma vez com Jo, mas o velho senhor, ignorante de sua fragilidade, encarou-a de forma muito severa por baixo de suas sobrancelhas fartas e disse um "Ei!" tão alto que a assustou e fez seus pés tremeram no chão. Ela não contou o episódio à mãe e fugiu dali declarando que nunca mais voltaria, nem mesmo pelo querido piano. Seu medo superava qualquer tentativa de persuasão ou sedução, até que, de forma misteriosa, o fato chegou aos ouvidos do sr. Laurence, que decidiu apaziguar a situação. Durante uma das breves visitas que costumava fazer à casa das March, ele engenhosamente conduziu o tópico da conversa para a música, comentou sobre grandes cantores que já havia visto, belos órgãos que tinha ouvido e discorreu sobre casos tão interessantes que Beth achou impossível ficar em seu canto distante; assim, foi se aproximando cada vez mais, fascinada. Parou atrás da cadeira e ficou escutando, com os grandes olhos arregalados e as bochechas vermelhas de excitação por aquele comportamento incomum. Dando-lhe menos atenção do que daria se fosse uma mosca, o sr. Laurence continuou a falar sobre as aulas que Laurie fazia e sobre seus professores. E, de repente, como se a ideia tivesse acabado de lhe ocorrer, disse à sra. March:

– O menino não se interessa mais pela música, e eu gosto disso, pois estava ficando entusiasmado demais. Mas o piano sofre com a falta de uso. Será que alguma de suas filhas não gostaria de ir lá e praticar nele de vez em quando, só para mantê-lo afinado, sabe, senhora?

Beth deu um passo à frente e apertou as próprias mãos com força para evitar que batesse palmas para celebrar a proposta, pois era uma tentação irresistível a ideia de praticar naquele maravilhoso instrumento e só de imaginar ficava sem fôlego. Antes mesmo que a sra. March pudesse responder, o sr. Laurence continuou com um aceno e um sorriso peculiar:

– Não precisariam ver ou falar com ninguém, basta irem quando quiserem. Eu fico trancado no meu escritório na extremidade oposta da casa, Laurie passa bastante tempo fora e os empregados nunca estão perto da sala de visitas depois das nove.

Nesse momento, levantou-se, como se estivesse indo embora, e Beth fez menção de falar, afinal aquele arranjo não deixava nada a desejar.

– Por favor, repasse às meninas o que falei e, se não gostarem da ideia de ir, não tem problema.

Assim que terminou, uma mãozinha tocou a dele, e Beth olhou para cima com um semblante de gratidão, dizendo, com seu jeitinho sincero, embora tímido:

– Oh, senhor, elas gostam da ideia, e muito!

– Você é a menina musical? – perguntou ele, sem um "Ei!" alarmante dessa vez, enquanto olhava com carinho para ela.

– Eu sou a Beth. Gosto muito de tocar e irei com certeza, se o senhor garantir que ninguém irá me ouvir e ser perturbado por isso – acrescentou, com receio de soar rude e tremendo por causa da própria ousadia.

– Nem uma alma sequer, minha querida. A casa fica vazia metade do dia, então vá e toque à vontade. Eu ficarei muito grato.

– Como o senhor é gentil!

Beth enrubesceu como uma rosa sob o olhar afetuoso que recebeu, mas dessa vez não estava assustada e apertou a mão do senhor com gratidão, já que não tinha palavras para agradecê-lo pelo precioso presente ofertado. O velho senhor afastou com delicadeza o cabelo da testa da menina e, abaixando-se, beijou-a, dizendo, em um tom que poucas pessoas já haviam escutado:

– Eu tinha uma filhinha com esses olhos. Deus a abençoe, minha querida! Tenha um bom dia, senhora.

E foi embora, com grande pressa.

Beth teve um rompante de alegria com sua mãe e saiu às pressas para dar a notícia à sua família de bonecas inválidas, já que as irmãs não estavam em casa. Cantou alegremente naquela noite e as irmãs riram muito quando ela acordou Amy à noite, tocando piano em cima de seu rosto enquanto dormia. No dia seguinte, ao perceber que nem o velho nem o menino estavam em casa, Beth, após dois ou três recuos, entrou pela porta lateral e, silenciosa como uma ratinha, chegou até a sala de visitas, onde estava o seu ídolo. Por "óbvio" acaso, algumas partituras simples estavam sobre o piano e, com dedos trêmulos e paradas frequentes para ouvir e olhar ao seu redor, Beth, enfim, tocou o grande instrumento, esquecendo imediatamente o medo, a si mesma e tudo mais, a não ser o indizível prazer que a música lhe proporcionava, como se fosse a voz de um amigo amado.

A menina ficou lá até Hannah buscá-la para o jantar, mas estava sem apetite e só conseguia ficar sentada, sorrindo para tudo, em um estado permanente de glória.

Após essa ocasião, o pequeno capuz marrom passava pela cerca quase todo dia, e a grande sala de visitas recebia um espírito melodioso que entrava e saía despercebido. Ela nunca soube que o sr. Laurence abria a porta do escritório para ouvir as músicas antigas de que gostava. Também nunca viu Laurie montar guarda no saguão para avisar aos empregados que não entrassem na sala. Nunca suspeitou que os livros de exercício e as novas canções dispostos no suporte eram colocados lá especialmente para ela e, quando o velho senhor falava com ela sobre música, em sua casa, só pensava em como era bondoso por contar-lhe coisas que a ajudavam tanto. Divertia-se muitíssimo e achava que seu desejo realizado era mesmo tudo o que sempre quisera, algo que nem sempre acontece. Talvez por estar tão grata por essa bênção, outra ainda maior lhe foi dada. De qualquer maneira, ela merecia ambas.

– Mamãe, vou fazer um par de pantufas para o sr. Laurence. Ele é tão bom para mim, tenho que agradecê-lo e não sei outra maneira de fazê-lo. Posso? – perguntou Beth, semanas após a emocionante visita do cavalheiro.

– Sim, querida. Ele vai gostar muito e será uma ótima maneira de agradecê-lo. As meninas irão ajudá-la, e eu pagarei pelo acabamento – respondeu a sra. March, que tinha um prazer especial em conceder os desejos de Beth, pois ela quase nunca pedia algo para si.

Depois de várias conversas sérias com Meg e Jo, o padrão fora escolhido, os materiais foram comprados e o trabalho, iniciado. Um ramo de amores-perfeitos austeros, porém alegres, estampavam um fundo roxo escuro de modo muito adequado e bonito, e Beth trabalhou dia e noite, com eventual ajuda nas partes difíceis. Foi uma ágil costureirinha, e as pantufas ficaram prontas antes que alguém pudesse se cansar do trabalho. Então, escreveu um bilhete curto e simples e, com a ajuda de Laurie, conseguiu colocar o presente na mesa do escritório antes que o velho senhor acordasse.

Passada essa agitação, Beth aguardou para ver o que aconteceria. Esperou um dia inteiro e parte do seguinte até obter qualquer resposta, e já estava com receio de ter ofendido seu amigo rabugento. Na tarde do segundo dia, saiu para resolver algumas coisas e ajudar Joanna, a boneca inválida, a fazer seus exercícios diários. Quando dobrou a rua, na volta, viu três, ou melhor, quatro cabeças aparecendo e desaparecendo das janelas da sala e, no momento em que elas a viram, várias mãos acenaram e muitas vozes gritaram:

– Chegou uma carta do velho senhor! Venha logo e leia!

– Oh, Beth, ele enviou para você... – começou Amy, gesticulando com euforia, mas foi interrompida por Jo, que abaixou com força a janela.

Beth apressou-se, entusiasmada com o suspense. Quando chegou à porta, suas irmãs a acompanharam até a sala em uma procissão triunfal, todas apontando e falando ao mesmo tempo: "Olha! Olha!", e Beth olhou e ficou pálida de satisfação e surpresa, pois ali jazia um pequeno piano, com uma carta sobre a tampa brilhante, endereçada, como se fosse uma sinalização: "À srta. Elizabeth March".

– Para mim? – disse Beth, segurando-se em Jo, ao sentir que poderia desmaiar, pois tudo aquilo era muito emocionante.

– Sim, tudo para você, meu amor! Que coisa maravilhosa ele fez, não é? Você não o acha o homem mais atencioso do mundo? A chave está na carta. Nós não a abrimos, mas estamos loucas para saber o que diz – disse Jo, abraçando a irmã e entregando o envelope.

– Leia você! Não consigo, estou atordoada! Oh, isso é tão lindo! – e Beth escondeu seu rosto no avental de Jo, bastante desconcertada com seu presente.

Jo abriu o papel e começou a rir, pois as primeiras palavras lidas foram:

– "Senhorita March: Cara senhora..."

– Isso é tão bonito! Queria que alguém escrevesse para mim! – disse Amy, que achou aquele vocativo antigo muito elegante.

– "Tive muitos pares de pantufas na vida, mas nenhum era tão confortável quanto o que recebi da senhora" – continuou Jo. – "Amor-perfeito é minha flor favorita, e elas sempre me recordarão quem gentilmente me presenteou. Gosto de pagar minhas dívidas, então sei que você permitirá ao velho senhor enviar-lhe algo que uma vez pertencera à minha netinha perdida. Com sinceros agradecimentos e os melhores votos, seu grato amigo e humilde servo, James Laurence."

– Aí está, Beth, uma homenagem para se ter orgulho, com certeza! Laurie me disse o quão o sr. Laurence era apegado à criança falecida e como cuida de tudo que era dela com muito zelo. Não é pouca coisa, ele lhe dar o piano dela. Isso porque você tem esses grandes olhos azuis e ama música – disse Jo, tentando acalmar Beth, que tremia e parecia mais entusiasmada do que jamais esteve.

– Veja os castiçais e a bela seda verde, com uma rosa dourada no meio, o suporte, a banqueta, tudo completo – acrescentou Meg, abrindo o instrumento e exibindo suas belezas.

– "Seu humilde servo, James Laurence." Só de pensar nele escrevendo isso para você. Vou contar para as meninas. Elas vão achar maravilhoso – disse Amy, muito impressionada com a carta.

– Toque, querida. Vamos ouvir o som do pianinho – disse Hannah, que sempre compartilhava as alegrias e tristezas da família.

Então, Beth tocou, e todas concluíram ser aquele o piano mais incrível que já ouviram. Evidentemente, acabara de ser afinado e consertado, mas, por mais perfeito que fosse, seu verdadeiro charme estava nos rostos felizes debruçados sobre ele, enquanto Beth pressionava suavemente as belas teclas pretas e brancas e pisava nos pedais brilhantes.

– Você deve ir lá e agradecê-lo – disse Jo, de brincadeira, pois não imaginava, de fato, Beth indo até lá.

– Sim, é verdade. Acho que vou agora, antes de ficar assustada só de pensar nisso – e, para espanto geral da família reunida, Beth caminhou decidida para o jardim, passou pela cerca e chegou à porta dos Laurence.

– Bom, isso é a coisa mais estranha que já vi! O pianinho desorientou sua cabeça! Ela nunca teria ido em sã consciência – disse Hannah, encarando-a, enquanto as meninas contemplavam o milagre, estupefatas.

Elas teriam ficado ainda mais impressionadas se tivessem visto o que Beth fez em seguida. Acreditem se puder: ela foi até o escritório e, após pensar um pouco, bateu à porta. Quando uma voz áspera respondeu "entre!", ela de fato entrou e foi em direção ao sr. Laurence, que a mirou muito surpreso e segurou sua mão enquanto ela dizia, com um pequeno abalo na voz: "Vim para agradecê-lo, senhor, pelo..." Mas não concluiu a sentença, pois ele parecia tão amigável que a fez perder as palavras e, lembrando-se apenas de como ele perdera a garotinha que amava, pôs os braços em volta do seu pescoço e o beijou.

Se o telhado da casa tivesse caído de repente, o velho senhor não teria ficado tão perplexo. De qualquer forma, gostou daquilo. Oh, sim, estava maravilhado com aquilo! E ficou tão emocionado e satisfeito pelo beijinho confiante, que toda sua aspereza desapareceu e ele simplesmente a colocou no colo e encostou sua bochecha enrugada na dela, sentindo como se tivesse sua própria netinha de volta. Beth deixou de temê-lo a partir daquele momento e passou a conversar com ele muito à vontade, como se o conhecesse desde sempre, pois o amor elimina o medo e a gratidão pode conquistar o orgulho. Ele a acompanhou até o portão de casa, cumprimentou-a com gentileza e tocou seu chapéu antes de voltar, parecendo muito imponente e altivo, como o belo senhor que era.

Quando as meninas viram aquilo, Jo começou a dançar, expressando sua satisfação, Amy quase caiu da janela de tão surpresa, e Meg exclamou, com as mãos levantadas:

– Bem, agora acredito que o mundo está acabando!

## O vale da humilhação de Amy

– Aquele menino é um perfeito ciclope[14], não é? – disse Amy um dia, quando Laurie passava por elas a cavalo, demonstrando muita habilidade com o chicote.

– Como você se atreve a dizer isso se ele tem dois olhos? E como são belos esses olhos – disse Jo, que se ofendia com a mínima crítica ao seu amigo.

– Não disse nada sobre seus olhos e não sei por que você se alvoroçou, pois eu estava elogiando seu jeito de montar.

– Oh, minha nossa! A tolinha quis dizer centauro e o chamou de ciclope – exclamou Jo, explodindo em uma gargalhada.

– Você não precisa ser rude, foi só um "colapso de linguagem", como diz o sr. Davis – redarguiu Amy, para encerrar a conversa gastando o seu latim. – Queria apenas ter um pouco do dinheiro que Laurie gasta com aquele cavalo – acrescentou, com a esperança de que suas irmãs não a ouvissem.

– Por quê? – perguntou Meg, compreensiva, pois Jo havia caído em outra gargalhada por causa do segundo deslize de Amy.

---

14. Na mitologia grega, denominação comum a seres gigantescos, extremamente fortes e laboriosos, que se caracterizam por terem um único olho no meio da testa – dicionário Michaelis. (N. E.)

– Preciso tanto. Estou com uma dívida enorme e não vou ver a cor do meu dinheiro por pelo menos um mês.

– Dívida, Amy? Como assim? – Meg parecia séria.

– Devo, ao menos, uma dúzia de limões em conserva na mercearia. Não posso comprar mais nenhum, você sabe, até eu ter dinheiro, pois mamãe me proibiu de pegar qualquer coisa fiado lá.

– Nem me fale. Os limões estão na moda? Antes usávamos pedaços de borracha para fazer bolas – e Meg tentou continuar séria, pois Amy parecia muito apreensiva.

– As meninas estão sempre comprando limões para as outras, sabe, e, a menos que você queira parecer má, tem que fazer o mesmo. Só querem saber de limões agora, ficam chupando-os em suas carteiras na hora da aula e trocando-os na hora do recreio por lápis, anéis de miçangas, bonecas de papel ou qualquer outra coisa. Se uma menina gosta da outra, ela lhe dá um limão. Se está brava com ela, come um limão na sua frente e não oferece nem um pedaço. Eu ganhei muitos, mas deve haver reciprocidade, e ainda não os retribuí. Preciso fazer isso, pois é uma dívida de honra, entende?

– De quanto você precisa para pagá-los e restaurar seu crédito? – perguntou Meg, pegando sua carteira.

– Vinte e cinco centavos seriam suficientes e acrescente mais uns centavos para eu comprar um para você. Não gosta de limão?

– Não muito. Você pode ficar com minha parte. Aqui está o dinheiro. Economize o máximo que puder, pois você sabe que não é muito.

– Oh, obrigado! Deve ser muito bom ter dinheiro no bolso! Vou fazer a festa, pois já faz uma semana que não como limão. Estava incomodada em recebê-los sem poder retribuí-los, e estou realmente precisando de um.

No dia seguinte, Amy chegou atrasada à escola, mas não pôde resistir à tentação de exibir, com um compreensível orgulho, um pacote úmido de papel pardo, antes de escondê-lo no recanto mais secreto de sua carteira. Nos cinco minutos seguintes, o rumor de que Amy March tinha vinte e quatro limões deliciosos (ela comeu um no caminho) e iria distribuí-los começou a circular, e a atenção das suas amigas tornou-se irresistível.

Katy Brown a convidou para sua próxima festa, Mary Kinglsey insistiu em emprestar-lhe seu relógio até a hora do recreio, e Jenny Snow, uma jovem fofoqueira, que havia ridicularizado Amy porque ela não possuía limões, logo buscou as pazes e ofereceu-se para fazer algumas contas difíceis por ela. Mas Amy não tinha esquecido as críticas da srta. Snow a: "algumas pessoas cujos narizes eram achatados, mas não o suficiente para cheirar os limões dos outros" e "pessoas metidas a besta que não tinham vergonha de ficar pedindo"; então, frustrou na hora as esperanças da tal Snow com o seguinte recado:

– Você não precisa ser tão educada assim de repente, pois não vai ganhar nenhum.

Naquela manhã, uma figura importante visitou a escola e os mapas muito bem desenhados de Amy foram elogiados por ela, irritando a srta. Snow e fazendo a srta. March assumir ares de um jovem pavão estudioso. Só que, ai, ai, ai!, o orgulho precede a queda, e a vingativa Snow virou o jogo com um sucesso desastroso. Assim que o convidado fez os elogios e cumprimentos de costume e saiu, Jenny, com a falsa intenção de fazer uma pergunta importante, disse ao sr. Davis, o professor, que Amy March escondia limões em sua carteira.

Pois bem, o sr. Davis havia classificado os limões como um artigo de contrabando e oficializado aplicar a palmatória em público à primeira pessoa que fosse flagrada violando a lei. Aquele homem persistente já havia sido bem-sucedido em banir a goma de mascar após um longo e tempestuoso conflito; feito uma fogueira com romances e jornais confiscados; suprimido um correio privado; proibido caretas, apelidos e caricaturas; e tudo mais que um único homem conseguisse fazer para manter na linha meia centena de meninas rebeldes. Os meninos põem à prova a paciência humana, Deus sabe, mas as meninas fazem isso em escala muito maior, especialmente quando se trata de senhores com temperamento tirânico e sem talento algum para a docência. O sr. Davis sabia grego, latim, álgebra e todos os tipos de ciências terminadas em "logia", por isso se dizia um bom professor, desconsiderando, no entanto, os bons modos, a ética e os sentimentos. Aquele era um péssimo momento para denunciar Amy, e Jenny sabia disso. Com certeza, o sr. Davis havia tomado um café forte demais naquela manhã, soprava um vento leste que sempre afetava sua nevralgia e suas alunas não lhe davam o desconto que ele acreditava merecer. Portanto, para usar a expressiva, e por que não elegante, linguagem de uma aluna: "ele estava nervoso como uma bruxa e furioso como um urso". A palavra "limões" foi como gasolina na fogueira. Seu rosto amarelo enrubesceu e ele bateu tão forte em sua mesa que Jenny voltou para seu lugar com uma rapidez incomum.

– Meninas, atenção, por favor!

O burburinho cessou com a severa ordem e cinquenta pares de olhos azuis, negros, cinzas e castanhos fixaram-se em seu terrível semblante.

– Srta. March, venha até minha mesa.

Amy levantou-se para obedecer com uma serenidade superficial, mas um medo secreto a oprimia, pois os limões pesavam em sua consciência.

– Traga os limões que estão escondidos em sua carteira – o inesperado comando a capturou antes que ela deixasse seu lugar.

– Não leve todos – cochichou sua vizinha, uma jovem de grande presença de espírito.

Amy apressadamente despejou meia dúzia e depositou o resto perante o sr. Davis, imaginando que qualquer ser humano que possuísse um coração cederia ao sentir aquele delicioso perfume. Infelizmente, o sr. Davis, em particular, detestava o cheiro daquela conserva da moda e o nojo só aumentou sua ira.

– Estão todos aqui?

– Não – gaguejou Amy.

– Traga o resto, rápido.

Olhando com aflição para seus limões, ela obedeceu.

– Tem certeza de que não há mais?

– Eu nunca minto, senhor.

– É o que vejo. Agora, pegue esses limões nojentos e jogue-os pela janela, de dois em dois.

Houve um suspiro simultâneo, que criou uma pequena lufada, pela esperança ser dissipada e a guloseima ser arrancada daquelas bocas desejosas. Vermelha de vergonha e raiva, Amy foi e voltou dramaticamente seis vezes e, ao pegar cada par condenado, tão carnudo e suculento, sentia as mãos relutantes. Um grito da rua completou a angústia das meninas, pois significava que os pequenos irlandeses, seus inimigos, desfrutariam do banquete. Isso era demais! Todas lançaram olhares indignados ou apelativos ao inflexível sr. Davis, e uma amante declarada de limões rompeu em lágrimas.

Quando Amy retornou da sua última viagem, o sr. Davis pronunciou um portentoso "Hum!" e disse, do seu jeito mais marcante:

– Meninas, vocês se lembram do que eu disse há uma semana? Lamento o ocorrido, mas nunca permito que minhas regras sejam infringidas e nunca quebro uma promessa. Srta. March, mostre-me sua mão.

Amy tremeu e colocou ambas as mãos atrás de si, lançando sobre ele um olhar de súplica que dizia muito mais do que as palavras que não conseguira pronunciar. Ela era a favorita do velho Davis, como, obviamente, era chamado, e acredito que ele teria quebrado sua promessa se a jovem irrepreensível não tivesse expressado sua indignação com um sibilo de deboche. Esse sibilo, quase imperceptível, inflamou o irritadiço senhor e selou o destino da ré.

– Sua mão, srta. March! – foi a única resposta a seu apelo silencioso e, muito orgulhosa para chorar ou suplicar, Amy travou os dentes, levantou a cabeça de forma desafiadora e suportou sem recuar os vários golpes que tomou na palma da sua mãozinha. Não foram muitos ou intensos, mas não fazia diferença para ela. Pela primeira vez em sua vida, fora castigada, e a desgraça, a seus olhos, era tão profunda como se ele a tivesse nocauteado.

– Agora você ficará na plataforma até o recreio – disse o sr. Davis, resoluto em cumprir a promessa até o fim, já que havia começado o castigo.

Isso era mortífero. Teria sido ruim o suficiente voltar para seu lugar e ver os rostos piedosos das amigas, ou os olhares satisfeitos das suas poucas inimigas; porém, encarar toda a classe, com a vergonha sobre ela, parecia impossível e, por um segundo, sentiu como se simplesmente pudesse desfalecer ali e começar a chorar. Uma amarga sensação de arrependimento e a lembrança de Jenny Snow a ajudaram a suportar e, assumindo o lugar infame, ela fixou o olhar no duto do aquecedor, acima do que parecia um mar de rostos, e ficou lá, tão pálida e impassível que as meninas tiveram dificuldade de estudar com aquela patética figura diante delas.

Durante os quinze minutos seguintes, a garotinha orgulhosa e sensível sofreu a vergonha e a dor que nunca se esqueceria. Para as outras, isso podia parecer ridículo ou trivial, mas para ela era uma experiência difícil; durante os doze anos da sua vida, tinha sido conduzida apenas pelo amor, sem nunca ter sido castigada fisicamente. A dor que sentia na mão e o pesar no coração foram esquecidos ao ser arrebatada pelo seguinte pensamento: "Terei que contar lá em casa, e todas ficarão tão decepcionadas comigo!".

Os quinze minutos pareceram uma hora, mas chegaram ao fim, ao menos; a palavra "Recreio!" nunca fora tão bem-vinda.

– Está liberada, srta. March – disse o sr. Davis, pensando em como se sentia desconfortável.

Ele não esqueceria tão cedo o olhar reprovador de Amy ao sair, sem falar com ninguém, para a antessala, onde pegou suas coisas e deixou aquele lugar "para sempre", como prometera fervorosamente a si mesma. Ela estava triste quando voltou para casa e, assim que as outras meninas chegaram, um pouco depois, iniciou-se na hora uma reunião cheia de revolta. A sra. March não disse muito, mas pareceu incomodada e confortou sua filhinha atormentada do seu jeito mais terno. Meg lavou a mão maltratada da irmã com glicerina e lágrimas. Beth percebeu que nem mesmo seus amados gatinhos serviriam como alento para um sofrimento como aquele. Jo propôs, indignada, que o sr. Davis fosse preso imediatamente. E Hannah fechou o punho para o "vilão", enquanto esmurrava as batatas do jantar, como se fosse ele sob o pilão.

Ninguém na escola percebeu que Amy fugira, a não ser suas amigas, mas as senhoritas mais astutas notaram que o sr. Davis estava muito benevolente naquela tarde, além de excepcionalmente nervoso. Pouco antes de a escola ser fechada, Jo apareceu com uma expressão sombria e foi até sua mesa entregar uma carta da mãe. Depois, recolheu as coisas de Amy e partiu, limpando cuidadosamente a lama das suas botas no tapete da porta, como se sacudisse dos pés a poeira do lugar.

– Sim, você pode tirar umas férias da escola, mas quero que você estude um pouco, todos os dias, com a Beth – disse a sra. March aquela noite. – Não aprovo castigos corporais, principalmente em meninas. Não gosto do método de ensino do sr. Davis e não acho que as garotas com quem você anda estejam lhe fazendo bem; então, vou perguntar a opinião do seu pai antes de colocá-la em outra escola.

– Que bom! Queria que todas as meninas saíssem também, e que aquela escola velha ficasse inutilizada. É enlouquecedor pensar naqueles limões maravilhosos – suspirou Amy, com o ar de uma mártir.

– Não me importo que você os tenha perdido, pois você violou as regras e merecia uma punição pela desobediência – foi a severa resposta da sra. March, a qual decepcionou a jovem menina, que esperava nada menos que compaixão.

– Quer dizer que você está feliz porque fui humilhada perante toda a classe? – queixou-se Amy.

– Eu não teria escolhido esse método para corrigir um erro – respondeu sua mãe –, mas talvez uma punição mais leve não lhe fizesse tanto bem. Você está ficando muito convencida, minha querida, e já está na hora de corrigir essa falha. Você tem vários pequenos dons e virtudes, mas não há necessidade de exibi-los, pois a vaidade estraga as melhores personalidades. Não há muito perigo de que o verdadeiro talento ou a bondade sejam ignorados por muito tempo, e, mesmo que isso aconteça, a consciência de possuí-los e usá-los da melhor forma deveria ser satisfação suficiente. O grande charme do poder é a modéstia.

– É verdade! – disse Laurie, que estava jogando xadrez com Jo em um canto. – Conheci uma menina tempos atrás que tinha um incrível talento para a música, mas não sabia disso; nunca percebeu quão belas eram aquelas pequenas peças que compunha quando estava sozinha e não teria acreditado se alguém tivesse dito a ela.

– Queria conhecer essa menina. Talvez ela pudesse me ajudar, sou tão estúpida – disse Beth, que estava ao seu lado, ouvindo com atenção.

– Mas você a conhece, e ela a ajuda mais do que qualquer pessoa – respondeu Laurie, com um olhar maroto direcionado a Beth, que enrubesceu e escondeu o rosto em uma almofada do sofá ao perceber que se referia a ela.

Jo deixou Laurie vencer a partida em retribuição pelo elogio à Beth, que não pôde ser convencida a tocar para eles após tal exaltação. Então, Laurie fez seu melhor e tocou lindamente, pois estava com particular bom humor, já que raramente demonstrava seu lado emotivo para as March. Quando ele foi embora, Amy, que ficou pensativa a tarde inteira, disse de repente, inquieta com uma ideia nova:

– Laurie é um menino bem-sucedido?

– Sim, ele recebe uma excelente educação e tem muito talento. Será um bom homem, se não for mimado demais – respondeu sua mãe.

– E ele não é convencido, não é? – perguntou Amy.

– Nem um pouco. Por isso é tão encantador e todas nós gostamos tanto dele.

– Entendi. É bom ter conquistas e ser elegante, mas não para ostentar ou vangloriar-se disso – disse Amy, reflexiva.

– Essas coisas são sempre percebidas e sentidas nos modos e nas conversas de uma pessoa, se usadas com modéstia; portanto, não há necessidade de exibi-las – disse a sra. March.

– Assim como não é apropriado usar todos os seus chapéus, vestidos e laços ao mesmo tempo, apenas para que as pessoas saibam que você os possui – acrescentou Jo, e o sermão acabou em risos.

## *Jo encontra-se com Apollyon*

– Meninas, para onde vão? – perguntou Amy ao entrar no quarto em um sábado à tarde e encontrar as irmãs mais velhas prontas para sair, com um ar de segredo, o que despertou sua curiosidade.

– Não interessa. Garotinhas não devem fazer perguntas – respondeu Jo, incisiva.

Se há algo insuportável para os nossos sentimentos quando somos jovens é ouvir isso, e receber uma ordem como "saia daqui, menina" é ainda pior. Amy indignou-se com o insulto e resolveu descobrir o segredo. Voltando-se para Meg, que sempre acabava cedendo aos seus pedidos, disse-lhe, persuasivamente:

– Por favor, me conte! Acho que você deveria permitir que eu fosse também, pois Beth está lá com seu piano e eu não tenho nada para fazer. Estou me sentindo muito solitária.

– Não posso, querida, você não foi convidada – começou Meg, mas Jo a interrompeu, impaciente:

– Meg, não diga nada ou vai estragar tudo. Você não pode ir, Amy, então pare de ser uma bebê reclamona.

– Vocês vão a algum lugar com Laurie, sei que vão. Estavam cochichando e rindo no sofá ontem à noite e pararam quando eu entrei. Vocês vão com ele?

– Sim, vamos. Agora fique quieta e pare de perturbar.

Amy calou-se, mas continuou observando e viu Meg colocar um leque no bolso.

– Já sei! Já sei! Você vão ao teatro ver *Sete castelos*! – exasperou-se, acrescentando, resoluta: – E eu também vou, pois mamãe falou que eu poderia assistir. Tenho dinheiro para ir e vocês foram muito más em não me dizer a tempo.

– Escute o que estou dizendo e seja uma boa menina – disse Meg, calmamente. – Mamãe não quer que você saia essa semana, porque seus olhos ainda não estão bons o suficiente para suportar a luz dessa peça. Semana que vem você poderá ir e se divertir com Beth e Hannah.

– Ir com elas não vai ser tão divertido quanto ir com vocês e Laurie. Por favor, deixe-me ir. Estou há tanto tempo resfriada e trancada, estou louca para me divertir. Por favor, Meg! Vou me comportar o tempo todo – apelou Amy, sendo o mais patética possível.

– Suponhamos que ela vá conosco. Não acho que mamãe se importaria, se a agasalharmos bem – começou Meg.

– Se ela for, eu não vou; e se eu não for, Laurie não vai gostar. Além disso, seria rude levarmos Amy já que ele convidou apenas nós duas. Eu devia saber que ela se meteria onde não foi chamada – disse Jo, irritada, pois não gostava da responsabilidade de vigiar uma criança inquieta quando queria mesmo era se divertir.

Seu tom e seus modos irritaram Amy, que começou a calçar os sapatos, dizendo, do modo mais debochado:

— Eu irei, sim. Meg disse que posso e, se eu pagar minha entrada, Laurie não tem nada a ver com isso.

— Você não pode se sentar conosco, pois nossos assentos estão reservados; e já que não pode sentar sozinha, provavelmente, Laurie cederá o lugar dele, estragando a nossa diversão. Ou ele terá de conseguir outro assento para você e isso não é adequado, já que não foi convidada. Não há como você ir, então faça o favor de ficar onde está – repreendeu Jo, irritada como nunca, pois, na pressa, acabara furando o dedo.

Sentada no chão com um sapato calçado, Amy começou a chorar e Meg a consolava quando Laurie chamou lá de baixo; as duas meninas correram para baixo, deixando a irmã choramingando. De vez em quando, Amy esquecia-se dos modos de moça crescida e agia como uma criança mimada. Assim, quando estavam todos de saída, ela foi até o corrimão e disse, em tom ameaçador:

— Você vai se arrepender disso, Jo March, você vai ver.

— Bobagem! – respondeu Jo, batendo a porta.

A noite foi muito agradável, pois *Os sete castelos do lago diamante* era uma peça tão brilhante e maravilhosa como haviam imaginado. Mas, a despeito dos hilários diabinhos vermelhos, dos elfos reluzentes e dos belos príncipes e princesas, o prazer de Jo foi assaltado por uma pitada de amargura. Os cachos dourados da rainha das fadas lhe lembraram Amy e, entre os atos, ela se distraiu pensando no que a irmã poderia dizer com "você vai se arrepender disso". Ela e Amy tiveram várias e intensas discussões ao longo de suas vidas, pois ambas eram impetuosas e tinham certa inclinação para a agressividade quando instigadas. Amy implicava com Jo, Jo irritava Amy e, não raro, ocorriam desentendimentos explosivos, dos quais acabavam arrependidas. Embora fosse a mais velha, Jo tinha menos autocontrole e demonstrava dificuldade em frear o espírito inflamado, o qual com frequência lhe causava problemas. Sua raiva nunca durava muito tempo e, humildemente, admitia ter falhado; arrependia-se de verdade e buscava ser uma pessoa melhor. Suas irmãs costumavam dizer que gostavam de deixar Jo enfurecida, porque ficava um anjo logo depois. A pobre Jo tentava desesperadamente ser boa, mas seus inimigos internos estavam sempre prontos para inflamá-la e derrotá-la, algo que levou anos de esforço e paciência para dominar.

Quando chegaram em casa, Amy estava lendo na sala. Ela assumiu um ar ressentido quando entraram e não desviou o olhar do seu livro nem fez qualquer pergunta. Talvez a curiosidade tivesse superado o ressentimento se Beth não estivesse ali para perguntar e receber uma descrição fiel da peça. Ao subir para tirar seu chapéu preferido, o primeiro olhar de Jo foi em direção à penteadeira, pois, em sua última querela com a irmã, Amy havia canalizado seus sentimentos jogando a gaveta dela no chão. No entanto, tudo estava no lugar e, após uma rápida olhada em vários armários, bolsas e caixas, Jo concluiu que Amy a havia perdoado e esquecido seus erros.

Bem, Jo estava errada. No dia seguinte, descobriu algo que provocou uma tempestade. Meg, Beth e Amy estavam sentadas no quarto, no fim da tarde, quando Jo entrou, parecendo transtornada e perguntando, ofegante:

– Alguém pegou meu livro?

Meg e Beth disseram "não" em uníssono e aparentavam surpresa. Amy cutucou o fogo e nada disse. Jo percebeu o rosto dela corar e, na hora, foi até ela.

– Amy, foi você que pegou!

– Não, não peguei.

– Você sabe onde está, então!

– Não, não sei.

– Mentira! – gritou Jo, pegando-lhe pelos ombros com um semblante colérico que assustaria qualquer criança muito mais corajosa do que Amy.

– Não é. Não peguei seu livro, não sei onde ele está e não me importo.

– Você sabe algo sobre isso, e é melhor contar logo, ou farei você dizer – e Jo deu uma leve sacudida nela.

– Reclame o quanto quiser, você nunca verá aquele bobo e velho livro de novo – gritou Amy, enfurecendo-se, por sua vez.

– Por que não?

– Eu o queimei.

– O quê!? Meu livro de que eu tanto gostava, que me deu tanto trabalho para escrever e que pretendia terminar antes de papai voltar para casa? Você queimou mesmo? – disse Jo, já muito pálida, enquanto seus olhos inflamavam-se e suas mãos agitadas agarravam Amy.

– Sim, queimei! Eu disse que você ia pagar por ser tão ríspida ontem, aí está...

Amy não disse mais nada, pois foi dominada pelo temperamento explosivo de Jo, que a sacolejou até seus dentes tremerem, enquanto chorava de tristeza e ódio:

– Sua malvada, malvada! Nunca poderei escrevê-lo de novo e nunca te perdoarei enquanto eu viver.

Meg foi ao socorro de Amy; Beth acalmou Jo, mas ela estava totalmente fora de si e, com um tapa na orelha da irmã, saiu correndo da sala para o sofá do sótão, onde terminou sua briga sozinha.

A tempestade teve fim quando a sra. March chegou e, ao ouvir a história, logo fez com que Amy percebesse o mal que tinha feito à irmã. O livro de Jo era seu grande orgulho, considerado pela família o germe literário de uma grande promessa. Tinha apenas meia dúzia de contos de fada, mas Jo trabalhou nele com afinco, colocando todo seu coração na obra, ansiosa por escrever algo bom o suficiente para ser impresso. Tinha acabado de copiá-los com muito cuidado e destruíra o velho manuscrito; portanto, a fogueira de Amy consumiu o adorado trabalho de muitos anos. Era uma pequena perda para as outras, mas para Jo era uma calamidade terrível, a qual acreditava ser para sempre imperdoável. Beth lamentou como se um dos seus gatinhos tivesse morrido, Meg recusou-se a defender sua protegida e a sra. March parecia séria e muito abatida. Amy sentiu que ninguém voltaria a amá-la enquanto não pedisse perdão pelo ato do qual agora lamentava mais do que qualquer uma delas.

Quando soou a campainha do chá, Jo surgiu, parecendo tão desanimada e inacessível que Amy reuniu toda a coragem que tinha para dizer, mansamente:

– Por favor, me perdoe, Jo. Eu sinto muito, muito mesmo.

– Nunca vou perdoá-la – foi a severa resposta de Jo e, a partir daquele momento, passou a ignorar Amy completamente.

Ninguém falou sobre o terrível problema, nem mesmo a sra. March, pois todas haviam aprendido pela experiência que, quando Jo estava com aquele humor, palavras eram inúteis, e a melhor coisa a fazer era esperar até que algum pequeno acidente, ou sua natureza generosa, amenizasse o ressentimento e curasse a ferida. Não foi uma noite agradável, já que, embora costurassem como de costume enquanto a sra. March lia em voz alta Bremer, Scott ou Edgeworth, algo parecia faltar e a doce paz daquele lar estava perturbada. Essa sensação foi mais intensa quando chegou a hora de cantar, pois somente Beth tocou, Jo ficou parada como uma pedra e Amy retirou-se, então Meg e a mãe cantaram sozinhas. Apesar dos esforços das duas para alegrarem o ambiente, as vozes não harmonizavam como de costume e acabaram desafinando.

Quando Jo recebeu seu beijo de boa noite, a sra. March sussurrou, gentil:

– Minha querida, não durma com essa raiva. Perdoem-se, ajudem uma à outra e recomecem amanhã.

Jo queria deitar a cabeça naquele colo maternal e chorar todo seu sofrimento e raiva, mas considerava as lágrimas uma fraqueza; estava muito magoada e sabia que ainda não conseguiria perdoar a irmã. Piscou os olhos intensamente, balançou a cabeça e disse, de forma áspera, pois sabia que Amy estava ouvindo:

– Ela fez algo abominável e não merece ser perdoada.

Com isso, a sra. March foi para a cama e não houve risos ou fofocas secretas naquela noite.

No dia seguinte, Amy estava muito ofendida por suas tentativas de paz terem sido rejeitadas e começou a se arrepender de ter se humilhado, sentindo-se ainda mais magoada e adotando um ar de superioridade que era particularmente desagradável. Jo ainda parecia uma nuvem carregada e nada correu bem naquele dia. Era uma manhã um pouco mais fria; Jo derrubou seu precioso bolo na sarjeta, tia March teve um ataque de mau humor, Meg estava sensível, Beth parecia incomodada e melancólica ao chegar em casa, e Amy continuou falando sobre pessoas que sempre discursavam sobre fazer o bem, mas sequer esforçavam-se para viver segundo o que pregavam, mesmo sendo apontadas por todos como exemplo de virtude.

– Todo mundo anda detestável, vou chamar Laurie para patinar. Ele é sempre gentil e alegre, sei que sua companhia vai me alegrar – disse Jo para si mesma e saiu.

Amy ouviu o barulho dos patins e exclamou impacientemente:

— Vejam só! Ela prometeu que seria minha vez, pois esse é o último gelo que teremos no ano. Mas é inútil pedir a uma pessoa tão rabugenta para me levar.

— Não diga isso. Você foi muito má e deve ser difícil perdoar a perda de seu precioso livrinho, mas acho possível que ela o faça logo, se você encontrar o momento certo – disse Meg. – Vá atrás deles. Não fale nada até Jo ficar de bom humor com Laurie, então, espere um pouco e dê um beijo nela, ou faça algo bom. Tenho certeza de que será sua amiga de novo com todo seu coração.

— Vou tentar – disse Amy, pois o conselho parecia bom e, após apressar-se para ficar pronta, correu atrás dos dois amigos, que acabavam de desaparecer na colina.

A casa não era muito longe do rio, mas ambos estavam prontos antes que Amy os alcançasse. Jo a viu se aproximar e virou as costas. Laurie não a viu, pois estava patinando cuidadosamente pela margem, testando o gelo: uma onda de calor havia precedido aquele dia frio.

— Vou até a primeira curva para ver se está tudo bem antes de começarmos a correr – Amy ouviu-o falar quando começava a deslizar, parecendo um jovem russo vestindo seu casaco e sua capa com acabamentos de pele.

Jo ouviu Amy ofegante atrás de si, batendo os pés e assoprando os dedos enquanto tentava calçar os patins, mas não virou para trás e continuou ziguezagueando devagar sobre o rio, sentindo uma espécie de satisfação amarga e infeliz ao perceber a dificuldade da irmã. Ela nutriu sua raiva até que esta se fortaleceu a ponto de dominá-la, pois é isso que acontece com pensamentos e sentimentos ruins, a menos que sejam eliminados de uma só vez. Quando Laurie fez a curva, gritou:

— Fique perto da margem. Não é seguro no meio.

Jo o escutou, mas Amy, que ainda lutava com os próprios pés, não ouviu uma palavra. Jo olhou por cima do ombro e o pequeno demônio que lhe cercava disse em seu ouvido: "Não importa se ela ouviu ou não, deixe-a cuidar de si mesma".

Laurie desapareceu próximo à curva, Jo foi logo atrás e Amy, estava indo em direção ao gelo mais macio, no meio do rio. Por um instante, Jo foi acometida de uma estranha sensação, ainda assim resolveu continuar; mas algo a fez parar e dar meia-volta, bem a tempo de ver Amy jogar as mãos para cima e cair com a repentina quebra do gelo. O esguicho da água e um grito fez o coração de Jo parar de tanto medo. Ela tentou chamar Laurie, mas sua voz falhou; tentou correr em direção à irmã, mas seus pés pareciam não ter força e, por um segundo, só conseguiu ficar ali imóvel, encarando com o rosto aterrorizado o pequeno capuz azul sobre a água escura. Algo passou muito rápido por ela, e ouviu Laurie gritar:

– Traga um pedaço de pau. Rápido, rápido!

Ela nunca soube como fez isso, mas, nos cinco minutos seguintes, trabalhou como se estivesse possuída, obedecendo cegamente a Laurie, que estava bem controlado e, deitando no gelo, puxou Amy pelo braço até Jo conseguir um pedaço de cerca e, juntos, tirarem a menina do rio, mais assustada do que ferida.

– Agora temos que levá-la para casa o mais rápido possível. Coloque nossas coisas sobre ela, enquanto eu tiro seus patins – disse Laurie, envolvendo Amy em seu casaco e desfazendo os nós que pareciam mais intrincados que nunca.

Tremendo, pingando e chorando, Amy foi levada para casa e, após certo tempo, adormeceu, enrolada em cobertores à beira do fogo. Durante o alvoroço, Jo mal falou, mas ficou para lá e para cá, pálida e perturbada, com o vestido rasgado e as mãos cortadas e queimadas do gelo, do pedaço de cerca e das fivelas do patins. Quando Amy estava confortavelmente adormecida e a casa quieta, a sra. March sentou na cama, chamou Jo e começou a cuidar de suas mãos machucadas.

– Tem certeza de que ela está a salvo? – sussurrou Jo, olhando com remorso em direção à cabecinha dourada, que poderia ter ido embora para sempre sob o gelo traiçoeiro.

– Totalmente a salvo, querida. Ela não está machucada e acho que não vai sequer ficar resfriada. Você foi tão sensível ao cobri-la e trazê-la para casa rapidamente – respondeu sua mãe, contente.

– Laurie fez tudo. Eu a deixei lá. Mamãe, se ela morresse, teria sido minha culpa.

E Jo jogou-se na cama chorando compulsivamente, contando tudo o que acontecera, condenando com crueldade a dureza do seu coração e derramando lágrimas de gratidão por ter sido poupada da pesada punição que poderia ter caído sobre ela.

– É esse meu temperamento terrível! Eu tento curá-lo e quando penso que consegui, ele volta pior do que nunca. Oh, mamãe, o que eu faço? O que faço? – chorou a pobre Jo, desesperada.

– Vele e reze, querida. Nunca canse de tentar e nunca ache que é impossível consertar seu defeito – disse a sra. March, acariciando o rostinho inchado de chorar e beijando-lhe a bochecha úmida com tanta ternura que Jo chorou ainda mais.

– A senhora não sabe, não consegue imaginar como é difícil! Tenho a sensação de que posso fazer qualquer coisa quando estou com raiva. Eu me torno selvagem, como se pudesse machucar alguém e gostar disso. Tenho medo de fazer algo muito ruim um dia, estragar minha vida e fazer com que todos me odeiem. Oh, mamãe, me ajude, me ajude!

– Vou ajudá-la, minha filha, vou sim. Não chore assim. Mas lembre-se deste dia e decida, com todo seu coração, que nunca mais viverá outro como esse. Jo, querida, todos nós temos tentações, algumas muito piores que as suas e, muitas vezes, leva-se uma vida inteira para que as superemos. Você acha que seu temperamento é o pior do mundo, mas o meu era exatamente assim.

– O seu, mamãe? Como? Você nunca fica zangada! – e, por um momento, Jo trocou o remorso pela surpresa.

– Tenho tentado curá-lo há quarenta anos, mas eu só fui capaz de controlá-lo. Fico zangada praticamente todos os dias da minha vida, Jo, mas aprendi a não demonstrar e ainda espero aprender a não sentir isso, embora talvez precise de mais quarenta anos para conseguir.

A paciência e a humildade vistas naquele rosto que tanto amava era, para Jo, uma lição melhor do que a aula mais sábia ou o castigo mais severo. Uma vez mais, sentiu-se reconfortada pelo afeto e confiança dados a ela. Saber que sua mãe tinha um defeito como o seu e que tentava corrigi-lo fez com que ficasse mais fácil suportá-lo, além de fortalecer sua decisão de curá-lo; embora, para uma menina de quinze anos, passar quarenta anos velando e rezando parecesse muito tempo.

– Mamãe, você está zangada quando aperta os lábios e sai da sala, quando a tia March reclama ou quando as pessoas a importunam? – perguntou Jo, sentindo-se querida e próxima de sua mãe como nunca.

– Sim, aprendi a controlar as palavras que vinham bruscamente até meus lábios e, quando sinto que elas podem sair contra minha vontade, simplesmente me afasto por um minuto e dou uma leve sacudida em mim por ser tão fraca e insensível – respondeu a sra. March com um suspiro e um sorriso, enquanto acariciava e prendia os cabelos desarrumados de Jo.

– Como você aprendeu a ter esse autocontrole? Este é o meu problema, pois as palavras duras saem antes que eu perceba e, quanto mais eu falo, pior eu fico, ao ponto de ser prazeroso machucar os sentimentos das pessoas e dizer coisas ruins. Diga como você consegue, mamãe.

– Minha mãe me ajudava...

– Assim como você nos ajuda... – interrompeu Jo, com um beijo de gratidão.

– Mas a perdi quando eu era só um pouco mais velha do que você e durante anos tive de lutar sozinha, pois era muito orgulhosa para confessar às pessoas minha fraqueza. Foi uma época difícil, Jo; chorei lágrimas amargas por causa de minhas falhas, porque, apesar dos meus esforços, parecia que nunca ia conseguir. Então, encontrei seu pai, e fiquei tão feliz que achei fácil ser uma pessoa boa. Porém, com a pobreza e com quatro filhas para criar, o velho problema ressurgiu; eu não era paciente por natureza e foi um desafio ver minhas crianças pedindo qualquer coisa.

– Pobre mamãe! O que a ajudou, então?

– Seu pai, Jo. Ele nunca perde a paciência, nunca duvida ou reclama, sempre tem esperança e trabalha e espera com tanta alegria que você fica com vergonha de não ser assim perto dele. Ele me ajudou, me confortou e me mostrou que eu deveria tentar praticar todas as virtudes que eu gostaria de ver em minhas meninas, pois eu sou o exemplo de vocês. Ficou mais fácil tentar por vocês do que por mim mesma. Um olhar assustado ou surpreso de uma de vocês quando eu falava bruscamente me censurava mais do que qualquer palavra, o amor, o respeito e a confiança das minhas filhas era a recompensa mais doce que eu poderia receber pelos meus esforços para ser a mulher que elas deveriam copiar.

– Oh, mamãe, se eu tiver metade da sua bondade, ficarei satisfeita – disse Jo, muito emocionada.

– Espero que você seja muito melhor, querida, mas você terá de vigiar seu "inimigo interno", como diz seu pai, ou isto pode entristecer sua vida, até mesmo arruiná-la. Você já teve um aviso. Lembre-se dele e tente, com alma e coração, dominar esse temperamento impetuoso antes que lhe traga tristezas e arrependimentos muito maiores do que está sentindo hoje.

– Vou tentar, mamãe, de verdade. Mas você precisa me ajudar, me lembrar e me manter na linha. Às vezes eu via o papai colocar o dedo em seus lábios e olhar para a senhora com um semblante muito gentil, embora sério, e você sempre apertava os lábios e saía. Era um alerta a você? – perguntou Jo, suavemente.

– Sim. Eu pedi que me ajudasse dessa forma, e ele nunca se esqueceu, salvando-me de muitas palavras duras com esse pequeno gesto e olhos gentis.

Jo viu os olhos da mãe encherem-se de lágrimas e os lábios tremerem enquanto falava e, temendo que tivesse falado demais, sussurrou, apreensiva:

– Fiz mal em falar sobre isso? Não quis ser inconveniente, mas é tão agradável falar tudo que penso para a senhora, sinto-me tão segura e feliz.

– Minha Jo, você pode falar qualquer coisa para sua mãe, pois minha maior alegria e orgulho é sentir que minhas meninas confiam em mim e sabem o quanto as amo.

– Pensei que a havia entristecido.

– Não, meu bem, mas falar do seu pai me lembrou do quanto sinto sua falta, do quanto devo a ele e do quanto devo zelar e trabalhar fielmente para manter nossas filhas sãs e salvas.

– Mesmo assim você disse para ele ir, mamãe, não chorou quando partiu e nunca reclama ou dá entender que precisa de qualquer ajuda – disse Jo, pensativa.

– Eu dei o que tinha de melhor para o país que amo e guardei minhas lágrimas até que ele partisse. Por que deveria reclamar se estávamos apenas cumprindo nosso dever e sabendo que certamente ficaremos mais felizes no final? Se não aparento precisar de ajuda é porque tenho um Amigo maior que seu pai para me confortar e me amparar. Minha filha, os problemas e as tentações da sua vida estão apenas começando e podem ser muitos, mas você pode superá-los e sobreviver a eles se aprender a sentir a força e a ternura do seu Pai Celestial como sente a do seu pai terreno. Quanto mais você O ama e confia n'Ele, mais perto d'Ele você vai se sentir, e menos dependerá da força e da sabedoria humanas. O amor e o cuidado de Deus são infinitos e jamais serão tirados de você, tornando-se fonte de paz, alegria e força para toda a sua vida. Acredite nisso com todo seu coração e entregue a Deus todos os seus pequenos cuidados, esperanças, pecados e tristezas da mesma maneira como os entrega à sua mãe.

A única resposta de Jo foi dar um forte abraço na mãe e, no silêncio que se seguiu, rezou com tanta sinceridade que seu coração ficou sem palavras. Naquele momento triste e ao mesmo tempo feliz, aprendeu não só a amargura do remorso e do desespero, mas a doçura do altruísmo e do autocontrole e, levada pela mão de sua mãe, aproximou-se do Amigo que sempre recebe todas as crianças com um amor mais forte do que o de qualquer pai e mais terno do que o de qualquer mãe.

Amy se mexeu e suspirou enquanto dormia e Jo, ansiosa para reparar sua falha o quanto antes, olhou para cima com uma expressão nunca antes vista.

– Deixei a raiva tomar conta de mim. Não queria perdoá-la e, hoje, se não fosse por Laurie, poderia ter sido tarde demais! Como pude ser tão má? – disse Jo, deixando-se escutar e inclinando-se suavemente sobre sua irmã e acariciando o cabelo espalhado no travesseiro.

Como se a tivesse escutado, Amy abriu os olhos e segurou seus braços, com um sorriso que foi direto para o coração de Jo. Não falaram nada, mas deram um abraço apertado, apesar dos lençóis, e tudo foi perdoado e esquecido com um beijo sincero.

Louisa May Alcott

# Meg vai à feira das vaidades[15]

– Acho que terem pegado sarampo justo agora foi mesmo o melhor que poderia ter acontecido àquelas crianças – disse Meg, em um dia de abril, enquanto arrumava a mala de viagem em seu quarto, rodeada pelas irmãs.

– Foi tão bom Annie Moffat não ter esquecido sua promessa. Uma quinzena inteira de diversão será maravilhoso – respondeu Jo, parecendo um cata-vento enquanto dobrava saias com seus longos braços.

– E estou muito feliz que o clima esteja bom – acrescentou Beth, organizando laços para pescoço e cabelo na sua melhor caixa, que emprestaria especialmente para a importante ocasião.

– Quem dera ter oportunidade para usar todas essas coisas lindas – disse Amy com a boca cheia de alfinetes, os quais espetava artisticamente de volta à almofada da irmã.

– Queria que todas vocês fossem, mas, como não podem, vou guardar minhas aventuras para contar quando voltar. Estou certa de que é o mínimo que posso fazer por terem sido tão boas comigo, me emprestando coisas e me ajudando a ficar pronta – disse Meg, olhando em volta do quarto, conferindo os preparativos, que eram muito simples mas, aos seus olhos, estavam quase perfeitos.

– O que mamãe lhe deu da caixinha de tesouros? – perguntou Amy, que não estava presente na abertura do baú de cedro, no qual a sra. March guardava algumas relíquias de um passado esplendoroso para dar de presente às suas filhas quando chegasse o momento ideal.

– Um par de meias de seda, aquele lindo leque gravado e uma encantadora faixa azul. Eu queria o vestido de seda violeta, mas não há tempo para reformá-lo, então devo me contentar com meu velho de tarlatana.

---

15. Uma referência à cidade da Vaidade, presente no livro *O Peregrino*, de John Bunyan. (N. E.)

– Vai ficar bonito com minha nova saia de musselina, e a faixa combinará perfeitamente. Queria não ter quebrado meu bracelete de coral, pois o emprestaria – disse Jo, que amava oferecer e emprestar, mas cujas posses costumavam estar muito dilapidadas para serem usadas.

– Há uma linda pérola antiga no baú de relíquias, mas mamãe disse que flores são o enfeite mais bonito para uma jovem, e Laurie prometeu me mandar as que eu quisesse – respondeu Meg. – Agora, deixe-me ver, aqui está a roupa cinza para passeios... Beth, coloque a pena no meu chapéu... O vestido de popelina será para o domingo e a festinha... parece pesado para a primavera, não é? O vestido de seda violeta seria perfeito. Oh, céus!

– Não se preocupe, já tem o de tarlatana para a grande festa e você sempre parece um anjo de branco – disse Amy, admirando aqueles pequenos luxos que lhe animavam o espírito.

– Não é decotado nem comprido o suficiente, mas vai ter que servir. Meu vestido azul de ficar em casa parece tão bonito assim, do avesso e recém-costurado, que sinto como se fosse novo. Meu xale de seda não está na moda e meu chapéu não parece nada com o que Sallie tem. Não quis dizer nada, mas estou muito desapontada com minha sombrinha. Disse à mamãe para trazer uma preta com cabo branco; ela esqueceu e comprou uma verde com cabo amarelo. É resistente e elegante, então não posso reclamar, mas sei que ficarei constrangida ao lado da sombrinha de seda com ponta dourada da Annie – suspirou Meg, olhando para a pequena sombrinha com grande menosprezo.

– Troque-a – aconselhou Jo.

– Não serei tão tola, nem magoarei os sentimentos da mamãe, já que se esforçou tanto para me dar as coisas. É uma ideia disparatada minha e não vou me deixar levar por ela. Minhas meias de seda e os dois novos pares de luvas me confortam. Você foi muito gentil em me emprestar as suas, Jo. Me sinto rica e até elegante tendo dois novos pares e as velhas limpas para usar – e Meg olhou animada para sua caixa de luvas.

– As toucas de dormir de Annie Moffat têm laços azuis e cor-de-rosa. Você colocaria alguns na minha? – pediu Meg, enquanto Beth trazia uma pilha de toucas de musselina brancas como a neve, recém-saídas das mãos de Hannah.

– Eu não colocaria, pois toucas com enfeites não combinam com vestidos lisos, sem qualquer acabamento. Pessoas pobres não deveriam se enfeitar muito – disse Jo, decidida.

– Será que eu posso ser feliz e usar renda de verdade nas minhas roupas e laços nas minhas toucas? – disse Meg, impaciente.

– Você mesma disse que ficaria feliz se simplesmente pudesse ir à casa de Annie Moffat – observou Beth com seu jeito calmo.

– Sim, disse! Bem, estou feliz e não irei mais me preocupar, mas parece que quanto mais uma pessoa tem, mais ela quer, não é? As coisas estão prontas e tudo já está guardado nas malas, com exceção do meu vestido de festa, pois vou deixar mamãe fazer isso – disse Meg, animada, enquanto olhava para a mala meio cheia e para o vestido de tarlatana branco, tantas vezes passado e remendado, o qual chamava de "vestido de festa" com um ar de importância.

O dia seguinte foi agradável e Meg partiu com estilo para uma quinzena de novidades e prazeres. A sra. March aprovou a visita com relutância, receando que Meg voltasse mais descontente do que antes. Acabou cedendo, pois a filha insistiu muito e Sallie havia prometido cuidar bem dela; além disso, um pouco de diversão parecia agradável depois de um inverno cansativo de trabalho, e assim Meg foi experimentar pela primeira vez uma vida com requinte.

Os Moffat eram muito requintados e a humilde Meg assustou-se, a princípio, com o esplendor da casa e a elegância dos seus moradores. No entanto, eram todos gentis, apesar da vida supérflua que levavam, e a hóspede logo ficou à vontade. Talvez, Meg sentira, sem entender o motivo, que eles não eram pessoas particularmente cultas ou inteligentes, e todos aqueles adereços não eram capazes de encobrir o material ordinário de que eram feitos. Com certeza, era agradável viver com suntuosidade, andar em um belo carro, usar os melhores vestidos todos os dias e não fazer nada além de se divertir. Ela se acostumou a isso muito rápido e logo começou a imitar os modos e o jeito de falar dos que a rodeavam, emanar certa atmosfera de polidez, usar expressões em francês, frisar o cabelo, vestir-se bem e falar sobre moda tanto quanto podia. Quanto mais via os belos objetos de Annie Moffat, mais a invejava e desejava ser rica.

Quando pensava em sua casa, esta agora parecia banal e desanimadora: o trabalho parecia mais difícil do que nunca, e achava que era uma garota pobre e arruinada, mesmo usando luvas novas e meias de seda.

Todavia, ela não tinha muito tempo para reclamar, pois as três jovens estavam totalmente dedicadas a "passar bem". Iam às compras, passeavam a pé, cavalgavam, faziam visitas o dia todo e, à noite, frequentavam teatros e óperas ou ficavam em casa; Annie tinha muitas amigas e sabia como entretê-las. Suas irmãs mais velhas eram jovens e elegantes damas, e uma delas estava noiva, o que era extremamente interessante e romântico, Meg pensava. O sr. Moffat era um senhor gordo e alegre, que conhecia o pai de Meg, e a sra. Moffat, uma senhora também gorda e alegre, que gostava dela como uma filha. Todos a mimavam, e a "florzinha", como a chamavam, estava prestes a ter sua cabeça transformada.

Quando chegou a noite da pequena festa, achou que o vestido de popelina não serviria de jeito nenhum, pois as outras meninas estavam com vestidos leves, muito mais elegantes. Preferiu pegar o de tarlatana, que parecia mais velho, mais desleixado e mais gasto do que nunca em comparação ao vestido novo em folha de Sallie. Meg viu as meninas olharem para seu vestido de relance e depois se entreolharem, e sentiu suas bochechas queimarem, pois, apesar de sua gentileza, era muito orgulhosa. Ninguém falou nada sobre o vestido, e Sallie ofereceu-se para arrumar seu cabelo; Annie, para amarrar sua faixa; e Belle, a irmã noiva, elogiou seus braços alvos. Meg interpretou a bondade delas como pena por sua pobreza e sentiu seu coração pesado ali, sozinha, enquanto as outras riam, papeavam e circulavam pelo quarto como borboletas. O sentimento pesado e amargo estava só piorando quando uma empregada chegou com uma caixa de flores. Antes que ela pudesse falar algo, Annie tirou a tampa e todas se admiraram com a beleza das rosas, urzes e avencas.

– São para Belle, óbvio. George sempre lhes envia algumas, mas essas estão espantosas – disse Annie, cheirando-as profundamente.

– São para a srta. March. E aqui está o cartão – disse a empregada, entregando-as à Meg.

– Que curioso! De quem é? Não sabia que você tinha um amado – disseram as meninas, ao redor de Meg com muita curiosidade e surpresa.

– O cartão é da mamãe, e as flores são de Laurie – disse Meg, com simplicidade, embora muito feliz por ele não a ter esquecido.

– Oh, claro! – disse Annie com um olhar brincalhão, enquanto Meg colocava o cartão em seu bolso como se fosse um talismã contra a inveja, a vaidade e o falso orgulho; aquelas poucas palavras carinhosas fizeram muito bem a ela, e a beleza das flores a animaram.

Sentindo-se quase feliz de novo, ela pegou algumas avencas e rosas para si e rapidamente montou delicados buquês para o colo, o cabelo ou as saias das amigas, oferecendo-lhes de forma tão gentil que Clara, a mais velha das irmãs, disse-lhe que ela era "a criaturinha mais doce que já vira" e todas pareciam encantadas com a delicada atenção. De algum modo, o ato de gentileza acabou com seu desânimo. Quando as meninas mostraram os presentes para a sra. Moffat, ela viu um rosto alegre e radiante no espelho, pois havia colocado as avencas em seu cabelo ondulado e as rosas no vestido, que já nem parecia tão surrado agora.

Meg divertiu-se bastante aquela noite, dançando até cansar. Todos foram muito gentis, e ela recebeu três elogios. Annie a fez cantar, e alguém disse que sua voz era marcante e suave; o Major Lincoln perguntou quem era "a garotinha de belos olhos"; e o sr. Moffat insistiu em dançar com ela, já que "não parava e não parecia querer parar", como ele graciosamente expressou. Então, festejou bastante, até ouvir uma conversa que a perturbou muito. Estava sentada na entrada da estufa, esperando sua amiga trazer-lhe gelo, quando ouviu uma voz perguntar, do outro lado da parede florida:

– Qual a idade dele?

– Dezesseis ou dezessete, eu acho – respondeu uma segunda voz.

– Seria um bom partido para qualquer uma das meninas, não é? Sallie disse que estão muito íntimos agora, e o velho gosta muito deles.

– A sra. M. já planejou tudo, arrisco dizer, e vai jogar suas cartas quando chegar a hora. A menina evidentemente não faz ideia de nada – disse a sra. Moffat.

– Ela contou aquela mentirinha sobre sua mãe, como se soubesse, e corou quando as flores chegaram. Pobrezinha! Ficaria tão bonita se estivesse com um bom vestido. Você acha que ela ficaria ofendida se oferecêssemos um vestido para quinta-feira? – perguntou a outra voz.

– Ela é orgulhosa, mas não acho que vai se importar; aquela tarlatana desalinhada é tudo que tem. Ela poderia rasgá-lo hoje, o que seria uma boa desculpa para oferecermos um vestido decente.

Nesse momento, a amiga de Meg apareceu, encontrando-a enrubescida e agitada. Era orgulhosa e seu orgulho foi útil, pois a ajudou a esconder a angústia, a raiva e o desgosto pelo o que acabara de ouvir. Afinal, mesmo inocente e ingênua como era, não pôde deixar de entender a fofoca das amigas. Tentou esquecer, mas não conseguiu, e continuou repetindo para si mesma: "a sra. M. já planejou tudo", "aquela mentirinha sobre a mãe" e "tarlatana desalinhada", até ficar a ponto de chorar e correr para casa, desabafar, e pedir ajuda. Como isso era impossível, fez o que pôde para parecer alegre e, embora estivesse exasperada, foi tão bem-sucedida em seu intento que ninguém podia imaginar o esforço que estava fazendo. Ficou muito feliz quando a festa acabou e achou-se quieta em sua cama, onde pôde pensar, refletir e revoltar-se até sua cabeça doer e as maçãs do seu rosto esfriarem com as lágrimas. Aquelas palavras tolas, mas ainda assim significativas, abriram um novo mundo para Meg e pertubaram a paz do seu velho mundo, no qual, até agora, vivia alegremente como uma criança. Sua inocente amizade com Laurie foi abalada pela conversa idiota que ouvira. A fé que tinha na mãe foi afetada em razão dos planos insinuados pela sra. Moffat, que julgava os outros com base em si mesma. E a sensível decisão de se contentar com o vestido simples que a filha de um homem pobre podia vestir foi enfraquecida pela pena desnecessária das meninas, que consideravam um vestido surrado uma grande calamidade.

A pobre Meg não descansou a noite inteira, e levantou-se com os olhos pesados, infeliz, um pouco magoada com suas amigas e meio envergonhada por não falar com sinceridade o que sentia e colocar tudo em pratos limpos. Passaram a manhã preguiçosamente e só ao meio-dia encontraram energia para fazer algo. Meg notou o comportamento das amigas. Havia mais respeito no tratamento em relação a ela, pensou, estavam mais interessadas no que dizia e olhavam para ela com os olhos cheios de curiosidade. Meg sentiu um misto de surpresa e lisonja, embora não tenha entendido nada até que a srta. Belle levantou o olhar da sua escrita e disse, com ar sentimental:

– Florzinha, querida, enviei um convite ao seu amigo, o sr. Laurence, para quinta-feira. Queríamos conhecê-lo, e é uma maneira de cumprimentá-la.

Meg corou, mas uma ardilosa vontade de provocar as meninas a fez responder, com modéstia:

– Vocês são muito gentis, mas receio que ele não virá.

– Por que não, *chérie*? – perguntou a srta. Belle.

– Ele é muito velho.

– Como assim, querida? Qual a idade dele, quero saber! – perguntou a srta. Clara.

– Quase setenta, eu acho – respondeu Meg, tentando disfarçar a troça em seu olhar.

– Mas como você é dissimulada! É claro que estamos falando do rapaz – exclamou a srta. Belle, rindo.

– Não há nenhum rapaz, Laurie é só um menino – e Meg também riu do olhar confuso que as irmãs trocaram enquanto ela descrevia seu suposto namorado.

– Da sua idade – Nan disse.

– Quase da idade da minha irmã Jo; eu faço dezessete em agosto – respondeu Meg, empinando o nariz.

– Foi muito delicado da parte dele enviar-lhe flores, não foi? – disse Annie, sem fazer ideia do que estava falando.

– Sim, ele as envia com frequência para todas nós, pois há muitas em sua casa e gostamos bastante delas. Minha mãe e o velho sr. Laurence são amigos, sabe, é natural que nós brinquemos juntos – e Meg esperou não ouvir mais nada sobre esse assunto.

– É claro que a Florzinha não sabe de nada ainda – disse a srta. Clara à Belle, com um movimento de cabeça.

– Tão inocente! – respondeu a srta. Belle, encolhendo os ombros.

– Vou sair para comprar umas coisas para minhas meninas. Vocês querem que traga algo? – perguntou a sra. Moffat, andando com seu passo de elefante, vestida com sedas e rendas.

– Não, obrigada, senhora – respondeu Sallie.

– Já tenho meu vestido de seda rosa para quinta-feira e não preciso de mais nada.

– Nem eu... – começou Meg, mas parou porque lhe ocorreu que ela queria muitas coisas e não podia tê-las.

– O que você vai vestir? – perguntou Sallie.

– Meu velho vestido branco mais uma vez, se eu puder fazer com que fique apresentável, pois, infelizmente, rasgou ontem à noite – disse Meg, tentando falar com tranquilidade, mas se sentindo muito desconfortável.

– Por que você não pede para alguém da sua casa mandar outro? – disse Sallie, que não era uma jovem observadora.

– Não tenho outro – Meg esforçou-se para dizer isso, mas Sallie não percebeu e exclamou, surpresa:

– Só aquele? Que engraçado... – ela não terminou de falar, pois Belle balançou a cabeça e a interrompeu, dizendo, gentilmente:

– Só aquele, claro! Para que ter vários vestidos se ela ainda não tem onde usá-los? Não há necessidade de mandar ninguém à sua casa, Florzinha, mesmo se tivesse uma dúzia. Eu tenho um vestido de seda azul que já não uso mais e ficaria muito feliz se você o vestisse. Tenho certeza que aceitaria fazer isso por mim, não é?

– É muita gentileza sua, mas não me importo de usar meu vestido velho, ele serve muito bem para uma menina como eu – disse Meg.

– Por favor, me dê o prazer de vesti-la bem. Gosto de fazer isso, e você ficaria ainda mais bonita com um toque aqui e outro acolá. Não vou deixar que ninguém a veja até ficar pronta e, então, seremos como Cinderela e sua madrinha indo para o baile – disse Belle, em um tom persuasivo.

Meg não poderia recusar uma oferta tão delicada, pois o desejo de se ver "ainda mais bonita" após receber os retoques fez com que aceitasse e esquecesse seu desconforto em relação às Moffat.

Na noite de quinta-feira, Belle trancou-se com Meg e uma empregada, que a ajudou a transformar a amiga em uma bela dama. Elas frisaram e enrolaram seu cabelo, passaram pó de arroz perfumado em seu pescoço e braços, pintaram-lhe os lábios deixando-os ainda mais vermelhos, e Hortense teria acrescentado um "*blush* excessivo" se Meg não tivesse se rebelado. Puseram-na em um vestido azul-claro tão apertado que mal podia respirar e tão decotado que corou ao mirar-se no espelho. Filigranas de prata foram adicionadas: braceletes, colar, broche e até brincos, que Hortense prendeu com um imperceptível fio de seda rosa. Um ramo de botões de rosas-chá no colo e um peitilho de renda convenceram Meg a exibir seus belos e alvos ombros, e um par de botas de salto alto satisfizeram o último desejo do seu coração. Um lenço de seda, um leque de plumas e um buquê deram o acabamento, e a srta. Belle admirou a amiga com o mesmo contentamento de uma garotinha com sua nova boneca enfeitada.

– *Mademoiselle* está encantadora, *trés jolie*, não está? – disse Hortense, juntando as mãos em um êxtase afetado.

– Venha e apresente-se – disse a srta. Belle, conduzindo-a para a sala onde as outras meninas esperavam.

Meg foi atrás, com o ruído provocado por seu vestido longo, seus brincos tilintantes, seus cachos ondulantes e seu coração ofegante; enfim, sentindo como se sua diversão tivesse começado, pois o espelho lhe revelara que estava de fato "ainda mais bonita". Suas amigas repetiram a frase com entusiasmo e, durante vários minutos, ficou parada, como a gralha da fábula, divertindo-se com suas plumas emprestadas, enquanto o resto tagarelava como um bando de pegas.

– Enquanto me visto, você a treina, Nan, para que ela saiba lidar com o vestido e com os saltos franceses, ou vai acabar caindo. Clara, pegue sua presilha prateada e prenda o longo cacho caído do lado esquerdo; quero que todas tenham cuidado e não se atrevam a desfazer o belo trabalho das minhas mãos – disse Belle, apressada e satisfeita com seu sucesso.

– Nem parece a Meg de antes, mas está muito bonita. Estou longe de ser como você, afinal Belle tem muito bom gosto; está parecendo uma francesa, posso garantir. Deixe suas flores ficarem meio suspensas, não fique tão preocupada com elas e certifique-se de não tropeçar – respondeu Sallie, tentando não se importar com o fato de Meg estar mais bonita que ela.

Com o aviso cuidadoso em mente, Margaret desceu em segurança as escadas em direção à sala de visitas, onde os Moffat e alguns convidados estavam reunidos. Logo descobriu que o charme das roupas elegantes atrai certa classe de pessoas e nos garante respeito por parte delas. Várias moças, que nunca a haviam notado, ficaram repentinamente afetuosas com ela. Vários rapazes, que apenas haviam olhado para ela na outra festa, agora não só olhavam, mas pediam para ser apresentados e lhe diziam toda sorte de coisas tolas, porém agradáveis. Várias senhorinhas, sentadas no sofá criticando o resto da festa, perguntavam com ar de interesse quem era a moça. Ela ouviu a sra. Moffat responder a uma delas:

– Uma florzinha March. O pai é coronel do exército, uma de nossas famílias mais importantes, mas que perdeu todas as posses, você sabe; íntimos dos Laurence; uma menina doce, posso garantir; meu Ned é louco por ela.

– Minha nossa! – disse a velha senhora, colocando os óculos para observar Meg mais uma vez, que tentava disfarçar o fato de ter ouvido e se chocado com a mentirinha da sra. Moffat. A estranha sensação não passou, mas abraçou seu novo papel de dama elegante e se saiu muito bem, embora o vestido apertado tenha lhe provocado dor nas costas e a cauda tenha atrapalhado seus passos o tempo todo, além do medo constante de que os brincos caíssem e ela os perdesse ou que quebrassem. Agitava o leque e ria das piadas tolas de um rapaz que tentava parecer inteligente, quando, de repente, parou de rir e seu rosto ganhou uma expressão confusa; do outro lado da sala, ela viu Laurie. Ele a encarava com indisfarçada surpresa e também desaprovação, ela pensou, já que, embora a tivesse cumprimentado e sorrido, algo em seus olhos sinceros a fez corar e desejar estar em seu vestido velho novamente. Para completar sua confusão, viu Belle cutucar Annie e ambas olharam para ela e para Laurie, que, para a alegria de Meg, parecia atipicamente infantil e envergonhado.

"Como são tolas, colocar esse tipo de ideia na minha cabeça. Não vou me importar nem deixar que isso mude nem um pouco quem sou", pensou Meg e atravessou a sala para cumprimentar o amigo.

– Estou feliz em te ver, estava receosa de que não viria – disse ela, com ar de adulta.

– Jo queria que eu viesse para ver como você estava, então vim – respondeu Laurie, sem pousar os olhos nela, embora tenha esboçado um sorriso com seu tom maternal.

– O que você vai dizer a ela? – perguntou Meg, curiosa para saber sua opinião, mesmo que, pela primeira vez, estivesse pouco à vontade em sua presença.

– Vou dizer que não a reconheci, pois você parece tão adulta e diferente da Meg que conheço, chega a me dar medo – disse ele, atrapalhando-se com o botão da luva.

– Mas que absurdo! As meninas me vestiram por brincadeira e eu até gostei. Será que Jo estranharia se me visse? – indagou Meg, esperando que ele dissesse se estava ou não mais bonita.

– Sim, acho que ela estranharia – respondeu Laurie, com seriedade.

– Você não gostou? – perguntou Meg.

– Não, não gostei – foi a brusca resposta.

– Por que não? – agastou-se Meg.

Ele olhou para seus cabelos frisados, os ombros nus e o vestido muito bem cortado com uma expressão que a envergonhou mais do que sua resposta, que não tinha nada da sua usual polidez.

– Não gosto de tantos enfeites.

Tudo aquilo era demais vindo de um rapaz mais jovem do que ela, e Meg afastou-se, dizendo, petulante:

– Você é o rapaz mais indelicado que já vi.

Muito irritada, saiu e parou em uma janela tranquila para se recompor, pois o vestido apertado lhe causava uma sensação desconfortável. Enquanto estava lá, o Major Lincoln passou por ela e, logo depois, ouviu-o dizer à mãe:

– Estão fazendo aquela garotinha de boba. Queria que você a visse, mas a estragaram completamente. Ela não passa de uma boneca esta noite.

– Minha nossa! – suspirou Meg. – Queria ter sido sensível e fiel a quem sou, assim não teria afastado os outros ou me sentido tão desconfortável e envergonhada.

Ela inclinou a cabeça para receber o vento que corria e escondeu-se parcialmente atrás das cortinas, sem se importar por sua valsa preferida ter começado, até que alguém a tocou e, ao virar-se, viu Laurie dizer, com ar arrependido, inclinando-se e estendendo-lhe a mão:

– Por favor, perdoe minha indelicadeza e venha dançar comigo.

– Receio que será muito desagradável para você – disse Meg, tentando parecer ofendida e falhando completamente.

– Nem um pouco, quero muito dançar com você. Venha, serei educado. Não gosto do seu vestido, mas acho que você está simplesmente maravilhosa – então ele fez um movimento com as mãos, como se as palavras não conseguissem expressar sua admiração.

Meg sorriu e cedeu e, em seguida, sussurrou para ele enquanto esperavam a dança:

– Cuidado para não tropeçar no meu vestido. Tem sido uma tortura lidar com ele, fui mesmo uma tola em vesti-lo.

– Prenda a cauda com um alfinete ao redor do seu pescoço. Isso deve ser suficiente – disse Laurie, olhando para os sapatinhos azuis, os quais foram evidentemente aprovados por ele.

Assim, dançaram de forma fluida e graciosa, pois, por já terem praticado em casa, formavam um par perfeito. Era um grande prazer ver o radiante jovem casal girando alegremente, sentindo-se ainda mais próximos depois da pequena rusga.

– Laurie, você me faria um favor? – perguntou Meg, enquanto ele a abanava, pois perdera o fôlego, o que aconteceu de repente, sem que entendesse o motivo.

– Será que vou? – respondeu Laurie, bem-humorado.

– Por favor, não conte a ninguém lá de casa sobre esse vestido. Elas não entenderiam a brincadeira e mamãe ficaria preocupada.

"Então por que você o vestiu?", disseram os olhos de Laurie, tão eloquentes, que Meg logo acrescentou:

– Eu devo contar a elas sobre isso, e confessar para a mamãe como fui tola. Mas prefiro que saibam por mim. Você não vai contar, não é?

– Dou minha palavra. Mas o que devo dizer quando me perguntarem?

– Diga apenas que eu estava muito bem e me divertindo.

– Que estava bem, digo de coração; mas e quanto a estar se divertindo? Você não parece estar gostando nada disso. Está?

E Laurie olhou para ela com uma expressão que a fez responder com um sussurro:

– Não, agora não estou. Não me tome por alguém ruim. Só queria me divertir um pouco, mas esse tipo de diversão não me agrada e estou ficando cansada disso.

— Lá vem Ned Moffat. O que ele quer? – disse Laurie, franzindo as sobrancelhas pretas como se não considerasse o jovem anfitrião uma boa adição àquela conversa.

— Ele se inscreveu em três danças e acho que está vindo cobrá-las. Que chatice! – disse Meg, assumindo um ar lânguido que agradou muito Laurie.

Laurie não falou mais com ela até o momento do jantar, quando a viu bebendo champanhe com Ned e seu amigo Fisher, que estavam se comportando "como uma dupla de idiotas", como Laurie se referia a eles. O rapaz sentia um dever fraternal de zelar pelas March e lutar suas batalhas sempre que precisassem se defender.

— Você terá uma terrível dor de cabeça amanhã se tomar muito disso. Eu não tomaria, Meg, sua mãe não gosta, você sabe – ele sussurrou, inclinando-se sobre a cadeira, enquanto Ned enchia a taça da moça mais uma vez e Fisher abaixava para pegar o leque, que havia caído.

— Esta noite não sou Meg, sou "uma boneca" que faz todo tipo de loucura. Amanhã já deixarei de lado todos esses "enfeites" e voltarei a ser desesperadamente boa de novo – respondeu ela, com um risinho afetado.

— Queria que já fosse amanhã, então – resmungou Laurie, afastando-se aborrecido com a mudança da amiga.

Meg dançou e flertou, conversou e riu, assim como as outras meninas. Após o jantar, dançou à alemã e, estabanada, quase derrubou seu par por causa do vestido longo, escandalizando Laurie, que observava e já preparava um sermão. Mas não teve chance de dizê-lo, pois Meg ficou longe dele até a hora de se despedir.

— Lembre-se! – disse ela, tentando sorrir, apesar da dor de cabeça terrível que já havia começado.

— *Silence à la mort*[16]! – respondeu Laurie, com um floreio melodramático, e foi embora.

Esse pequeno diálogo despertou a curiosidade de Annie, mas Meg estava muito cansada para fofocas e foi para a cama, sentindo como se tivesse ido a um baile de máscaras, e não se divertido como o esperado.

---

16. Tradução do francês no original: "Silêncio até a morte!". (N. E.)

Ela passou o dia seguinte inteiro doente e no sábado, por fim, voltou para casa, cansada da tal quinzena de diversão e com a sensação de que havia estado em meio ao luxo por tempo demais.

– É muito bom relaxar e não ter que ser elegante o tempo todo. Minha casa é um bom lugar, mesmo não sendo esplêndida – disse Meg, olhando em volta com uma expressão de sossego, sentada com sua mãe e Jo no domingo à noite.

– Fico feliz de ouvi-la dizer isso, querida, pois fiquei receosa de que sua casa lhe parecesse monótona e pobre depois de passar esse tempo em belos aposentos – respondeu sua mãe, que lhe lançara olhares ansiosos o dia inteiro. O olhar maternal é rápido para perceber qualquer mudança nos rostos dos filhos.

Meg contou sobre suas aventuras com muita empolgação e repetiu várias vezes como tinha se divertido, mas algo ainda parecia pesar em seu espírito. Quando as irmãs mais novas foram para a cama, sentou-se pensativa perante o fogo, falando pouco e com ar preocupado. O relógio bateu nove horas e Jo sugeriu que fossem dormir, mas Meg saiu da sua cadeira abruptamente e, sentando-se na banqueta de Beth, apoiou seus cotovelos nos joelhos da mãe, dizendo, corajosa:

– Mamãe, tenho algo para confessar.

– Bem que percebi. O que foi, querida?

– Vocês querem que eu saia? – perguntou Jo, discretamente.

– Claro que não. Eu sempre falo tudo para você. Estava com vergonha de falar antes, na frente das meninas, mas quero contar todas as coisas horríveis que fiz na casa dos Moffat.

– Estamos preparadas – disse a sra. March, sorrindo, mas parecendo ansiosa.

– Eu contei que elas me vestiram, mas não contei que passaram pó de arroz em mim, me espremeram em um espartilho, frisaram meu cabelo e me fizeram parecer uma ilustração de moda. Laurie não achou nada adequado. Eu sei disso, embora ele não tenha dito, e um homem me chamou de "boneca". Sei que foi uma bobagem, mas me elogiaram tanto e disseram que eu era bonita e vários absurdos, então me deixei ser feita de tola.

– É só isso? – perguntou Jo, enquanto a sra. March olhava em silêncio para o rostinho abatido da sua bela filha e não conseguia achar nada em seu coração para culpá-la por suas pequenas tolices.

– Não, eu bebi champanhe, me diverti desregradamente e tentei flertar, foi tudo abominável – disse Meg, condenando-se.

– Acho que há algo mais... – disse a sra. March e lhe fez um carinho na bochecha macia, que de repente enrubesceu enquanto respondia, com calma.

– Sim. É uma bobagem, mas queria contar à senhora, porque odeio quando as pessoas falam e pensam certas coisas de nós e de Laurie.

Então, contou sobre os vários pedaços de fofocas que ouvira dos Moffat e, enquanto falava, Jo viu sua mãe apertar os lábios, aborrecida por terem colocado aquele tipo de ideia na cabeça inocente de Meg.

– Ora, se isso não é a maior besteira que já ouvi! – disse Jo, indignada. – Por que você não as flagrou?

– Não consegui, seria muito constrangedor. No começo, não consegui parar de ouvir e depois fiquei tão chateada e envergonhada que nem lembrei que deveria ter saído dali.

– Espere até eu encontrar Annie Moffat, vou mostrar a ela como resolver esse tipo de coisa. Que ideia ter "planos" e ser gentil com Laurie porque ele é rico e poderia se casar com uma de nós! Vai morrer de rir quando eu contar a ele essas bobagens que dizem de nós – e Jo riu, passando a achar engraçada aquela situação.

– Se contar a Laurie, nunca vou perdoá-la! Ela não pode fazer isso, não é, mamãe? – disse Meg, com ar angustiado.

– Não, nunca repita essa fofoca tola e esqueça isso o quanto antes – disse a sra. March, com seriedade. – Fui muito imprudente em deixar você se misturar com quem conheço tão pouco. São gentis, é verdade, mas são materialistas, descorteses e cheios dessas ideias vulgares sobre os jovens. Lamento mais do que consigo expressar o quanto essa visita a incomodou, Meg.

– Não lamente, não vou deixar que isso me machuque. Vou esquecer todas as coisas ruins e me lembrar das boas, pois me diverti muito e sou muito grata à senhora por ter permitido que eu fosse. Não serei sentimental nem ficarei insatisfeita, mamãe. Sei que sou uma menina boba ainda, e vou ficar com a senhora até conseguir cuidar de mim mesma. No entanto, é bom ser elogiada e admirada e estaria mentindo se dissesse que não gostei – disse Meg, meio envergonhada pela confissão.

– É perfeitamente natural e inofensivo, quando esse bem-estar não se torna uma paixão e leva a pessoa a fazer tolices e coisas inadequadas. Aprenda a reconhecer e valorizar o elogio que vale a pena receber e a se entusiasmar com a admiração de pessoas boas, sendo tão modesta quanto bela, Meg.

Margaret sentou-se pensativa durante um momento, e Jo ficou em pé com as mãos em suas costas, parecendo, assim como sua mãe, interessada e um pouco perplexa, pois era algo novo ver Meg corar e falar sobre admiração, amores e coisas desse tipo. Jo sentiu como se, durante aqueles quinze dias, sua irmã tivesse amadurecido e adentrado um mundo onde ela não poderia segui-la.

– Mamãe, você tem planos, como a sra. Moffat falou? – perguntou Meg, receosa.

– Sim, minha querida, tenho vários, todas as mães têm, mas suspeito que os meus difiram um pouco dos da sra. Moffat. Vou contar-lhe alguns deles, pois chegou a hora de uma palavra direcionar essa cabecinha e esse coraçãozinho românticos para um assunto sério. Você é jovem, Meg, mas não jovem demais para não me entender, e a boca das mães são as ideais para falar sobre esse tipo de coisa para meninas como você. Jo, sua vez vai chegar, talvez, então escute meus planos e me ajude a colocá--los em prática, se forem bons.

Jo sentou-se no braço da poltrona, agindo como se estivesse participando de uma discussão muito importante. Segurando uma mão de cada filha e observando pensativa os dois jovens rostos, a sra. March disse, com seu jeito sério, mas cordial:

– Quero que minhas filhas sejam lindas, realizadas e boas. Que sejam admiradas, amadas e respeitadas. Que tenham uma juventude feliz, um casamento bom e sensato e que suas vidas sejam úteis e agradáveis, com o mínimo de preocupações e tristezas que Deus considerar justas. Ser amada e escolhida por um homem bom é o melhor que pode acontecer a uma mulher, e espero sinceramente que minhas meninas possam viver essa linda experiência. É natural pensar nisso, Meg; assim como desejar e esperar por isso, e é inteligente preparar-se, de modo que, quando a época feliz chegar, você possa estar pronta para os deveres e merecedora da felicidade. Minhas meninas, sou ambiciosa em relação ao futuro de vocês, mas não um futuro em que façam voltas ao mundo, casem-se com homens ricos por interesse em dinheiro ou para que tenham casas maravilhosas, que não são lares porque falta o amor. Dinheiro é algo necessário, precioso e, quando bem utilizado, nobre; mas quero que nunca o considerem a coisa mais importante nem a única coisa pela qual se deve lutar. Prefiro vê-las esposas de homens pobres, se forem felizes, amadas e satisfeitas, do que rainhas em tronos sem amor-próprio nem paz.

– Belle disse que meninas pobres não têm chance, a menos que se exponham – suspirou Meg.

– Então seremos velhas solteiras – disse Jo, resoluta.

– Isso mesmo, Jo. Melhor serem velhas solteiras e felizes do que esposas infelizes ou moças que ficam correndo atrás de maridos – disse a sra. March, decidida. – Não se preocupe, Meg, a pobreza raramente assusta o amor verdadeiro. Algumas das melhores e mais honradas mulheres que conheço eram moças pobres, mas tão merecedoras do amor, que não ficaram velhas e solteiras. Deixe isso com o tempo. Façam deste lar um lugar feliz, assim vocês farão o mesmo do próprio lar, se lhes for oferecido um e, caso isso não aconteça, estarão satisfeitas aqui. E lembrem-se de uma coisa, meninas: a mamãe estará sempre pronta para ser a confidente de vocês e o papai para ser o amigo; nós dois esperamos e confiamos que nossas filhas, casadas ou solteiras, sejam o orgulho e o conforto das nossas vidas.

– Nós seremos, mamãe! – disseram as duas, do fundo do coração, enquanto recebiam o carinho de boa noite da mãe.

## P.C. e C.P.

Com a primavera, uma nova série de diversões chegou, e os dias mais longos trouxeram tardes demoradas de trabalho e brincadeiras de todos os tipos. O jardim precisava ser arrumado, e cada irmã tinha seu quinhão do pequeno terreno para fazer o que quisesse. Hannah costumava dizer que saberia dizer a quem pertencia cada quadrante, mesmo se estivesse na China (e era mesmo possível), pois os gostos das meninas eram tão diferentes quanto suas personalidades. O pedaço de Meg tinha rosas e heliotrópios, uma murta e uma pequena laranjeira nele. O canteiro de Jo nunca era o mesmo da estação anterior, pois gostava de experimentar; este ano, era uma plantação de girassóis, cujas sementes serviriam de alimento à tia "Cacarejo" e seus pintinhos. Beth tinha um jardim de flores antigas e cheirosas, ervilhas-de-cheiro, resedás, estafiságrias, cravos, artemísias e amores-perfeitos, com morriões-dos-passarinhos para os pássaros e ervas-de-gato para os gatinhos. Amy tinha um caramanchão com madressilvas e ipomeias suspensas graciosamente por grinaldas em todo o jardim, grandes lírios-brancos, samambaias delicadas e quantas mais plantas brilhantes e pitorescas pudessem crescer ali.

Jardinagem, caminhadas, passeios no rio e coleta de flores preenchiam os dias bonitos e, nos dias chuvosos, as meninas divertiam-se em casa, às vezes repetindo brincadeiras, outras vezes, criando novas, todas mais ou menos originais. Uma delas era o P.C.: como as sociedades secretas estavam em alta, decidiram que seria adequado participarem de uma e, por admirarem Dickens, batizaram seu grupo de Pickwick Club[17]. Com algumas interrupções, mantiveram-no durante um ano, reunindo-se todos os sábados à noite no grande sótão, onde ocorriam as seguintes cerimônias: três poltronas eram arrumadas em fila perante uma mesa em que havia um abajur e quatro distintivos brancos, com um grande P.C. estampado com uma cor diferente em cada um deles, além de um jornal semanal chamado "O Boletim Pickwick", em que todas contribuíam; Jo, que gostava de canetas e tintas, era a editora. Às sete da noite, as

---

17. Referência ao livro *As Aventuras do Sr. Pickwick* do escritor inglês Charles Dickens, que já era bastante popular na época. (N. E.)

quatro membras subiam para o espaço do clube, fixavam seus distintivos ao redor da cabeça e sentavam-se com grande pompa. Meg, por ser a mais velha, era Samuel Pickwick; Jo, sendo mais afeita à literatura, era Augustus Snodgrass; já Beth, rechonchuda e corada, era Tracy Tupman; e Amy, que sempre queria fazer o que não podia, era Nathaniel Winkle. Pickwick, o presidente, lia o jornal preenchido com contos, poemas originais, notícias locais, anúncios engraçados e pistas, nas quais lembravam umas às outras, de forma bem-humorada, seus defeitos e limitações. Em determinada ocasião, o sr. Pickwick colocou um par de óculos sem lentes, bateu na mesa e, com o olhar fixo no sr. Snodgrass, que inclinava sua cadeira para trás até ficar devidamente confortável, começou a ler:

O BOLETIM PICKWICK
20 DE MAIO DE 18
ELOGIO AO ANIVERSÁRIO DA ESQUINA DOS POETAS

Esta noite, novamente nos reunimos
para celebrarmos em Pickwick Hall,
nosso quinquagésimo segundo aniversário.
com distintivos e solene ritual,

Estamos todos aqui com a saúde perfeita,
do nosso pequeno grupo ninguém saiu:
vemos novamente os velhos conhecidos e
apertamos as mãos mais amigas que já se viu.

Nosso Pickwick, sempre em seu posto,
cumprimentamos com sujeição.
Com os óculos postos sobre seu
nariz, ele lê nossa semanal publicação.

Nos divertimos ao ouvi-lo falar,
embora esteja sofrendo de um resfriado.
Pois dele saem palavras de sabedoria,
ao contrário de baboseiras para nos deixar injuriado.

O velho Snodgrass emerge com seu
metro e oitenta e rechonchuda figura.
e com sua face morena e jovial,
sobre nós fulgura

Um fogo poético se acende em seus
olhos, ele luta contra seu destino.
Vemos ambição em sua testa e, em seu nariz,
uma mancha dos tempos de menino.

Em seguida, eis o nosso pacífico
Tupman, tão corado e bonachão.
Ele que cai da cadeira e com suas
piadas nos faz de rir de montão.

Também está aqui o pequeno e afetado
Winkle, com cada fio de cabelo no lugar.
Um modelo de propriedade, embora
todos saibam que odeia o rosto lavar.

O ano acabou, mas continuamos
unidos para brincar, rir, ler e trilhar
o caminho da literatura
que à glória nos irá levar.

Que nosso jornal prospere,
e abençoado nosso clube permaneça
Para que nos próximos anos a amizade
no útil e alegre P. C. prevaleça
A. SNODGRASS

\* \* \*

O CASAMENTO MASCARADO
(Um Conto Veneziano)
    Gôndola após gôndola, subia pelos degraus de mármore e deixava seu encantador carregamento para aumentar a brilhante multidão que enchia os majestosos salões do Conde de Adelon. Damas e cavaleiros, elfos e pajens, monges e floristas: todos juntos

dançando divertidamente. Vozes suaves e belas melodias preenchiam o ar e, com alegria e música, o baile de máscaras seguiu.

— Sua Alteza viu Lady Viola esta noite? — perguntou um galante trovador à rainha das fadas, que dançava pelo salão de braço dado com ele.

— Sim, ela está adorável, mas também tão triste! Ao menos seu vestido foi bem escolhido; em uma semana se casará com o Conde Antônio, a quem odeia profundamente.

— Como o invejo. Lá vem ele, vestido como noivo, a não ser pela máscara negra. Quando tirar, veremos como tratará a bela dama, cujo coração não consegue conquistar, embora seu severo pai tenha oferecido sua mão — respondeu o trovador.

— Dizem por aí que ela ama o jovem artista inglês, aquele que segue todos os seus passos e é desdenhado pelo velho Conde — disse a senhora, enquanto o casal juntava-se ao baile.

A diversão estava em seu auge quando apareceu um padre e, levando o jovem casal para uma alcova, decorada com veludo roxo, pediu que se ajoelhassem. A animada multidão silenciou de repente e nenhum som era ouvido, a não ser o barulho das fontes e dos laranjais sob o luar, quando o Conde de Adelon falou:

— Meus senhores e minhas senhoras, perdão pelo ardil por meio do qual os reuni aqui para testemunhar o casamento de minha filha. Padre, estamos à sua espera.

Todos os olhos voltaram-se para os noivos e a multidão expressou sua surpresa, já que nem a noiva nem o noivo tiraram suas máscaras. Todos os corações encheram-se de curiosidade e espanto, no entanto, o respeito segurou todas as línguas até que o rito sagrado fosse encerrado. Então, os ansiosos espectadores em volta do conde exigiram uma explicação.

— Com prazer eu daria, se pudesse; porém, a única coisa que sei é que esse era o desejo da minha tímida Viola, e eu o consenti. Agora, meus filhos, vamos acabar com a brincadeira. Tirem as máscaras e recebam minha bênção.

No entanto, o casal não se ajoelhou, e o jovem noivo respondeu em um tom que sobressaltou a todos que o ouviam enquanto tirava a máscara, revelando a nobre face de Ferdinand Devereux, o jovem artista amante. Em seu peito, no qual agora brilhava a estrela de um conde inglês, recostava-se a adorada Viola, radiante de alegria e beleza.

– O senhor me proibiu, com desdém, de pedir a mão da sua filha, embora eu possa ostentar tão respeitoso nome e tão vasta fortuna como a do Conde Antônio. Posso fazer mais, pois mesmo sua alma ambiciosa não pode recusar o Conde de Devereux e De Vere, quando ele oferta seu antigo nome e sua riqueza sem limites em troca da mão desta amada dama, agora minha esposa.

O conde ficou parado como pedra; e, virando-se para a perplexa multidão, Ferdinand acrescentou, com um jovial sorriso de triunfo:

– A vocês, meus amigos galantes, desejo apenas que seus amores possam prosperar como o meu e que todos possam conquistar uma noiva tão bela como eu o fiz neste casamento mascarado.

S. PICKWICK

\*\*\*

Por que o P. C. é como a Torre de Babel?
Porque seus membros não se entendem.

\*\*\*

A HISTÓRIA DE UMA ABÓBORA

Era uma vez um fazendeiro que plantou uma semente em seu jardim e, passado certo tempo, ela germinou e transformou-se em várias abóboras. Um dia de outubro, quando estavam maduras, ele colheu uma e a levou para o mercado. Um feirante a comprou e a colocou em sua tenda. Naquela mesma manhã, uma garotinha de chapéu marrom e vestido azul, com rosto redondo e nariz empinado, comprou a abóbora para sua mãe. Levou-a para casa, a cortou e ferveu no grande caldeirão; em seguida, pegou outro pedaço e misturou com sal e manteiga, para o jantar. No resto, acrescentou meio litro de leite, dois ovos, quatro colheres de açúcar, noz-moscada e biscoitos, colocou tudo em um prato fundo e cozinhou até ficar dourado e bonito. No dia seguinte, foi servido a uma família chamada March.

T. TUPMAN

\*\*\*

Sr. Pickwick,

Venho por meio desta tratar de um pecado cometido por um homem chamado Winckle que causou problemas em seu clube por rir e às vezes não escrever sua peça neste belo papel espero que o senhor perdoe sua falta e permita-lhe enviar uma fábula francesa pois ele não consegue escrever de memória já que tem tantas lições para fazer e não lhe resta juízo no futuro tentarei ser mais ágil e preparar algum trabalho todo *commy la fo*[18] que significa muito bom estou com pressa pois está quase na hora da escola.

Respeitosamente,

N. WINKLE

[O texto acima é um reconhecimento honrado e digno de uma infração passada. Se nosso jovem amigo estudasse pontuação, teria se saído bem.]

\* \* \*

UM TRISTE ACIDENTE

Na última sexta-feira, fomos surpreendidos por um violento abalo em nosso porão, seguido de choros e angústia. Corremos para ver o que havia acontecido e encontramos nosso querido Presidente prostrado no chão, tendo tropeçado e caído enquanto buscava lenha para fins domésticos. A cena perfeita de uma ruína revelou-se aos nossos olhos, pois, em sua queda, o sr. Pickwick mergulhou sua cabeça e ombros em uma bacia com água, derramou um barril de sabão mole sobre seu corpo e rasgou toda sua roupa. Ao ser removido dessa perigosa situação, descobrimos que não havia se ferido, mas tinha vários arranhões e, ficamos felizes em acrescentar, agora passa bem.

ED.

\* \* \*

UMA PERDA PÚBLICA

É nosso penoso dever registrar o repentino e misterioso desaparecimento de nossa estimada amiga, a sra. Pata de Neve. Essa amável

---

18. Forma coloquial para a expressão francesa *"comme il faut"*: "como deveria". (N. E.)

e adorada gatinha era animal de estimação de um grande círculo de calorosos amigos e admiradores. Sua beleza atraía todos os olhares, suas graças e virtudes a enaltecia em todos os corações e sua perda foi profundamente sentida por toda a comunidade.

Foi vista pela última vez sentada em frente ao portão, observando o carro do açougueiro. Receamos que algum vilão, tentado por seu charme, simplesmente a roubou. Já se passaram semanas e não descobrimos nenhuma pista dela, portanto, desistimos de qualquer esperança, amarramos uma faixa preta em sua cesta, separamos sua vasilha e choramos, pois perdeu-se para sempre.

\*\*\*

Um amigo simpatizante envia a seguinte pérola:

UM LAMENTO
(PARA PATA DE NEVE)

Lamentamos a perda e o destino infeliz
do nosso pequeno animal de estimação,
Pois nunca mais ao fogo sentará e
nem brincará no verde velho portão.
O pequeno túmulo onde seu filhote
dorme debaixo de um castanheiro está.
Mas sobre seu túmulo não devemos chorar,
pois não sabemos onde ele estará.

Sua cama vazia, sua bola agora
ociosa, não veremos mais;
Seu toque suave, seu ronronar afetuoso
na porta da sala não será ouvido jamais.
Outro gato corre atrás de seu ratinho,
um gato com a face que é toda sujidade,
Mas não caça como a nossa querida caçava,
nem brinca com sua graciosidade.

Onde Bola de Neve costumava brincar,
as patas furtivas dela caminham pelo mesmo ambiente.
Mas ela apenas cospe nos cachorros de que
nossa gatinha fugia sofisticadamente.

Ela é útil e tranquila e faz seu melhor,
mas não é bela de se ver.
E não podemos dar a ela seu lugar, querida,
nem a adorar como costumávamos com você fazer.
A. S.

\*\*\*

AVISOS
SRTA. ORANTHY BLUGGAGE, a determinada e realizada palestrante, fará seu famoso discurso "A mulher e sua posição" no Pickwick Hall, próximo sábado à noite, após as apresentações de costume.

UMA REUNIÃO SEMANAL será realizada na Cozinha, para ensinar às jovens a cozinhar.

Hannah Brown presidirá e todas estão convidadas a participar.

A COMPANHIA PÁ DE LIXO se reunirá na próxima quarta--feira e marchará no andar superior da Sede Social do Clube. Todos os membros deverão estar uniformizados e de vassoura ao ombro precisamente às nove.

SRA. BETH BOUNCER inaugurará sua nova coleção de Chapéus para Bonecas na próxima semana. As últimas peças da moda de Paris chegaram, e os pedidos já podem ser feitos.

UMA NOVA PEÇA estreará no Teatro Barnville nas próximas semanas, algo nunca visto em palcos americanos. "O Escravo Grego, ou Constantino, o Vingador" é o nome do emocionante drama!

\*\*\*

PISTAS
Se S. P. não passasse tanto sabonete nas mãos, não se atrasaria sempre para o café da manhã. Pede-se que A. S. não assovie na rua.

T. T., não se esqueça do guardanapo de Amy. N. W. não tem por que se preocupar, pois seu vestido não tem nove camadas.

*** 

RELATÓRIO SEMANAL
Meg: Boa.
Jo: Má.
Beth: Muito boa.
Amy: Mais ou menos.

Quando o Presidente encerrou a leitura do boletim (e aqui peço permissão aos meus leitores para garantir se tratar de uma cópia de boa-fé do que fora escrito por meninas de boa-fé), seguiu-se uma salva de palmas e, em seguida, o sr. Snodgrass fez uma proposta:

– Sr. Presidente, cavalheiros – começou, assumindo atitude e tom parlamentários –, desejo propor a admissão de um novo membro, um que merece imensamente a honra, ficaria profundamente grato por isso e elevaria enormemente o espírito do clube e o valor literário do boletim, além de ser extremamente divertido e agradável. Proponho que o sr. Theodore Laurence seja membro honorário do P. C. Vamos, tenhamo-lo!

A repentina mudança de tom de Jo provocou riso nas meninas, mas todas pareciam ansiosas e ninguém disse nada quando Snodgrass sentou-se.

– Colocarei em votação – disse o Presidente. – Todos que forem a favor da moção, manifestem-se dizendo "sim".

Snodgrass respondeu em alto volume, acompanhado, para a surpresa de todos, por um tímido "sim" de Beth.

– Os que se opuserem, digam "não".

Meg e Amy não concordaram, e o sr. Winkle levantou-se para dizer, com grande elegância:

– Não queremos meninos aqui, eles só querem saber de brincar e fazer bagunça. Este é um clube de meninas, e queremos que seja privado e adequado.

– Acho que ele vai rir do nosso boletim e nos ridicularizar depois – observou Pickwick, afastando o pequeno cacho que lhe caía pela testa, como sempre fazia quando tinha dúvida.

Levantou-se, então, Snodgrass, muito inflamado.

– Senhor, dou minha palavra que Laurie não fará nada disso. Ele gosta de escrever e dará destaque às nossas contribuições. Além disso, fará com que nos afastemos de sentimentalidades, não acha? Podemos fazer esse pouco por ele, que faz tanto por nós; o mínimo seria oferecer-lhe um lugar aqui e recebê-lo de braços abertos, se ele vier.

Essa astuta alusão aos benefícios prestados fez Tupman levantar-se, como se tivesse sido persuadido.

– Sim, devemos fazer isso, mesmo que tenhamos algum receio. Por mim, ele pode vir, e seu avô também, se quiser.

Essa vigorosa irrupção de Beth eletrizou o clube, e Jo deixou seu assento para cumprimentá-la.

– Votemos mais uma vez, então. Lembrem-se todos de que se trata de nosso Laurie e digam "sim!" – proclamou Snodgrass, com excitação.

– Sim! Sim! Sim! – repetiram as três vozes ao mesmo tempo.

– Ótimo! Muito bem! Agora, como não há nada como "ser ágil", como Winkle bem observou, permitam-me apresentar o novo membro – e, para espanto do resto do clube, Jo abriu a porta do armário e lá estava Laurie, sentado em um saco de retalhos, corado e segurando o riso.

– Trapaceira! Traidora! Jo, como pôde? – reclamaram as três meninas, enquanto Snodgrass, triunfante, acompanhava seu amigo e, mostrando-lhe uma cadeira e um distintivo, instalou-o rapidamente.

– A serenidade de vocês, dois patifes, é impressionante – começou o sr. Pickwick, tentando causar semblantes sisudos e conseguindo apenas um sorriso cordial. O novo membro estava a par da ocasião e, levantando-se, com uma grata saudação ao Presidente, disse, da maneira mais envolvente:

– Sr. Presidente, senhoras... desculpem, senhores. Permitam que eu me apresente como Sam Weller, humilde servo do clube.

– Ótimo! Ótimo! – disse Jo, martelando a mesa com o cabo de uma caçarola velha.

– Meu fiel amigo e nobre patrão – continuou Laurie, com um aceno –, que com tanta lisonja me apresentou, não deve ser culpado pelo estratagema desta noite. Eu planejei tudo, e ela só cedeu após muita insistência.

– Por favor, não assuma toda a culpa. Eu sugeri que se escondesse no armário – interrompeu Snodgrass, que estava adorando a brincadeira.

– Não liguem para o que ela diz. Eu fui o miserável que fez isso, senhor – disse o novo membro, acenando à la Weller para Pickwick. – Juro pela minha honra, porém, que jamais farei algo parecido; doravante, devoto-me ao interesse deste clube imortal.

– Ouçam! Ouçam! – gritou Jo, golpeando a tampa da caçarola como se fosse um címbalo.

– Continue, continue! – disseram Winkle e Tupman, enquanto o Presidente fazia uma reverência.

– Simplesmente quero dizer que, como pequeno gesto de gratidão pela honra que me foi concedida e como meio de promover relações amistosas entre as nações contíguas, criei uma Caixa Postal na cerca, na parte inferior do jardim: uma bela e espaçosa construção, com cadeados nas portas e todo tipo de conveniência para as correspondências. É uma antiga casa de andorinhas, mas fechei a porta e abri o telhado; dessa forma, poderá abrigar todo tipo de coisas e nos permitirá economizar um tempo valioso. Cartas, manuscritos, livros e pacotes podem ser colocados lá e, como cada nação terá uma chave, acredito que funcionará perfeitamente. Permitam-me apresentar a chave ao clube e, muito agradecido pelo favor de todos, sentar-me.

Muitos aplausos acompanharam o sr. Weller enquanto depositava uma pequena chave na mesa e, quando cessaram, a caçarola voltou a martelar ferozmente, levando algum tempo para ser restaurada a ordem no clube. Seguiu-se uma longa discussão e todos agiram de forma surpreendente, pois deram seu melhor. Por fim, foi uma reunião atípica e animada; durou até tarde, quando foi encerrada com três vivas para o novo membro.

Ninguém jamais se arrependeu da inclusão de Sam Weller, pois não poderia haver membro mais devotado, bem comportado e jovial no clube. Ele de fato animou o espírito das reuniões e acrescentou estilo ao boletim, visto que seus discursos agitavam os ouvintes e suas contribuições eram sempre excelentes, fossem patrióticas, clássicas, cômicas ou dramáticas; porém, nunca sentimentais. Jo as considerava dignas de Bacon, Milton ou Shakespeare e remodelou suas próprias obras de forma muito positiva, ela pensava.

A C. P. era uma pequena, porém importante instituição, e floresceu maravilhosamente, mesmo com todas as bizarrices que passaram por ela e pelo correio de verdade. Tragédias e gravatas, poesia e conservas, sementes de planta e longas cartas, músicas e biscoitos de gengibre, galochas, convites, repreensões e cachorrinhos. O velho senhor gostava da brincadeira e alegrava-se em enviar pacotes estranhos, mensagens misteriosas e telegramas engraçados, e o jardineiro dos Laurence, que era apaixonado por Hannah, chegou a enviar uma carta de amor aos cuidados de Jo. Todos riram muito quando o segredo veio à tona, jamais imaginando que muitas cartas de amor passariam pela pequena caixa postal nos anos que ainda estavam por vir.

## Experimentos

– É primeiro de junho! Os King vão para a praia amanhã, e eu estou livre. Três meses de férias! Como vou me divertir! – exclamou Meg, em um dia quente ao chegar em casa e encontrar Jo no sofá em um atípico estado de exaustão, enquanto Beth limpava seus sapatos empoeirados e Amy fazia limonada para o lanche.

– Tia March saiu hoje, por isso estou tão alegre! – disse Jo. – Tive muito medo que me pedisse para acompanhá-la. Se tivesse pedido, eu me sentiria na obrigação de ir, mas Plumfield é tão animado quanto um cemitério, vocês sabem, então preferi ser dispensada. Não via a hora dela partir, e sempre que falava comigo, já receava ser um convite. Estava tão ansiosa para que saísse logo, e acabei sendo ainda mais prestativa e amável, o que de certo não ajudava em nada em meu desejo de não partir com ela. Fiquei tensa até o exato momento em que entrou no carro, e ainda tomei um último susto quando o veículo parou, ela colocou a cabeça para fora, e disse: "Josephine, você não...?". Mas não ouvi mais nada, só virei e saí. Eu realmente corri até dobrar a esquina, onde já estava segura.

– Pobrezinha da Jo! Chegou aqui como se estivesse sendo perseguida por ursos – disse Beth, aconchegando-se aos pés da irmã, com ar maternal.

– A tia March é um verdadeiro papiro, não é? – observou Amy, saboreando sua bebida.

– Ela quis dizer vampiro, não a planta; mas não importa. Está muito quente para me preocupar com o que os outros falam – murmurou Jo.

– O que vocês vão fazer nas férias? – perguntou Amy, mudando de assunto.

– Vou acordar tarde e fazer nada o dia inteiro – respondeu Meg, das profundezas da cadeira de balanço. – Tive que acordar cedo durante todo o inverno e passar meus dias trabalhando para outras pessoas; agora vou descansar e me divertir tanto quanto quiser.

– Não – disse Jo –, não consigo ficar assim. Reservei uma pilha de livros e vou dedicar meu tempo a ler na velha macieira, enquanto brincando com as co...

– Não diga "cotovias"! – implorou Amy, respondendo a indelicadeza da correção anterior.

– Então digo "rouxinóis", com Laurie. Isso é apropriado, já que ele é um cantor.

– Beth, por favor, não nos dê nenhuma lição, por enquanto. Vamos brincar e descansar o tempo todo, como as meninas devem fazer – propôs Amy.

– Se mamãe não se importar, não darei. Quero aprender umas músicas novas, e minhas filhinhas precisam se preparar para o verão. Estão em péssimo estado e com roupas sofríveis.

– Pode ser, mamãe? – perguntou Meg, virando-se para a sra. March, que estava costurando no que elas chamavam de "cantinho da Mamãe".

– Você pode testar seu experimento por uma semana para ver se gosta. Creio que até sábado à noite já terá percebido que muita brincadeira e nenhum trabalho é tão ruim quanto só trabalhar e não poder brincar.

– Minha nossa, não! Vai ser maravilhoso, tenho certeza – disse Meg, complacente.

– Agora proponho um brinde, como "minha amiga e companheira Sairey Gamp[19]", diz: "Diversão para sempre, e sem trabalho duro!" – disse Jo, levantando-se, com o copo na mão, enquanto a limonada rodava pela mesa.

Beberam alegremente e começaram o experimento, relaxando durante o resto do dia. Na manhã seguinte, Meg não apareceu antes das dez. O sabor de seu café da manhã sem companhia não era dos melhores, e a sala parecia solitária e desarrumada, pois Jo não havia preenchido os vasos, Beth não havia espanado e os livros de Amy estavam espalhados. Nada parecia limpo e agradável, a não ser o "cantinho da mamãe", que estava como de costume. Meg sentou-se lá para "descansar e ler", o que significava bocejar e imaginar os lindos vestidos de verão que compraria com seu salário. Jo passou a manhã no rio com Laurie e a tarde lendo e recitando *The Wide, Wide World*[20] em cima da macieira. Beth começou inspecionando tudo que havia no grande armário onde sua família de bonecas residia, mas já estava cansada antes de chegar na metade, então deixou tudo desarrumado e foi tocar piano, contente por não ter que lavar louça. Amy arrumou seu caramanchão, vestiu seu melhor vestido branco, penteou seus cachos e sentou-se para desenhar sob a madressilva, esperando que alguém a visse e perguntasse quem era aquela jovem artista. Como ninguém apareceu, a não ser moscas impertinentes, que examinaram sua obra com interesse, ela saiu para caminhar, apanhou uma chuva e voltou para casa pingando.

Na hora do chá, as meninas compararam as histórias e concordaram que tinha sido um ótimo, embora longo, dia. Meg, foi às compras à tarde e trouxe uma musselina azul-clara para casa, mas descobriu, após cortar o tecido, que não era lavável, o que a deixou levemente irritada. Jo teve o nariz queimado pelo sol durante o passeio de barco e estava com uma forte dor de cabeça de tanto ler. Beth estava preocupada com a bagunça em seu armário e com a dificuldade de aprender três ou quatro músicas de uma só vez. E Amy lamentava profundamente o dano em seu vestido,

---

19. Sairey Gamp é enfermeira – conhecida como dissoluta, desleixada e geralmente bêbada – no romance *Martin Chuzzlewit*, de Charles Dickens, publicado pela primeira vez em série entre 1843 e 1844. (N. E.)
20. Romance de 1850 de Susan Warner, publicado sob o pseudônimo de Elizabeth Wetherell. (N. E.)

pois a festa de Katy Brown seria no dia seguinte e agora, assim como Flora McFlimsey, não teria "nada para vestir". Isso tudo, no entanto, não era nada de mais, e elas garantiram à mãe que o experimento estava funcionando perfeitamente. A sra. March sorriu, não disse nada e, com a ajuda de Hannah, fez o trabalho que fora negligenciado pelas filhas, mantendo a casa limpa e a engrenagem doméstica funcionando como deveria. Era impressionante o estado peculiar e desconfortável que havia sido causado pelo experimento de "descansar e divertir-se". Os dias iam ficando cada vez mais longos e o tempo, excepcionalmente mutável, assim como os humores. Uma sensação de instabilidade apossou-se de todos, e o Diabo encontrou muito o que fazer com aquelas mentes vazias. No auge do luxo, Meg exibia suas costuras e o tempo passava tão devagar que ela acabou cortando e estragando as roupas com as tentativas de torná-las mais à la Moffat. Jo leu até os olhos não aguentarem mais e estar farta de livros, e ficou tão inquieta ao ponto de mesmo Laurie, que estava sempre de bom humor, ter uma rusga com ela; sentia-se tão enfadada que chegou a desejar desesperadamente ter ido com a tia March. Beth estava ótima, pois esquecia a todo momento de que as férias seriam de muita brincadeira e nenhum trabalho e, de vez em quando, voltava para sua velha rotina. Mas algo a afetava e, mais de uma vez, sua tranquilidade foi perturbada; em determinada ocasião, sacudiu a pobre Joanna e disse que ela era "um estorvo". Amy era a que mais sofria, pois seus recursos eram poucos e, quando suas irmãs a deixavam sozinha, ela logo se entediava. Não gostava de bonecas, achava que contos de fadas eram para crianças e não entendia como alguém poderia desenhar o tempo todo. Os chás não duravam muito, nem os piqueniques, a não ser que fossem bem conduzidos.

– Se ao menos eu pudesse ter uma casa bonita, cheia de meninas legais, ou pudesse viajar, o verão seria prazeroso; ficar nessa casa com três irmãs egoístas e um menino crescido é abusar da paciência de Boaz[21]

---

21. Há aqui uma referência à personagem Mrs. Malaprop, da peça *The rivals*, de Richard Brinsley Sheridan. Ela é a principal figura cômica da peça, graças ao seu indevido uso contínuo de palavras que soam como as que ela pretende usar, mas significam algo completamente diferente. Amy também faz isso o tempo todo, como nesta passagem quando diz "paciência de Boaz" – personagem do antigo testamento – em vez de "paciência de Jó" – Novo testamento, que seria o correto. (N. E.)

– reclamou a srta. Malaprop, após vários dias dedicada ao lazer, à euforia e ao tédio.

Nenhuma delas assumiriam que já estavam fartas do experimento, mas, na sexta à noite, cada uma delas reconheceu em si a felicidade pela semana estar chegando ao fim. Esperando que a lição fosse aplicada com mais intensidade, a sra. March, que tinha um ótimo humor, resolveu encerrar o experimento de forma adequada, declarando folga a Hannah e deixando que as meninas aproveitassem o efeito completo do período de brincadeiras.

Quando acordaram no sábado pela manhã, não havia qualquer fogo na cozinha, nem café da manhã na mesa e mãe delas parecia não estar em lugar nenhum.

– Misericórdia! O que aconteceu? – lamentou Jo, espantada.

Meg subiu as escadas e logo voltou, aliviada, embora perplexa e um pouco envergonhada:

– Mamãe não está doente, só muito cansada. Disse que vai ficar relaxando em seu quarto o dia todo e deixar que façamos o nosso melhor. Isso é muito estranho, não é algo do seu feitio. Porém, ela disse que foi uma semana difícil, então não devemos nos lamentar e sim tomarmos conta de nós mesmas.

– Muito bem, gosto da ideia, estou louca para achar algo para fazer... digo, achar um novo jeito de me divertir, vocês sabem – acrescentou Jo, rapidamente.

Na verdade, foi um grande alívio para elas ter aquele pequeno trabalho e o fizeram com vontade, mas logo perceberam a verdade no que Hannah dizia: "Cuidar da casa não é brincadeira!". Havia muita comida na despensa e, enquanto Beth e Amy punham a mesa, Meg e Jo faziam o café da manhã, imaginando por que as empregadas nunca falavam sobre trabalho duro.

– Vou levar um pouco para a mamãe, embora tenha dito que não nos preocupássemos com ela, pois cuidaria de si – disse Meg, sentada à cabeceira da mesa, sentindo-se a própria matrona atrás do bule de chá.

Então, antes que qualquer uma delas começasse a comer, uma bandeja foi preenchida e levada para cima com os cumprimentos da *chef*. O chá estava muito amargo; a omelete, queimada; e os biscoitos, polvilhados com bicarbonato, mas a sra. March recebeu sua refeição com gratidão e, logo que Jo saiu, começou a rir.

– Pobrezinhas, terão dificuldades, mas acho que não sofrerão e é para o bem delas – disse ela, saboreando os itens mais palatáveis e terminando o café da manhã ruim, de forma que não magoasse os sentimentos das filhas: uma pequena manobra maternal pela qual ficariam gratas.

Muitas foram as reclamações lá embaixo e foi grande a decepção da *chef* com suas falhas.

– Deixe para lá, vou preparar o almoço e servir a todas, e você será a patroa: mantenha suas mãos limpas, arrume companhia e dê ordens – disse Jo, que sabia de culinária ainda menos do que Meg.

Essa gentil oferta foi aceita com alegria, e Margaret retirou-se para a sala, que pôs logo em ordem, varrendo o lixo para debaixo do sofá e fechando as cortinas para evitar poeira. Jo, acreditando em seus poderes e com um desejo amigável de desfazer a rusga, pôs imediatamente um bilhete na caixa postal convidando Laurie para o almoço.

– É melhor você ver o que temos antes de pensar em convidar alguém – disse Meg, quando informada do ato hospitaleiro, porém, impulsivo.

– Ah, temos carne de conserva e muitas batatas; também arranjarei aspargos e lagosta, "para deleite", como diz Hannah. Teremos alface para a salada. Não sei como ainda, mas o livro irá dizer. Para a sobremesa, manjar e morangos; e café também, se quiserem ser elegantes.

– Não se aventure demais, Jo, pois você nunca fez nada além de biscoito de gengibre e bombons de melaço. Lavo minhas mãos quanto ao almoço, e já que foi você que convidou Laurie, a responsabilidade é sua. Você que cuide dele.

– Não quero que você faça nada além de dar atenção a ele e me ajudar com o manjar. Você me orienta se eu me atrapalhar, não é? – perguntou Jo, um pouco alterada.

— Sim, mas não sei muito, a não ser sobre pães e outras coisinhas. Melhor pedir permissão à mamãe antes de tomar qualquer decisão – respondeu Meg, com prudência.

— Claro que sim. Não sou tola – e Jo saiu, contrariada com as dúvidas lançadas sobre suas habilidades.

— Faça o que quiser, só não me perturbe. Vou sair para almoçar e não quero ficar me preocupando com as coisas em casa – disse a sra. March quando Jo falou com ela. – Nunca gostei de cuidar da casa e vou tirar uma folga hoje, ler, escrever, fazer umas visitas e me divertir.

A cena incomum de sua atarefada mãe confortável na cadeira de balanço, lendo logo cedo, provocou em Jo uma sensação de que algum fenômeno anormal havia ocorrido, pois um eclipse, um terremoto ou uma erupção vulcânica não pareceria tão estranho.

— Está tudo errado – disse ela, descendo a escada. – Beth está chorando, o que é um claro sinal de que algo está errado nesta família. Se Amy a estiver perturbando, vai se ver comigo.

Muito aborrecida, Jo correu para a sala e encontrou Beth soluçando sobre Pip, o canário, que jazia morto na gaiola com suas patinhas miseravelmente esticadas, como se estivesse implorando pela comida cuja falta lhe matara.

— É tudo culpa minha, me esqueci dele; não há uma semente ou gota d'água sequer. Oh, Pip! Oh, Pip! Como pude ser tão cruel com você? – chorava Beth, tomando o pobrezinho nas mãos e tentando ressuscitá-lo.

Jo averiguou os olhos entreabertos do passarinho, sentiu seu coraçãozinho e, vendo que estava duro e frio, balançou a cabeça e ofereceu a caixa de seu dominó para servir de caixão.

— Coloque-o no forno, talvez aquecido possa se recuperar – disse Amy, esperançosa.

— Ele morreu de fome e não deve ser cozido agora que está morto. Farei um sudário para ele, depois o enterrarei no jardim e nunca mais terei outro pássaro, nunca, meu Pip! Afinal, não sou nada capaz de cuidar de um, – murmurou Beth, sentando-se no chão com seu bichinho nas mãos.

– O funeral será hoje à tarde, e iremos todas. Não chore, Bethinha. É uma pena, mas nada está direito esta semana, e Pip sofreu a pior consequência do experimento. Faça o sudário e coloque-o na caixinha. Após o almoço, faremos um belo funeral – disse Jo, começando a sentir como se tivesse prometido algo muito grande.

Jo deixou as outras consolando Beth e partiu para a cozinha, que se encontrava em estado de completa bagunça. Vestiu um grande avental e estava começando a trabalhar e empilhar os pratos para lavar, quando descobriu que não havia fogo.

– Tudo que eu precisava! – resmungou Jo, abrindo com violência a porta do forno e cutucando vigorosamente as cinzas.

Tendo reacendido o fogo, teve a ideia de ir ao mercado enquanto a água esquentava. A caminhada reanimou seu espírito e, regozijando-se por ter feito boas pechinchas, voltou para casa após ter comprado uma lagosta muito pequena, alguns aspargos demasiado velhos e duas caixas de morangos azedos. Chegou à casa na hora do almoço e o fogão estava brasa. Hannah deixara uma panela com pão para crescer; Meg havia trabalhado nela cedo e colocado junto à lareira para o pão crescer um pouco mais, e a esqueceu lá. Meg estava conversando com Sallie Gardiner na sala, quando a porta abriu de repente e apareceu uma figura coberta de farinha, avermelhada e descabelada, perguntando, furiosa:

– Deduzo que o pão tenha crescido o suficiente quando transborda da panela?

Sallie começou a rir; Meg acenou e levantou as sobrancelhas o mais alto que conseguia, fazendo com que Jo desaparecesse e colocasse o pão azedo no forno sem demora. A sra. March saíra, após espiar aqui e ali para ver como as coisas andavam, dizendo também uma palavra de conforto a Beth, que estava sentada fazendo um sudário enquanto o defunto querido jazia na caixa de dominó. Uma estranha sensação de impotência tomou conta das meninas quando o chapéu cinza dobrou a esquina, e o desespero as arrebatou quando, minutos depois, a srta. Crocker apareceu dizendo que ficaria para o almoço. A moça era uma solteirona magra e pálida, com um nariz pontudo e olhos inquisitivos, que reparava em tudo e depois fofocava sobre o que via. Não gostavam nada dela, mas foram ensinadas a ser gentis com ela, simplesmente porque era velha, pobre e tinha poucos amigos. Então, Meg ofereceu a espreguiçadeira e tentou entretê-la enquanto a ouvia fazer perguntas, criticar tudo e contar histórias das pessoas que conhecia.

Não há palavras para descrever as ansiedades, as experiências e os esforços pelos quais Jo passou naquela manhã, e o almoço servido tornou-se uma piada permanente. Com medo de pedir mais opiniões, fez seu melhor sozinha e descobriu que era preciso mais do que energia e boa vontade para cozinhar. Ferveu os aspargos por uma hora e frustrou-se quando percebeu que as cabeças estavam cozidas, mas os talos, muito duros. O pão virara um carvão; enquanto o molho da salada a deixou tão irritada, que não conseguiu fazê-lo ficar comestível. A lagosta era um mistério, mas a golpeou e cutucou até conseguir tirar a pouquíssima carne da casca e escondê-la entre um punhado de folhas de alface. As batatas tiveram que ser adiantadas, para não deixar os aspargos esperando, e acabaram não ficando macias. O manjar estava encaroçado. Os morangos não estavam maduros como pareciam, pois foram embalados com muita habilidade para que apenas os melhores ficassem por cima.

"Bom, eles podem comer bife com pão e manteiga se estiverem mesmo com fome, só é excruciante gastar a manhã inteira para nada", pensou Jo, enquanto balançava a campainha meia hora mais tarde do usual e parava por um instante, com calor, cansada e desanimada, observando o banquete ser servido a Laurie, acostumado a todo tipo de elegância; e à Srta. Crocker, cuja língua tagarela espalharia a história do almoço para todos.

A pobre Jo teria ficado com prazer debaixo da mesa, pois um prato após o outro era provado e rejeitado; enquanto Amy ria, Meg olhava angustiada, a srta. Crocker franzia os lábios e Laurie conversava e desfrutava o quanto podia para dar um tom alegre ao festivo momento. O ponto forte de Jo era a fruta, pois a adoçara bem, e havia uma jarra de creme para acompanhar. Suas bochechas avermelhadas esfriaram um pouco, e ela respirou fundo enquanto os belos pratos de vidro eram distribuídos e todos olhavam atentos para as pequenas ilhas rosadas flutuando em um mar de creme. A srta. Crocker provou primeiro, fez cara de quem não gostou e bebeu água imediatamente. Jo preferiu não comer, achando que não havia suficiente para todos, pois o os morangos diminuíram bem após a seleção, olhou para Laurie, que estava comendo com vigor, embora houvesse uma pequena contração em sua boca e seus olhos estivessem fixos no prato. Amy, que apreciava pratos delicados, pegou uma colherada, engasgou-se, escondeu o rosto no guardanapo e deixou a mesa precipitadamente.

– Oh, o que foi? – exclamou Jo, tremendo.

– Sal no lugar do açúcar, e o creme está azedo – respondeu Meg, fazendo um gesto trágico.

Jo deu um gemido e recostou-se na cadeira, lembrando-se de que havia dado uma última polvilhada nos morangos com o conteúdo de uma das duas caixas que estavam na mesa da cozinha e que não havia mantido o leite refrigerado. Ficou vermelha e estava a ponto de chorar quando encontrou os olhos de Laurie, que pareciam alegres apesar dos esforços heroicos. O lado cômico da história tomou conta dela de repente, e ela riu até as lágrimas caírem pelo seu rosto. E todos a acompanharam, até mesmo a "Croacker[22]" – como as meninas chamavam a velha senhora –, e o infeliz almoço terminou com alegria, pão, manteiga, azeitonas e diversão.

– Não tenho condições de limpar nada agora, então vamos ficar sérios para o funeral – disse Jo. Então, todos se levantaram e a srta. Crocker aprontou-se para ir embora, ansiosa por contar a nova história à mesa de jantar de outros amigos.

Ficaram mesmo todos sérios por Beth. Laurie cavou uma cova sob as samambaias no bosque e o pequeno Pip foi colocado nela, com muitas lágrimas da sua terna dona, e coberto com musgo, enquanto uma coroa de violetas e morriões-dos-passarinhos foi pendurada na pedra em que foi escrito seu epitáfio, elaborado por Jo enquanto lutava para fazer o almoço.

"Aqui jaz Pip March,
No dia 7 de junho, falecido;
Foi amado e lamentado na dor,
Tão cedo não será esquecido."

---

22. "Grasnadora", provavelmente por conta da voz irritante da visitante. (N. E.)

Na conclusão da cerimônia, Beth retirou-se para seu quarto, vencida pela emoção e pela lagosta, mas não havia onde repousar, pois as camas não estavam feitas; então, encontrou alívio para o sofrimento batendo nos travesseiros e colocando as coisas em ordem. Meg ajudou Jo a limpar os restos do banquete, o que tomou metade da tarde e as deixou tão cansadas que se contentaram com chá e torradas para a ceia.

Laurie levou Amy para passear, o que era um ato de caridade, pois o creme azedo parecia ter afetado terrivelmente seu humor. A sra. March chegou à casa e encontrou suas três filhas mais velhas trabalhando duro no meio da tarde, e bastou uma olhada para ter uma ideia do sucesso de uma parte do experimento.

Antes que as donas de casa pudessem descansar, várias visitas foram anunciadas e houve uma confusão para que ficassem todas prontas. Era preciso fazer chá, dar recados e finalizar uma ou duas costuras negligenciadas até o último minuto. Durante o crepúsculo, úmido e quieto, foram, uma a uma, para a varanda, onde as rosas de junho desabotoavam lindamente e todas elas, ao sentar, gemiam ou suspiravam de cansaço ou angústia.

– Que dia horrível! – começou Jo, pois, em geral, era a primeira a falar.

– Pareceu mais curto que o normal, mas tão desconfortável – disse Meg.

– Nem parecia nossa casa – acrescentou Amy.

– Não parece mesmo, sem a mamãe e o pequeno Pip – suspirou Beth, com os olhos marejados indo em direção à gaiola acima da sua cabeça.

– Aqui está mamãe querida; amanhã você terá outro pássaro, se assim desejar.

Enquanto Beth falava, a sra. March chegou e sentou-se entre elas, como se sua folga não tivesse sido mais agradável que a delas.

– Estão satisfeitas com seu experimento, meninas, ou querem outra semana assim? – perguntou ela, enquanto Beth aconchegava-se em seu colo e as outras viravam-se para ela com os rostos brilhantes, como flores voltadas para o sol.

– Não quero! – disse Jo, decidida.

– Nem eu – ecoaram as outras.

– Vocês acham, então, que é melhor ter algumas tarefas e viver um pouco para os outros, não é?

– Relaxar e brincar não vale a pena – observou Jo, balançando a cabeça. – Estou cansada disso e quero trabalhar em algo imediatamente.

– Que tal aprender a cozinhar? É uma conquista muito útil, que nenhuma mulher deveria negligenciar – disse a sra. March, rindo discretamente ao lembrar-se do jantar de Jo, pois havia encontrado a srta. Crocker, que lhe contara tudo.

– Mamãe, a senhora saiu de propósito só para ver como resolveríamos tudo? – perguntou Meg, que tinha suspeitado disso o dia todo.

– Sim, queria que vocês percebessem como o conforto de todas depende do trabalho de cada uma. Enquanto Hannah e eu fazíamos todas as tarefas da casa, vocês ficavam muito bem, entretanto, não achava que estivessem muito felizes ou satisfeitas. Então, como uma pequena lição, pensei em mostrar a vocês o que acontece quando todos pensam apenas em si mesmos. Vocês não acham que é mais prazeroso ajudar umas às outras, ter tarefas diárias que tornem o lazer mais agradável e ser pacientes para que nosso lar seja confortável e agradável para todas nós?

– Sim, mamãe, sim! – responderam as meninas.

– Então permitam-me aconselhá-las a assumir suas pequenas tarefas novamente; pois, por mais que estas pareçam pesadas às vezes, nos faz bem. Além disso, as tarefas sempre ficam mais leves à medida que aprendemos a lidar com elas. O trabalho é saudável e há o suficiente para todas. Ele nos afasta do tédio e da maldade, é bom para a saúde e para o espírito e nos dá um senso de poder e de independência melhor do que qualquer dinheiro ou roupa da moda.

– Trabalharemos como abelhas e o faremos com prazer – disse Jo. – Aprender a cozinhar será minha tarefa das férias e o próximo jantar que eu preparar será um sucesso.

– Vou costurar camisas para o papai, em vez de deixar esse trabalho para a senhora, mamãe. Eu posso e vou, embora não goste muito de costurar. Vai ser melhor do que ficar mexendo em minhas roupas, que já estão boas o suficiente – disse Meg.

– Vou fazer minhas lições todos os dias e não vou passar tanto tempo com minha música e minhas bonecas. Sou muito boba e deveria estar estudando, não tocando – foi a resolução de Beth, enquanto Amy seguiu seu exemplo declarando, heroicamente:

– Vou aprender a fazer casas de botões e prestar atenção no jeito como falo.

– Muito bem. Sinto-me muito satisfeita com o experimento e acredito que não devemos repeti-lo; só não podemos ir para o outro extremo e trabalhar como escravas. Dedicar horas regulares para trabalho e diversão faz com que cada dia seja útil e prazeroso e prova que vocês entendem o valor do tempo, empregando-o bem. Assim, a juventude será agradável, a velhice trará poucos arrependimentos e a vida será bonita e bem-sucedida, apesar da pobreza.

– Vamos nos lembrar, mamãe! – e assim foi.

## Acampamento Laurence

Beth era a carteira oficial; já que estava sempre em casa e podia cuidar da Caixa Postal regularmente. Em pouco tempo, apegou-se à função diária de abrir a portinha e distribuir as correspondências. Certo dia de julho, entrou em casa com as mãos cheias e circulou pela casa deixando cartas e pacotes, como uma profissional.

– Aqui está seu buquê, mamãe! Laurie nunca se esquece – disse ela, colocando o ramalhete no vaso que ficava no "cantinho da mamãe" e era abastecido pelo afetuoso rapaz.

– Para a srta. Meg March, uma carta e uma luva – continuou Beth, entregando os artigos à sua irmã, que estava sentada ao lado da mãe, costurando punhos.

– Como assim? Deixei um par de luvas lá e aqui só tem uma – disse Meg, olhando para a luva de algodão cinza. – A outra não caiu no jardim?

– Tenho certeza de que não, pois só havia uma na caixinha.

– Detesto essas luvas estranhas! Deixa para lá, depois acho a outra. Minha carta é apenas a tradução de uma música em alemão que pedi. Acho que o sr. Brooke foi quem a traduziu, pois esta não é a letra de Laurie.

A sra. March olhou de relance para Meg, que estava muito bonita em seu roupão matinal, com seus cachinhos caindo sobre a testa, e tão feminina em sua pequena mesa de trabalho, cheia de rolinhos brancos arrumados, sem sequer imaginar o que se passava na cabeça de sua mãe enquanto costurava, cantava e ocupava os pensamentos com fantasias de menina, tão inocentes quanto os amores-perfeitos em sua cintura, o que fez a sra. March sorrir e sentir-se satisfeita.

– Duas cartas para a doutora Jo, um livro e um chapéu velho e engraçado, que cobriu toda a caixa postal e estava pendurado para fora – disse Beth, rindo enquanto entrava no escritório onde Jo escrevia.

– Como Laurie é dissimulado! Eu disse que chapéus maiores deveriam estar na moda, porque queimo meu rosto quando o dia está muito quente; e ele disse: "Por que se preocupar com a moda? Use um chapéu grande e fique confortável!". Eu respondi que usaria se tivesse um. Ele enviou este para me testar. Vou usar de brincadeira e mostrar a ele que não me importo com a moda – e pendurando o chapéu antigo em um busto de Platão, Jo leu suas cartas.

Uma era da sua mãe, que aqueceu seu rosto e lhe encheu os olhos, pois dizia:

*Minha querida,*
*Escrevo esta pequena carta para dizer-lhe com muita satisfação que percebi seus esforços para controlar seu temperamento. Você não diz nada sobre suas provações, fracassos ou sucessos e eu acho que, talvez, ninguém os percebe mais do que o Amigo cuja ajuda você pede diariamente, considerando a capa desgastada do seu guia. Também tenho visto tudo e acredito de coração na sinceridade da sua resolução, que já começa a dar frutos. Continue, querida, com paciência e coragem, e acredite sempre que ninguém a ama com mais ternura do que eu, sua amada...*
*Mãe*

– Isso me faz tão bem! Vale mais do que milhões em dinheiro e um monte de elogios. Oh, mamãe, eu tento! Vou continuar tentando e não vou me cansar, já que tenho você para me ajudar.

Deitando a cabeça sobre os braços, Jo molhou o pequeno romance com algumas lágrimas de alegria, pois pensou que ninguém perceberia e admiraria seus esforços para ser boa, e essa surpresa era duplamente preciosa e encorajadora, por ser inesperada e vir da pessoa cujo aplauso valia muito. Sentindo-se mais forte do que nunca para encontrar e subjugar seu Apollyon, ela prendeu o bilhete em seu vestido com um alfinete, como um escudo e um lembrete, caso se esquecesse, e abriu sua próxima carta, pronta para boas ou más notícias. Com uma letra grande e elegante, Laurie escreveu:

> *Querida Jo, saudações!*
> *Receberei a visita de uns ingleses amanhã e gostaria que essa fosse uma alegre ocasião. Se o clima estiver bom, vou armar minha barraca em Longmeadow e levar toda a turma para almoçar, jogar críquete, fazer uma fogueira, brincar à moda cigana e todos os tipos de diversões. São pessoas boas e gostam dessas coisas. Brooke vai nos acompanhar para manter os meninos na linha, e Kate Vaughn olhará pelas meninas. Quero todas vocês lá; não abro mão de Beth por nada, e ninguém deve perturbá-la. Não se preocupem com a comida ou qualquer outra coisa, vou cuidar disso e de tudo mais, apenas venham!*
> *Do sempre apressado e seu, Laurie.*

— Mas que beleza! — disse Jo, correndo para contar a novidade a Meg. — Claro que podemos ir, não é, mamãe? Vai ser de grande ajuda a Laurie, pois posso remar, Meg cuidará do almoço e as crianças serão úteis de alguma forma.

— Espero que os Vaughn não sejam adultos comportados e elegantes. Você sabe algo a respeito deles, Jo? — perguntou Meg.

— Só sei que são quatro. Kate é mais velha que você; Fred e Frank, gêmeos, são da minha idade; e há uma garotinha, Grace, que deve ter nove ou dez anos. Laurie os conheceu no estrangeiro e gostou dos meninos. Imagino, pelo jeito que fala, que não gosta muito de Kate.

— Ainda bem que meu vestido de chita francesa está limpo! — observou Meg, complacente. — Você tem algo decente para vestir, Jo?

— Roupa de marinheira vermelha e cinza, boa o suficiente. Vou remar e brincar, então não será preciso engomá-lo. Você vai, Betty?

– Só se vocês não deixarem os meninos falarem comigo.

– Nenhum deles!

– Gosto de agradar Laurie e não tenho vergonha do sr. Brooke, ele é tão bonzinho. Mas não quero brincar ou cantar ou falar nada. Vou me esforçar e não perturbarei ninguém; se você tomar conta de mim, Jo, eu irei.

– Essa é minha boa menina. Você tenta lutar contra sua timidez e eu a amo por isso. Lutar contra nossas fraquezas não é fácil, eu bem sei, e uma palavra amena consegue nos animar. Obrigada, mamãe – e Jo deu um beijo de gratidão no rosto magro da mãe, algo mais precioso para a sra. March do que se tivesse ganhado de volta a robustez rosada da juventude.

– Eu ganhei uma caixa de bombons de chocolate e a figura que queria copiar – disse Amy, mostrando sua correspondência.

– E eu recebi um bilhete do sr. Laurence, pedindo que eu fosse lá tocar para ele hoje à noite, antes que as luzes se acendessem, e eu vou – acrescentou Beth, cuja amizade com o velho cavalheiro prosperava.

– Certo, agora vamos trabalhar o dobro hoje, para que possamos brincar amanhã com a mente descansada – disse Jo, preparando-se para substituir a caneta por uma vassoura.

Na manhã seguinte, o sol começou a entrar no quarto com a promessa de um ótimo dia e presenciou uma cena cômica. Antes de dormir, cada uma havia se preparado para a festa como lhe parecia necessário e adequado. Meg tinha, em sua testa, uma fila extra de papeizinhos pendurados para cachear os cabelos, Jo havia besuntado abundantemente seu rosto aflito com creme hidratante, Beth levara Joana para sua cama para redimir-se da iminente separação, e Amy chegou ao cúmulo de colocar um pregador no nariz para deixá-lo empinado. Era um daqueles que os artistas usam para segurar o papel em suas pranchetas de desenho, portanto, muito adequado e efetivo para a nova finalidade. Esse espetáculo engraçado pareceu alegrar o sol, pois este queimava com tanta intensidade que fez Jo acordar e despertar suas irmãs com a gargalhada dada por causa do ornamento de Amy.

O brilho do sol e os risos eram um bom presságio para a festa, e logo começou um vívido alvoroço em ambas as casas. Beth, que ficou pronta primeiro, comunicava o que acontecia na casa ao lado e animava o toalete das irmãs com notícias curtas e fresquinhas obtidas da janela.

– Lá vai o homem com a barraca! Vejo a sra. Barker arrumando o almoço em uma grande cesta. Agora o sr. Laurence está olhando para o céu e para o cata-vento. Queria que ele também fosse. Lá está Laurie, parecendo um marinheiro, bom menino! Oh, misericórdia! Aí vem um carro cheio de gente: uma senhora alta, uma garotinha e dois meninos assustadores. Um, coitado, é coxo, usa muleta. Laurie não nos falou sobre isso. Apressem-se, meninas! Está ficando tarde. Aquele ali é Ned Moffat, tenho certeza. Olha, Meg, esse não é o homem que a cumprimentou um dia quando estávamos fazendo compras?

– Ele mesmo. Que estranho ele ir. Pensei que estivesse nas montanhas. Lá está Sallie. Fico feliz que ela tenha voltado a tempo. Estou bem, Jo? – perguntou Meg, entusiasmada.

– Parece uma margarida. Levante o vestido e deixe o chapéu reto, fica meio bobo caído dessa maneira e vai voar no primeiro sopro de vento. Agora vamos, vamos!

– Oh, Jo, você não vai usar esse chapéu horrível, vai? É absurdo! Você não deve se vestir como um menino – protestou Meg, enquanto Jo amarrava com uma fita vermelha o chapéu de palha antigo que Laurie lhe enviara como piada.

– Vou sim, pois é leve, grande e faz sombra. Vai ser engraçado e não ligo se pareço um menino, desde que eu esteja confortável – com isso, Jo saiu do quarto e as meninas a seguiram, um belo grupinho de irmãs, todas com sua melhor roupa de verão e com os rostos animados sob as abas dos chapéus.

Laurie correu para encontrá-las e apresentá-las aos seus amigos da maneira mais cordial. O jardim foi a sala de recepção e, durante vários minutos, um animado episódio foi encenado ali. Meg estava satisfeita por ver a srta. Kate, embora esta tivesse vinte anos, vestida com uma simplicidade que as americanas fariam bem em imitar, e sentiu-se muito lisonjeada sempre que o sr. Ned dizia estar ali especialmente para vê-la. Jo entendeu por que Laurie falava daquele jeito de Kate, pois aquela moça tinha um ar de não-me-toque que contrastava demais com o modo leve e jovial das outras meninas. Beth observou os novos meninos e decidiu que o coxo não era assustador, mas gentil e modesto; portanto, seria amável com ele. Amy considerou Grace uma menina educada e alegre e, após encararem-se em silêncio durante alguns minutos, tornaram-se, de repente, boas amigas.

As barracas, o almoço e os utensílios para o críquete foram enviados antecipadamente e, logo em seguida, o grupo embarcou. Os dois barcos zarparam juntos, deixando o sr. Laurence na margem acenando com o chapéu. Laurie e Jo remavam em um barco, o sr. Brooke e Ned no outro, enquanto Fred Vaughn, o gêmeo desordeiro, fez o que pôde para perturbar ambos, remando em uma pequena canoa como se fosse um percevejo-d'água. Todos ficaram gratos pelo chapéu engraçado de Jo, pois foi de grande utilidade. Ele quebrou o gelo no início, divertindo a todos, produziu uma refrescante brisa, indo para frente e para trás enquanto ela remava, e serviria como uma excelente sombrinha, caso chovesse, disse ela. A srta. Kate concluiu que ela era meio estranha, mas inteligente, e sorriu de longe.

Meg estava no outro barco, muito bem instalada, de frente para os remadores que, ao mesmo tempo em que admiravam a vista, manuseavam seus remos com incomum habilidade e destreza. O sr. Brooke era um homem sério e quieto, com belos olhos castanhos e uma voz agradável. Meg gostava dos seus modos tranquilos e o considerava uma enciclopédia ambulante de conhecimentos úteis. Ele falava muito pouco com ela, mas a olhava bastante e ela tinha certeza de que não lhe tinha aversão. Ned, que estava na faculdade, evidentemente assumia ares que os calouros consideravam obrigatórios. Ele não era muito inteligente, mas tinha bom caráter e era uma ótima pessoa para um piquenique. Sallie Gardiner estava absorta na tarefa de manter limpo seu vestido branco de tecido *piquet* e conversava com o onipresente Fred, que aterrorizava Beth com suas brincadeiras.

Não estavam longe de Longmeadow, e a barraca estava armada e os *wickets* para jogar críquete posicionados quando chegaram. Havia um belo campo verde, com três carvalhos distribuídos no meio e uma faixa lisa de grama para o críquete.

– Sejam bem-vindos ao Acampamento Laurence! – disse o jovem anfitrião, enquanto desembarcavam com exclamações de satisfação.

– Brooke é o comandante-chefe, eu sou o comissário-geral, os outros companheiros são os funcionários da equipe; vocês, senhoras, são a companhia. A barraca é para uso de vocês; aquele carvalho é sua sala de visitas, este é o refeitório e o terceiro é a cozinha do acampamento. Agora, sugiro que joguemos antes que esquente e depois tratamos do almoço.

Frank, Beth, Amy e Grace sentaram-se para assistir ao jogo do qual os outros oito participariam. O sr. Brooke escolheu Meg, Kate e Fred. Laurie ficou com Sallie, Jo e Ned. Os ingleses jogaram bem, mas os americanos jogaram melhor e contestaram cada centímetro do campo com o afinco que o espírito de 1776 inspirava[23]. Jo e Fred tiveram várias escaramuças e uma delas quase escalou para grosserias. Jo passara pelo último *wicket* e perdera o arremesso, o que a deixou bastante irritada. Fred estava logo atrás dela e a bola arremessada por ele ficou próxima à dela. Ele deu uma batida que fez sua bola atingir a haste e parar, por muito pouco, do lado errado. Ninguém estava por perto e, aproximando-se para examinar, deu um peteleco na bola, passando-a para o lado correto.

– Consegui! Agora, srta. Jo, passei você, sou o primeiro – disse o jovem rapaz, balançando seu taco para outro arremate.

– Você a empurrou. Eu vi. É minha vez agora – disse Jo, com veemência.

– Dou minha palavra que não movi a bola. Ela rolou um pouco, talvez, mas isso é permitido. Então, abra espaço para que eu possa ver a estaca.

– Não trapaceamos nos Estados Unidos, mas você pode, se quiser – disse Jo, furiosa.

– Ianques é que são trapaceiros, todos sabem. Vá buscar! – respondeu Fred, golpeando a bola de Jo para longe.

Jo abriu a boca para dizer algo rude, mas conteve-se a tempo. Sua testa ficou vermelha e ela parou um minuto, martelando em um *wicket* com toda sua força, enquanto Fred acertou a estaca vangloriando-se do resultado. Ela foi buscar a bola e demorou muito até encontrá-la

---

23. Referência à Guerra de Independência dos Estados Unidos (1776-83). Evidenciando a rivalidade nascida entre os nativos americanos e os ingleses (colonizadores da América do Norte). (N. E.)

entre os arbustos, mas voltou, tranquila e quieta, e esperou sua vez pacientemente. Foram necessários vários arremessos para Jo obter de novo a posição que perdera e, mesmo quando chegou lá, o outro lado quase venceu, pois a bola de Kate era a penúltima e ficou próxima à estaca.

– Meu Deus, está tudo dando errado! Adeus, Kate. A srta. Jo me deve uma, então você está liquidada – disse Fred, animado, enquanto todos se juntaram para ver o final da partida.

– Os ianques têm uma mania de serem generosos com seus inimigos – disse Jo, com um olhar que fez o rapaz ficar vermelho –, especialmente ao vencê-los, acrescentou ela. E, deixando a bola de Kate intocada, ganhou o jogo com um arremesso inteligente.

Laurie jogou seu chapéu para cima, mas lembrou-se de que não deveria comemorar a derrota dos seus convidados e parou no meio da celebração. Depois, cochichou para a amiga:

– Parabéns, Jo! Ele trapaceou, eu vi. Não podemos dizer isso a ele, mas não acontecerá mais, dou minha palavra.

Meg puxou Jo para um canto, alegando precisar de ajuda para arrumar uma trança, e disse, em tom de aprovação:

– Ele foi desagradavelmente provocador, mas você manteve a calma e eu estou muito feliz, Jo.

– Não me elogie, Meg, pois eu poderia esbofeteá-lo agora mesmo. É certo que eu teria explodido se não tivesse me afastado até ter controle o suficiente para segurar minha língua. Estou fervendo agora; então, espero que ele não cruze meu caminho – respondeu Jo, mordendo os lábios e olhando furiosa para Fred debaixo do seu chapelão.

– Hora do almoço – disse o sr. Brooke, olhando o relógio. – Comissário-geral, poderia fazer a fogueira e ir buscar água, enquanto eu ponho a mesa com a ajuda da srta. March e da srta. Sallie? Quem pode passar um bom café?

– Jo pode – disse Meg, feliz em recomendar a irmã.

E Jo, sentindo que suas mais recentes lições de culinária já rendiam frutos, foi supervisionar a cafeteira, enquanto as crianças coletavam gravetos secos e os rapazes faziam a fogueira e buscavam água em uma fonte próxima. A srta. Kate desenhava e Frank conversava com Beth, que estava fazendo pequenas esteiras de junco trançado que serviriam como bandejas.

O comandante-chefe e suas assistentes logo espalharam pela toalha de mesa uma convidativa variedade de itens para comer e beber, muito bem decorada com folhas verdes. Jo anunciou que o café estava pronto e todos se acomodaram para uma agradável refeição, visto que a juventude raramente tem indigestão e o exercício abre o apetite. Foi um almoço bastante agradável; todos pareciam revigorados e alegres e frequentes gargalhadas assustavam um respeitável cavalo que comia ali por perto. Havia um descuido agradável na mesa, que produziu muitos contratempos aos copos e pratos: bolotas de carvalho caiam no leite, formiguinhas pretas participavam do lanche sem serem convidadas e lagartas confusas desciam pelas árvores para ver o que estava acontecendo. Três crianças loiras espiavam sobre a cerca e um cachorro, como que os repreendendo, latia do outro lado do rio, com toda sua energia.

– Tem sal aqui – disse Laurie, enquanto entregava a Jo um pires com frutas.

– Obrigado, prefiro aranhas – respondeu ela, lidando com duas delas, que rumavam para uma morte cremosa. – Como se atreve a me lembrar daquele jantar horrível, sendo o seu tão bom em todos os sentidos? – acrescentou Jo, enquanto riam e comiam do mesmo prato, pois a louça não era suficiente para todos.

– Aquele dia foi excepcionalmente divertido e até agora não o superei. Isto aqui, não pode ser creditado a mim, você sabe, não fiz nada. Foi você, Meg e Brooke que organizaram tudo, e sou muito grato a vocês. O que faremos quando não conseguirmos mais comer? – perguntou Laurie, sentindo que seu trunfo acabaria junto com o almoço.

– Brincar até começar a esfriar. Trouxe *Authors*[24] e ouso dizer que a srta. Kate conhece alguma brincadeira nova e agradável. Vá lá e pergunte. Foi convidada por você, deveria ficar mais tempo com ela.

---

24. *The Game of Authors*, ou *O Jogo de Autores*, é um jogo de cartas criado nos EUA por Anne Abbott (1861). O baralho de cartas é composto por onze conjuntos de quatro cartas cada um representando as obras de onze autores famosos. (N. E.)

— Você não foi convidada também? Pensei que ela gostasse de Brooke, mas ele só quer saber da Meg; e Kate fica olhando para ele o tempo todo através daqueles óculos ridículos. Eu vou, e não palestre sobre modos, pois você não liga para isso, Jo.

A srta. Kate de fato conhecia novas brincadeiras, e como as meninas não queriam, e os meninos não conseguiam, comer mais, todos foram para a sala de visitas brincar de completar histórias.

— Uma pessoa começa uma história, o absurdo que quiser, e conta o quanto desejar, tendo cuidado apenas para parar em um ponto empolgante; a partir daí, o participante seguinte continua e faz a mesma coisa. É muito divertido quando bem-feito e cria uma mistura perfeita de tragédia e comédia. Comece, sr. Brooke, por gentileza — disse Kate, com um ar dominador de quem tratava o tutor com tanto respeito como a qualquer outro cavalheiro., o que deixou Meg surpresa.

Deitado na grama aos pés das moças, o sr. Brooke, muito obediente, começou a história, com seus belos olhos castanhos fixos no rio resplandecente.

— Era uma vez, um cavaleiro que saiu pelo mundo procurando fortuna, pois não tinha nada além da sua espada e do seu escudo. Ele viajou bastante tempo, quase vinte e oito anos e passou por maus bocados, até chegar ao palácio de um bom e velho rei, que ofereceu uma recompensa a qualquer um que domasse e treinasse um potro bom, porém feroz, do qual ele gostava muito. O cavaleiro aceitou o desafio e montou no animal devagar, mas com segurança, pois o potro era galante e logo aprendeu a amar seu novo mestre, embora fosse mesmo impetuoso e selvagem. Todos os dias, enquanto dava lições ao animal do rei, o cavaleiro cavalgava pela cidade e procurava por todo lugar um lindo rosto que vira muitas vezes em seus sonhos, mas nunca encontrara. Um dia, enquanto passava elegantemente por uma rua quieta, viu na janela de um castelo em ruínas o rosto amado. Encantado, perguntou quem morava naquele velho castelo e soube que várias princesas estavam aprisionadas lá por um feitiço. O cavaleiro passou o dia inteiro tentando juntar o dinheiro necessário para comprar a liberdade delas. Ele desejava intensamente libertá-las, mas era pobre e poderia apenas passar lá todos os dias para ver o doce rosto e desejar que um dia pudesse vê-lo brilhar à luz do sol. Por fim, resolveu entrar no castelo e perguntar como poderia ajudá-las. Bateu na porta. Estava aberta, então ele viu...

– ...uma moça arrebatadoramente linda, que exclamou, com um grito de êxtase: "Finalmente! Finalmente!", continuou Kate, que lia romances franceses, e admirava o estilo. "É ela!", disse o Conde Gustave e ajoelhou-se aos pés da moça, em um rompante de alegria. "Levante-se!", disse ela, estendendo a mão branca e fria. "Nunca! Até você me dizer como posso resgatá-la", jurou o cavaleiro, ainda ajoelhado. "Ai, ai, ai, meu cruel destino me condena a permanecer aqui até meu tirano ser destruído." "Onde está o vilão?", "No salão violeta. Vá, coração valente, e salve-me desse desespero." "Obedecerei e retornarei vitorioso ou morto!". E com essas emocionantes palavras, saiu apressado em direção à porta do salão violeta; estava prestes a entrar, quando recebeu...

– ...uma pancada atordoante de um grande dicionário de grego, proferida por um velho vestido com uma bata negra – disse Ned. – Em instantes, o sr. Não-sei-o-nome recuperou-se, jogou o tirano pela janela e voltou para a companhia da donzela, vitorioso, mas com um galo em sua sobrancelha. A porta estava trancada, então rasgou as cortinas, fez uma escada com uma corda e desceu até a metade dela, ao que a escada rompeu e ele caiu de cabeça no fosso de quase vinte metros. Como nadava muito bem, rodeou o castelo até chegar a uma pequena porta vigiada por dois homens parrudos. Livrou-se deles batendo a cabeça de um contra a do outro e, depois, com uma demonstração mínima de sua prodigiosa força, derrubou a porta, subiu dois degraus de pedra cobertos de poeira, de sapos enormes e de aranhas que lhe deixariam histérica, srta. March. Após superar os degraus, deparou-se com uma visão que lhe tirou o ar e lhe congelou o sangue:

– ...uma figura alta, toda de branco, com um véu cobrindo o rosto e uma lâmpada em sua mão esquelética – continuou Meg. – Ela acenou e deslizou sem emitir qualquer ruído à sua frente por um corredor escuro e frio como um túmulo. Efígies obscuras vestidas em armaduras o cercavam, um silêncio mortal reinava, a lâmpada emitia uma luz azul e a figura fantasmagórica de vez em quando virava o rosto para ele, mostrando um terrível brilho nos olhos através do seu véu branco. Chegaram a uma porta acortinada, atrás da qual soava uma música suave. O cavaleiro precipitou-se para entrar, mas o espectro puxou-o para trás e acenou ameaçadoramente para ele com uma...

– ...caixa de rapé – disse Jo, em tom sepulcral, agitando o público. – O cavaleiro disse "Obrigado", educadamente, pegando uma pitada e espirrando sete vezes tão violentamente que sua cabeça caiu. "Ha! Ha! Ha!", riu o fantasma e, espiando pelo buraco da fechadura as princesas que fiavam por sua vida, o espírito do mal pegou sua vítima e o colocou em uma grande caixa de latão, onde estavam outros onze cavaleiros sem cabeça, espremidos como sardinha, que levantaram-se e começaram a...

– ...dançar ao som de uma gaita de foles – intrometeu-se Fred, quando Jo parou para respirar – e, enquanto dançavam, o castelo abandonado transformou-se em um navio, navegando de vento em popa. "Içar a bujarrona, arrear a adriça do topo, apontar o leme a sotavento e preparar as armas!", gritou o capitão, enquanto um pirata português era avistado, com uma bandeira preta como tinta flutuando em seu mastro. "Vão e vençam, meus destemidos!", disse o capitão, e uma tremenda luta começou. Claro que os ingleses venceram... sempre vencem.

– Não, não vencem – resmungou Jo, à parte.

– Tendo tomado o capitão dos piratas como prisioneiro, velejaram com a escuna, cujo convés estava cheio de cadáveres, e o sotavento, encharcado de sangue. A ordem do capitão inglês fora "Baionetas e morte total! Imediato, pegue uma corda da bujarrona e amarre esse patife, se ele não confessar seus crimes", mas o português nada disse e caminhou na prancha, enquanto os marujos comemoravam feito loucos. O astuto pirata mergulhou, foi para debaixo do navio e abriu vários furos no casco, fazendo com que afundasse, com toda a tripulação até o fundo do mar, onde...

– Oh, muito bem! O que vou contar? – disse Sallie, após Fred terminar sua parte da história, em que ele reuniu expressões e fatos náuticos aleatoriamente, retirados de um de seus livros favoritos. – Bom, eles chegaram ao fundo do mar e uma bela sereia os recebeu. Ela ficou muito contrariada ao encontrar uma caixa cheia de cavaleiros sem cabeça e, gentilmente, os colocou em salmoura, na esperança de descobrir o mistério que os envolvia, afinal, era uma mulher curiosa. Lá pelas tantas, um mergulhador apareceu e a sereia disse: "Eu lhe dou esta caixa de pérolas se você a levar para cima", pois ela queria que os cavaleiros voltassem à vida e não conseguiria sozinha carregar todo aquele peso. O mergulhador levou a caixa para a superfície e ficou muito desapontado ao abri-la e não encontrar nenhuma pérola. Deixou a caixa em um local ermo, onde foi encontrada por uma...

– ...menininha que pastoreava uma centena de gansos gordos no campo – disse Amy, quando a invenção de Sallie acabou. – A menininha ficou com pena dos cavaleiros e perguntou a uma velha senhora o que poderia fazer para ajudá-los. "Seus gansos lhe dirão, eles sabem de tudo", disse a velha senhora. Sendo assim, ela perguntou aos gansos o que deveria usar para substituir as cabeças dos homens, já que as originais haviam sido perdidas; então, todos os cem gansos abriram sua boca e gritaram:

– "Repolhos!" – continuou Laurie, imediatamente. – "É isso!", disse a menininha, e correu para arranjar as doze melhores cabeças de repolho da sua horta. Ela as colocou no lugar das cabeças e os cavaleiros, na hora, ressuscitaram; agradeceram-na e continuaram o caminho deles com alegria, sem nunca perceberem a diferença, pois havia tantas outras cabeças como aquelas no mundo que nenhum deles viu qualquer diferença. O cavaleiro protagonista voltou para encontrar o belo rosto de seus sonhos e soube que as princesas haviam, elas mesmas, conquistado a liberdade e todas estavam agora casadas, a não ser uma. Ele ficou muito animado com a notícia e, montando o potro, que permaneceu ao seu lado em todas essas adversidades, rumou para o castelo para ver o que havia sobrado dele. Espiando pela cerca, viu a rainha dos seus afetos recolhendo flores em seu jardim. "Você me ofereceria uma rosa?", perguntou. "Você deve vir pegá-la. Não posso ir até você, não seria correto", disse ela, docemente. Ele tentou escalar a cerca, mas esta parecia ficar cada vez mais alta. Tentou derrubá-la, porém, a cerca ficava cada vez mais grossa, e o cavaleiro entrou em desespero. Então, pacientemente, quebrou estaca por estaca até conseguir fazer um pequeno buraco através do qual podia olhar e disse, em tom de súplica: "Deixe-me entrar! Deixe-me entrar!". A bela princesa parecia não entender, pois continuou colhendo suas flores tranquilamente, deixando que ele mesmo lutasse para entrar. Se ele conseguiu ou não, Frank dirá a vocês.

– Não posso. Não estou na brincadeira, nunca brinco – disse Frank, desolado com o dilema sentimental do qual ele deveria resgatar o desafortunado casal.

Beth escondera-se atrás de Jo, e Grace estava dormindo.

– Então, o pobre cavaleiro acaba abandonado junto à cerca, é isso? – perguntou o sr. Brooke, ainda observando o rio e brincando com a rosa selvagem em sua botoeira.

– Acho que a princesa lhe deu um buquê e abriu o portão um pouco depois – disse Laurie, rindo enquanto jogava bolotas de carvalho em seu tutor.

– Ora, mas que história mais sem sentido criamos! Com prática, poderíamos criar algo bem interessante. Vocês conhecem "Verdade"?

– Espero que sim – disse Meg, soberba.

– Quis dizer o jogo.

– Como é? – perguntou Fred.

– Sorteamos um número e a pessoa referente ao número sorteado terá que responder com sinceridade a qualquer pergunta feita pelos outros. É muito divertido.

– Vamos tentar – disse Jo, que adorava novas experiências.

Srta. Kate, sr. Brooke, Meg e Ned não quiseram jogar, mas Fred, Sallie, Jo e Laurie participaram do sorteio, e o primeiro a ser sorteado foi Laurie.

– Quem são seus heróis? – perguntou Jo.

– Meu avô e Napoleão.

– Qual das moças aqui presentes você acha mais bonita? – disse Sallie.

– Margaret.

– De qual delas você gosta mais? – perguntou Fred.

– Jo, óbvio.

– Que perguntas bobas vocês fizeram! – e Jo fez um gesto desdenhoso, enquanto os outros riam do tom direto e honesto de Laurie.

– Tente novamente. "Verdade" não é um jogo ruim – disse Fred.

– É um jogo ótimo para você – disse Jo bem baixinho.

Agora era a vez dela.

– Qual seu maior defeito? – perguntou Fred, para testar nela a virtude que ele não tinha.

– Meu temperamento irritadiço.

– Qual seu maior desejo? – disse Laurie.

– Um par de botas com cadarço – respondeu Jo, imaginando a intenção de Laurie e derrotando-a.

– Não foi uma resposta verdadeira. Você tem que dizer o que de fato mais deseja.

– Inteligência. Você me daria a sua, Laurie? – e riu dissimuladamente do rosto desapontado do amigo.

– Quais virtudes você mais admira em um homem? – perguntou Sallie.

– Coragem e honestidade.

– Agora é minha vez – disse Fred, que fora sorteado.

– Esse é o momento ideal – sussurrou Laurie a Jo, que assentiu e perguntou de imediato:

– Você trapaceou no críquete?

– Sim, um pouco.

– Ótimo! A história que você contou foi retirada de *O Leão dos Mares*? – disse Laurie.

– Algumas partes.

– Você não acha que a Inglaterra é uma nação perfeita em todos os aspectos? – perguntou Sallie.

– Eu deveria ter vergonha de achar o contrário.

– É um verdadeiro John Bull[25]. Agora é sua vez, srta. Sallie, nem precisamos sortear. Para começar, vou incomodar seus sentimentos perguntando se está flertando com alguém – disse Laurie, enquanto Jo acenava para Fred em sinal de que estavam em paz.

– Como você é impertinente! Claro que não – exclamou Sallie, com um ar que provava o contrário.

– O que você mais detesta? – perguntou Fred.

– Aranhas e pudim de arroz.

– O que você mais gosta? – perguntou Jo.

---

25. John Bull é uma personificação nacional do Reino da Grã-Bretanha, em particular da Inglaterra, criada em 1712. Foi muito usada em caricaturas políticas. (N. E.)

– Dançar. E luvas francesas.

– Bom, acho que "Verdade" é uma brincadeira bem boba. Vamos jogar *Authors*, para refrescar nossas ideias – propôs Jo.

Ned, Frank e as meninas mais novas toparam o jogo e, enquanto isso, as três mais velhas separaram-se do grupo, para conversar. A srta. Kate pegou seu desenho e Margaret a ficou observando, enquanto o sr. Brooke deitou-se com um livro, embora não o estivesse lendo.

– Como você desenha bem! Queria saber desenhar assim – disse Meg, com um misto de admiração e lamento na voz.

– Por que não aprende? Suponho que você tenha gosto e talento para isso – respondeu a srta. Kate, gentil.

– Não tenho tempo.

– Imagino que sua mãe prefira que você se dedique a outros assuntos. A minha também, mas tomei algumas aulas secretamente e provei para ela que tenho talento; agora, quer que eu continue. Você não pode fazer o mesmo com sua governanta?

– Não tenho uma governanta.

– Esqueci que as moças nos Estados Unidos vão para a escola mais do que nós. Meu pai disse que são escolas muito boas. Você frequenta uma escola particular, imagino?

– Não vou à escola. Sou minha própria governanta.

– Ah, claro! – disse a srta. Kate, embora fosse o mesmo de ter dito "Meu Deus, que horrível!", pois seu tom de voz revelava isso e algo em seu semblante fez com que Meg corasse e desejasse não ter sido tão sincera.

O sr. Brooke olhou para cima e disse, rapidamente:

– As moças aqui nos Estados Unidos adoram a independência, assim como seus ancestrais, e são admiradas e respeitadas por se sustentarem.

– Oh, sim, claro; é muito bom e adequado que façam isso. Temos muitas jovens respeitáveis e dignas que fazem o mesmo e são empregadas pela nobreza, porque, sendo filhas de cavalheiros, são bem educadas e talentosas, você sabe – disse a srta. Kate com um tom paternalista que feriu o orgulho de Meg e fez com que seu trabalho parecesse não só ainda mais desagradável como degradante.

– Gostou da música alemã, srta. March? – perguntou o sr. Brooke, quebrando o incômodo silêncio.

– Oh, sim! Era muito bonita e sou muito grata a quem a traduzir para mim – e o rosto abatido de Meg brilhou enquanto falava.

– Não sabe alemão? – perguntou a srta. Kate, com expressão de surpresa.

– Não muito. Meu pai, que me ensinava, está longe, e não consigo aprender tão rápido sozinha, pois não tenho quem corrija minha pronúncia.

– Tente um pouco agora. Temos aqui *Maria Stuart*, de Schiller[26], e um tutor que ama ensinar – e o sr. Brooke pousou seu livro no colo dela, com um sorriso convidativo.

– É tão difícil que tenho receio de tentar – disse Meg, grata, mas inibida com a presença de uma jovem tão capacitada ao seu lado.

– Vou ler um pouco para encorajá-la.

A srta. Kate leu uma das passagens mais bonitas de maneira bem correta, mas totalmente sem expressão.

O sr. Brooke não fez qualquer comentário quando entregou o livro a Meg, que disse, inocente:

– Pensei que fosse poesia.

– E é, em parte. Experimente ler esta passagem.

Havia um sorriso curioso no rosto do sr. Brooke ao abrir o livro no trecho do lamento da pobre Maria.

Obediente, Meg seguiu a longa folha de capim que seu novo tutor usou para apontar o trecho e leu de forma lenta e tímida, poetizando inconscientemente as palavras difíceis com a entonação suave de sua voz musical. A guia verde desceu pela página e, naquele momento, esquecendo-se da sua ouvinte graças à beleza daquela cena triste, Meg leu como se estivesse sozinha, dando um pequeno toque trágico às palavras da desafortunada rainha. Se tivesse percebido os olhos castanhos a observando, teria parado logo, mas não olhou para cima e a lição não foi arruinada.

– Muito bom mesmo! – disse o sr. Brooke quando ela parou, ignorando seus inúmeros erros e parecendo gostar realmente de ensinar.

A srta. Kate colocou seus óculos e, observando o pequeno quadro à sua frente, fechou seu caderno de desenhos, dizendo com um ar superior:

---

26. *Mary Stuart* é uma peça em verso do poeta alemão Friedrich Schiller que descreve os últimos dias de Maria, rainha dos escoceses. (N. E.)

– Você tem um belo sotaque e, com o tempo, será uma ótima leitora. Eu a aconselho a aprender, pois o alemão é um valioso recurso para professores. Preciso cuidar de Grace que está ali brincando – e saiu, dando de ombros, acrescentando para si mesma: "Não vim para acompanhar uma governanta, embora seja jovem e bela. Como são estranhos esses ianques. Tenho medo que Laurie se corrompa no meio deles".

– Esqueci que os ingleses desprezam as governantas e não as tratam como nós as tratamos – disse Meg, olhando para a figura que saía com uma expressão irritada.

– Tutores passam maus bocados por lá, digo por experiência própria. Os Estados Unidos são o melhor lugar para os trabalhadores, srta. Margaret – e o sr. Brooke parecia tão contente e animado que Meg ficou com vergonha de lamentar por sua situação.

– Fico feliz por viver aqui, sendo assim. Não gosto do meu trabalho, mas fico muito satisfeita no fim das contas, por isso não vou mais reclamar. Só queria gostar de ensinar como você.

– Acho que você iria gostar se tivesse Laurie como aprendiz. Vou lamentar muito não ser mais seu tutor a partir do ano que vem – disse o sr. Brooke, enquanto fazia buracos no gramado.

– Ele vai para a faculdade, suponho? – os lábios de Meg fizeram a pergunta, mas seus olhos acrescentaram: "E o que será de você?".

– Sim, já está na hora dele ir, pois está pronto. Assim que ele partir, devo me tornar um soldado. Sou necessário.

– Fico feliz em ouvir isso! – exclamou Meg. – Sou da opinião de que todo jovem deveria se alistar, embora seja difícil para as mães e as irmãs que ficam em casa – ela acrescentou, triste.

– Não tenho mãe nem irmã, e são pouco os meus amigos que se importam se estou vivo ou morto – disse o sr. Brooke com amargura, enquanto colocava uma rosa morta em um dos buracos que fez, como se fosse uma pequena sepultura.

– Laurie e seu avô se importam muito e nós ficaríamos muito tristes se algo ruim acontecesse com você – disse Meg amavelmente.

– Obrigado, é bom ouvir isso – começou sr. Brooke, parecendo contente de novo, mas, antes que pudesse encerrar seu discurso, Ned, montado no velho cavalo, veio vagarosamente exibir seus dotes equestres perante as jovens damas e, a partir daí, a tranquilidade do dia acabou.

– Você gosta de cavalgar? – Grace perguntou a Amy, enquanto descansavam após uma corrida ao redor do campo com os outros, liderada por Ned.

– Adoro. Minha irmã, Meg, costumava cavalgar quando papai era rico, mas não temos mais cavalos agora, a não ser Ellen – acrescentou Amy, rindo.

– Quem é Ellen. É uma burra? – perguntou Grace com curiosidade.

– Veja, Jo é louca por cavalos, assim como eu, mas temos apenas uma sela velha e nenhum cavalo. No nosso jardim há uma macieira com um galho baixo; então, Jo colocou a sela nele, amarrou as rédeas na parte em que ele sobe e nós cavalgamos a árvore Ellen sempre que desejamos.

– Que engraçado! – riu Grace. – Tenho um pequeno pônei em casa e cavalgo quase todo dia no parque com Fred e Kate. É muito bom, pois meus amigos também vão, e o Row[27] fica repleto de moças e rapazes.

– Nossa! Que interessante! Espero viajar para o exterior um dia, mas prefiro ir a Roma do que ao Row – disse Amy, que não tinha a menor ideia do que era o Row e jamais perguntaria.

Frank, sentado logo atrás das meninas, ouviu o que estavam dizendo e afastou sua muleta para longe, com um gesto de impaciência, ao ver os rapazes ativos fazendo todo tipo de acrobacias engraçadas. Beth, que estava recolhendo as cartas espalhadas de *Authors*, olhou para cima e disse, do seu jeito tímido, mas amigável:

– Acho que você está cansado. Há algo que eu possa fazer por você?

– Fale comigo, por favor. É chato ficar aqui sentado, sozinho – respondeu Frank, que evidentemente estava acostumado a ser muito mimado em casa.

Se ele pedisse a ela para fazer uma oração em latim, não pareceria à tímida Beth tarefa mais impossível; mas não havia para onde fugir, nem como se esconder atrás de Jo, e o pobre garoto parecia tão triste que tomou coragem e resolveu tentar.

---

27. Rotten Row é uma pista larga que percorre 1.384 metros ao longo do lado sul do Hyde Park, em Londres. Leva do Hyde Park Corner à Serpentine Road. Durante os séculos XVIII e XIX, Rotten Row era um lugar na moda para os londrinos de classe alta serem vistos andando a cavalo. (N. E.)

– Sobre quais assuntos você gosta de falar? – ela perguntou, atrapalhando-se com as cartas e deixando cair metade delas.

– Bom, gosto de ouvir sobre críquete, passeios de barco e caça – disse Frank, que ainda não havia conseguido adequar suas diversões à sua condição.

"Meu Deus! O que faço? Não sei nada sobre isso", pensou Beth e, agitada, esquecendo-se do infortúnio do menino, disse, esperando fazer com que ele falasse:

– Nunca vi uma caçada, mas acho que você sabe tudo sobre isso.

– Já soube, mas nunca mais poderei caçar, pois me feri ao pular uma cerca; então, chega de cavalos e perseguições com cachorros para mim – disse Frank com um suspiro que fez Beth odiar a si mesma por seu inocente deslize.

– Seus cervos são muito mais bonitos que nossos búfalos horríveis – disse ela, buscando ajuda no tema das pradarias, alegre por ter lido um dos livros de menino que Jo adorava.

Búfalos provaram-se calmantes e satisfatórios e, em sua ânsia de agradar o amigo, a menina esqueceu-se de si própria e não percebeu a surpresa e a satisfação das irmãs com o incomum espetáculo que era Beth conversando com um dos meninos assustadores, contra os quais ela implorou por proteção.

– Como é querida! Ela lamenta sua situação e por isso está sendo boa para ele – disse Jo, olhando para a irmã do campo de críquete.

– Sempre disse que ela era uma santinha – acrescentou Meg, como se não restasse dúvida a esse respeito.

– Não via Frank rir tanto assim há muito tempo – disse Grace a Amy, enquanto conversavam sobre bonecas e faziam conjuntos de chá com xícaras de bolotas de carvalho.

– Minha irmã é muito *fastidiosa* quando quer – disse Amy, feliz com o sucesso de Beth. Ela quis dizer primorosa, mas como Grace não sabia o exato significado de cada palavra, fastidiosa soou bem e causou uma boa impressão.

A tarde terminou com um circo improvisado, um jogo de tabuleiro, e uma partida amistosa de *croquet*. Ao pôr do sol, a barraca foi desarmada, as cestas embaladas, os *wickets* retirados, os barcos carregados e toda a turma navegou rio abaixo, cantando o mais alto que podiam. Ned, sentimental, cantarolou uma serenata com o reflexivo refrão:

Sozinhos, sozinhos, ah!, que pesar, sozinhos
Somos jovens, temos coração,
Oh! por que precisamos nos separar assim?

Ele olhou para Meg com uma expressão tão apática que ela gargalhou e estragou a canção.

– Como pode ser tão cruel comigo? – sussurrou ele, sob um coro animado. – Passou o dia todo ao lado daquela inglesa e agora me esnoba.

– Não foi minha intenção, mas o que você fez foi tão engraçado que não pude evitar – respondeu Meg, ignorando a primeira parte da repriminenda, pois era bem verdade que ela o havia evitado, lembrando-se da festa dos Moffat e da conversa que tiveram em seguida.

Ned ficou ofendido, virou-se para Sallie procurando consolo e disse a ela, com irritação:

– Aquela moça não faz ideia do que é um flerte, não é?

– Nem um pouco, mas ela é muito agradável – respondeu Sallie, defendendo a amiga mesmo ao revelar suas falhas.

– De qualquer forma, não é um cervo ferido[28] – disse Ned, tentando parecer inteligente e conseguindo, como é de costume quando se trata de jovens cavalheiros.

No mesmo gramado onde se encontraram pela manhã, a pequena turma se separou com mensagens cordiais de boa-noite e despedidas, pois os Vaughn estavam de partida para o Canadá. As quatro irmãs foram para casa e, ao atravessarem o jardim, a srta. Kate olhou na direção delas e disse, sem o tom condescendente na voz:

– Apesar dos seus modos exibicionistas, as americanas são muito agradáveis quando as conhecemos bem.

– Não poderia concordar mais – disse o sr. Brooke.

---

28. "Cervo ferido" é uma referência a um poema de William Cowper. (N. E.)

## Castelos de areia

Laurie balançava-se, majestoso, na rede em uma tarde quente de setembro, imaginando o que suas vizinhas poderiam estar fazendo, mas com muita preguiça para ir até lá descobrir. Não estava de bom humor, pois o dia havia sido improdutivo e insatisfatório, desejando poder vivê-lo de novo. O clima quente o havia deixado indolente: esquivou-se dos estudos, testou os limites da paciência do sr. Brooke, desagradou seu avô brincando durante metade da tarde, assustou as empregadas fazendo-as acreditarem que um dos cachorros estava enlouquecendo e, após ser rude com o responsável pelo estábulo porque ele supostamente negligenciara seu cavalo, deitou-se na rede para refletir sobre a estupidez geral do mundo, até que a paz daquele dia agradável o acalmou, apesar de todo o seu mau humor. Olhando para a escuridão verde das castanheiras acima dele, teve vários sonhos e, logo quando se imaginava desbravando o oceano em uma viagem de volta ao mundo, o som de vozes o trouxe de repente de volta para a terra. Olhando entre a malha da rede, viu as March saindo, como se fossem a uma expedição.

"Mas o que será que essas meninas vão fazer agora?", pensou Laurie, abrindo seus olhos sonolentos para dar uma boa olhada, pois havia algo de peculiar na aparência das suas vizinhas. Cada uma delas usava um chapéu de aba longa, um saco de linho marrom pendurado no ombro e um longo cajado na mão. Meg tinha uma almofada; Jo, um livro; Beth, uma cesta; e Amy, uma pasta. Todas caminharam tranquilamente pelo jardim, passaram pelo pequeno portão preto e começaram a subir a colina que jazia entre a casa e o rio.

"Mas que ótimo", disse Laurie a si mesmo, "vão fazer um piquenique e sequer me chamaram! Não é possível que vão de barco, pois não têm a chave. Talvez a tenham esquecido. Vou levar para elas e ver o que está acontecendo".

Embora possuísse meia dúzia de chapéus, demorou até encontrar um; então, foi em busca da chave, que por fim foi encontrada em seu bolso;

nesse momento, já não conseguia mais ver onde as meninas estavam, então pulou a cerca e correu para alcançá-las. Tomando o caminho mais curto para o estaleiro, esperou até que aparecessem, mas ninguém chegava; assim, subiu a colina para ter uma visão geral. Um bosque de pinheiros cobria uma parte da vista e, do coração daquela mancha verde, ouviu um som mais claro do que o sussurro dos pinheiros ou o chilro sonolento dos grilos.

"Que paisagem!", pensou Laurie, espreitando entre os arbustos e observando com os olhos já bem abertos e com o humor já bem melhor.

Era uma imagem muito bonita: as irmãs estavam sentadas, juntas, em um recanto que oscilava entre sol e sombra, com o vento aromático assanhando-lhes os cabelos e refrescando seus rostos, e todas as pessoas da região do bosque seguiam com suas vidas como se não houvesse estranhas ali, apenas velhas amigas. Meg sentou-se na almofada, costurando graciosamente com suas mãos alvas, elegante e doce como uma rosa com seu vestido cor-de-rosa no gramado verde. Beth organizava as pinhas que caíam em abundância de um pinheiro próximo, pois sabia fazer coisas muito bonitas com elas. Amy estava desenhando um grupo de samambaias. E Jo tricotava enquanto lia em voz alta. Uma expressão de tristeza tomou conta do rosto do garoto enquanto as observava, sentindo que devia ir embora, já que não havia sido convidado; mas ficou lá, pois ir para casa parecia muito solitário e aquele pequeno grupo no bosque era mais atrativo ao seu espírito inquieto. Ficou tão imóvel que um esquilo, ocupado com sua colheita, desceu por um pinheiro próximo a ele, viu-o e voltou-se de repente, dando um grito tão estridente que fez Beth olhar para cima, avistando o rosto melancólico por trás das bétulas e acenando com um sorriso convidativo.

– Posso participar, por favor? Ou vou atrapalhar? – perguntou ele, avançando devagar.

Meg levantou as sobrancelhas, mas Jo fez uma careta desafiadora e disse de uma vez:

– Claro que pode. Deveríamos tê-lo chamado antes, mas pensamos que não ia querer participar de uma brincadeira de meninas como essa.

– Sempre gosto das suas brincadeiras, mas se Meg não me quer aqui, vou embora.

– Não me oponho, desde que você faça algo. É contra as regras ficar ocioso aqui – respondeu Meg com seriedade, mas graciosa.

– Muito obrigado. Faço qualquer coisa se me permitirem ficar aqui, pois lá em casa está mais tedioso que o Deserto do Saara. Posso costurar, ler, colher pinhas, desenhar, ou tudo ao mesmo tempo. O que quiserem. Estou pronto – e Laurie sentou-se com uma expressão submissa e agradável de contemplar.

– Termine essa história enquanto me arrumo – disse Jo, entregando-lhe o livro.

– Sim, senhora – foi a humilde resposta do rapaz. Então, começou fazendo seu melhor para provar sua gratidão pelo favor de recebê-lo na "Sociedade das Mocinhas Atarefadas".

A história não era longa e, quando terminou, aventurou-se a fazer algumas perguntas, como recompensa pelo mérito.

– Por favor, madames, permitam-me perguntar se esta instituição altamente instrutiva e charmosa é nova?

– Vocês contariam a ele? – perguntou Meg às irmãs.

– Ele vai rir – disse Amy, em tom de advertência.

– Quem se importa? – disse Jo.

– Acho que ele vai gostar – acrescentou Beth.

– Claro que vou. Dou minha palavra que não vou rir. Diga, Jo, não tenha medo.

– Que ideia ter medo de você! Bom, você sabe que costumamos interpretar *A Viagem do Peregrino* e temos continuado fielmente durante o inverno e o verão inteiros.

– Sim, sei – disse Laurie, assentindo com seriedade.

– Quem lhe contou? – perguntou Jo.

– Espíritos.

– Não, fui eu. Queria diverti-lo uma noite, quando todas vocês tinham saído e ele estava bem triste. Ele gostou, de fato, então não me repreenda, Jo – disse Beth, humildemente.

– Você não consegue guardar segredo. Mas não tem problema, evitou um problema agora.

– Continue, por favor – disse Laurie, enquanto Jo se concentrava em seu trabalho, parecendo um pouco desapontada.

– Oh, ela não contou sobre nosso novo plano, então? Bem, temos tentado não desperdiçar nossas férias, e cada uma de nós teve uma tarefa e trabalhou nela com dedicação. As férias estão quase acabando, os trabalhos estão todos feitos e estamos muito felizes por não termos ficado ociosas.

– Sim, imagino – e Laurie pensou com pesar em seus próprios dias de ócio.

– Mamãe gosta que tomemos ar fresco o máximo possível, então trazemos nosso trabalho para cá e termos momentos agradáveis. Pela diversão, colocamos nossas coisas nessas bolsas, usamos velhos chapéus e trazemos esses cajados para subir a colina e brincarmos de peregrinos, como costumávamos fazer tempos atrás. Chamamos esta colina de Montanha Encantadora, pois podemos enxergar longe daqui e ver o lugar onde desejamos viver um dia.

Jo apontou e Laurie levantou-se para examinar. Através de uma abertura na floresta, era possível olhar, além do grande rio azul, os prados do outro lado, longe dos arredores da grande cidade, e as verdes colinas que se elevavam até tocar o céu. O sol estava baixo e o céu brilhava com o esplendor de um pôr do sol outonal. Nuvens douradas e arroxeadas passavam pelo topo das colinas e, acima da luz rubra, surgiam picos prateados que brilhavam como cumes de alguma Cidade Celestial.

– Que coisa mais linda! – disse Laurie com ternura, sensível a qualquer tipo de beleza.

– Normalmente é, e gostamos de contemplá-la, pois nunca é a mesma, mas é sempre estonteante – respondeu Amy, desejando pintá-la.

– Jo fala sobre o campo onde desejamos viver um dia... refere-se a um campo real, com porcos, galinhas e colheita de feno. Seria muito bom, mas queria que o belo lugar que avistamos daqui fosse real e pudéssemos ir lá – disse Beth pensativa.

– Há outro lugar ainda mais belo do que esse, onde todos poderemos ir um dia, um de cada vez, se formos bons o suficiente – respondeu Meg com sua voz doce.

– Mas é uma espera tão longa e difícil! Quero ir logo, voando como aquelas andorinhas e passar por aquele portão magnífico.

– Você vai chegar lá, Beth, cedo ou tarde, não se preocupe – disse Jo. – Eu sou a que terá que lutar e trabalhar, subir e esperar e talvez nunca chegar lá no fim das contas.

– Você terá minha companhia, se isso servir de consolo. Tenho que viajar bastante antes de sequer avistar a Cidade Celestial. Se eu chegar tarde, você intervém a meu favor, não é, Beth?

Algo no rosto do rapaz perturbou sua amiguinha, mas ela disse, alegremente, com seus olhos tranquilos, fitando as nuvens que mudavam de formato:

– Se as pessoas realmente quiserem ir e realmente tentarem durante a vida toda, acho que conseguem; não acredito que exista alguma tranca naquela porta ou algum guarda no portão. Sempre o imagino como naquela imagem em que seres brilhantes estendem suas mãos para receber o pobre cristão que sobe pelo rio.

– Não seria divertido se os castelos de areia que construímos fossem reais e pudéssemos viver neles? – disse Jo, após uma pequena pausa.

– Já construí tantos que seria difícil escolher em qual viveria – disse Laurie, deitado, enquanto arremessava pinhas no esquilo que o havia denunciado.

– Você tem que escolher um favorito. Qual é? – perguntou Meg.

– Se eu disser o meu, você diz o seu?

– Sim, se as meninas também disserem.

– Nós diremos. Agora, Laurie.

– Após visitar várias partes do mundo, gostaria de morar na Alemanha e desfrutar o máximo que eu pudesse da música. Seria um músico famoso e todos iam querer me ouvir. E nunca teria problemas com dinheiro ou negócios, apenas me divertiria e viveria fazendo o que gosto. Esse é meu castelo favorito. E o seu, Meg?

Margaret parecia ter dificuldades de falar sobre o seu e agitava um ramo diante do rosto, como se dispersasse mosquitos imaginários, enquanto dizia, lentamente:

– Eu teria uma casa adorável, cheia de coisas luxuosas, boa comida, belas roupas, lindos móveis, pessoas agradáveis e muito dinheiro. Eu seria a dona de tudo e administraria como quisesse, teria vários empregados e nunca precisaria trabalhar. Seria maravilhoso! Pois eu não ficaria ociosa, faria o bem e todos me amariam muito.

– Não seria necessário um mestre nesse castelo de areia? – perguntou Laurie, com certa malícia.

– Eu disse "pessoas agradáveis", não disse? – e Meg cuidadosamente amarrava o seu sapato enquanto falava, de modo que ninguém viu seu rosto.

– Por que você não disse que teria um marido esplêndido, inteligente e bondoso e filhinhos angelicais? Seu castelo não seria perfeito sem isso – disse Jo, de maneira brusca, a qual ainda não tinha nenhum desses ternos caprichos e desdenhava os romances, exceto em livros.

– Você não teria nada além de cavalos, tinteiros e livros – respondeu Meg, desaforadamente.

– Não é que é verdade? Teria um estábulo cheio de corcéis árabes, salas repletas de livros e escreveria com um tinteiro mágico, para que minhas obras fossem tão famosas quanto a música de Laurie. Quero fazer algo extraordinário ainda, algo heroico ou maravilhoso, que não será esquecido após a minha morte. Não sei o quê, mas estou em busca e um dia vou surpreender todos vocês. Acho que vou escrever livros, o que me deixaria rica e famosa; isso me agradaria, pois é meu sonho favorito.

– O meu é ficar em casa em segurança, com papai e mamãe, e ajudar a cuidar da família – disse Beth, satisfeita.

– Não tem nenhum outro desejo? – perguntou Laurie.

– Desde que eu tenha meu pequeno piano, estou perfeitamente satisfeita. Desejo apenas que estejamos todos bem e juntos, nada mais.

– Eu tenho tantos desejos, mas meu preferido é ser uma artista, ir para Roma, criar belas pinturas e ser a maior pintora do mundo – esse era o modesto desejo de Amy.

– Somos um grupo ambicioso, não é? Todos, a não ser Beth, queremos ser ricos, famosos e deslumbrantes em certo aspecto. Imagino se algum de nós um dia realizará esses desejos – disse Laurie, mastigando grama como um bezerro reflexivo.

– Tenho as chaves para para o meu castelo de areia, mas se conseguirei abrir as portas já é outra questão – observou Jo, misteriosa.

– Também tenho as chaves do meu, mas não tenho permissão para entrar. Maldita faculdade! – resmungou Laurie com um suspiro de impaciência.

– Esta é a minha! – e Amy balançou seu pincel.

– Não tenho nada – disse Meg, sem esperanças.

– Sim, você tem – disse Laurie.

– Onde?

– No seu rosto.

– Que besteira, é inútil.

– Espere para ver se não valerá a pena tê-lo – respondeu o rapaz, rindo da ideia de um encantador segredo, o qual ele adoraria saber.

Meg corou por trás do ramo, mas não fez qualquer pergunta e olhou para o rio com a mesma expressão de expectativa do sr. Brooke, quando ele contara a história do cavaleiro.

– Se todos nós estivermos vivos daqui a dez anos, vamos nos encontrar e ver quem de nós terá realizado seus desejos ou o quão próximos estaremos dele – disse Jo, sempre com um plano a postos.

– Meu Deus! Estarei velha, com vinte e sete anos! – exclamou Meg, que já se sentia uma adulta, tendo acabado de completar dezessete.

– Você e eu teremos vinte e seis, Teddy; Beth, vinte e quatro; e Amy, vinte e dois. Que grupo respeitável! – disse Jo.

– Espero ter feito algo de que me orgulhe até lá, mas sou muito preguiçoso e tenho medo de não acontecer, Jo.

– Você precisa de uma motivação, é o que mamãe diz; e quando aparecer, ela garante que seu trabalho será excepcional.

– É mesmo? Por Júpiter, vou conseguir, basta eu ter uma chance! – disse Laurie, levantando-se com repentino entusiasmo. – Eu tento me sentir satisfeito para agradar meu avô, mas trabalhar sem gostar do que se faz é muito difícil. Ele quer que eu seja um comerciante na Índia, como ele foi, mas eu preferia ser executado. Detesto chá, seda, especiarias e todo tipo de bobagem que seus velhos navios trazem; além disso, não me importo se afundarem assim que forem meus. Ir para a faculdade deveria deixá-lo satisfeito, e se eu der a ele quatro anos, deveria ser o suficiente para me liberar da empresa. Mas ele é irredutível, e eu tenho que fazer exatamente o que ele fez, a não ser que me rebele e faça o que bem quiser, como fez meu pai. Se houvesse alguém para ficar ao lado do velho cavalheiro, eu partiria amanhã mesmo.

Laurie falava com excitação e parecia pronto para pôr em prática sua ameaça sob a menor provocação, pois estava crescendo muito rápido, e apesar da sua indolência, tinha aversão à submissão e um intransigente desejo, típico dos jovens, de experimentar o mundo à sua maneira.

– Aconselho você a fugir em um dos seus navios e nunca mais voltar até ter vivido do jeito que deseja – disse Jo, cuja imaginação fora inflamada pela ideia de tão arrojada façanha e cuja simpatia fora motivada pelo que ela chamava de "Imperfeições de Teddy".

– Isso não é certo, Jo. Você não deveria falar assim, e Laurie não deveria seguir seu mau conselho. Você deve fazer exatamente o que seu avô deseja, meu querido menino – disse Meg, em tom maternal. – Faça seu melhor na faculdade e, quando ele perceber que você está tentando agradá-lo, tenho certeza de que não será severo ou injusto com você. Como você disse, não há mais ninguém para ficar ao lado dele e amá-lo; você nunca se perdoaria caso o abandonasse sem permissão. Não fique triste ou preocupado, apenas cumpra seu dever e será recompensado, como o bom sr. Brooke foi, sendo respeitado e amado.

– O que você sabe sobre ele? – perguntou Laurie, grato pelo bom conselho, embora refutasse o sermão, e feliz por deixar de ser o foco da conversa após seu estranho desabafo.

– Apenas o que seu avô nos falou a respeito dele: como cuidou da mãe até que ela morresse, e como não viajou para ser tutor de outras pessoas, pois não queria deixá-la sozinha. E como agora sustenta uma velha senhora que cuidou da sua mãe, mesmo sem contar a ninguém, sendo apenas generoso, paciente e bom.

– Ele é assim mesmo, um amigo querido! – disse Laurie amavelmente, aproveitando a pausa de Meg, corada e emocionada com a história que contara. – É típico do vovô descobrir algo sobre Brooke sem dizer-lhe e contar suas boas ações aos outros, para que gostem dele. Tanto que Brooke não entendia por que sua mãe era tão boa para ele, pedindo que fosse à casa de vocês comigo e tratando-o com seu jeito gentil. Ele a achava perfeita e falava sobre isso dias a fio, depois falava sobre você com empolgação. Se meu desejo um dia se realizar, você vai ver o que farei por Brooke.

– Comece fazendo algo agora, não atormentando-lhe a vida – disse Meg diretamente.

– Como você sabe que eu faço isso, senhorita?

– Sempre percebo em seu semblante quando ele vai embora. Quando você se comporta, sai satisfeito e caminha animado. Quando você o atormenta, fica sério e caminha devagar, como se quisesse voltar e fazer um trabalho melhor.

– Ora, gosto disso. Então, você contabiliza minhas boas e más ações de acordo com o semblante de Brooke, não é? Eu vejo quando ele a cumprimenta e sorri ao passar pela sua janela, mas não sabia que vocês conversavam sobre isso.

– Não conversamos. Não se zangue e, oh! não conte a ele que falei isso! Era apenas para mostrar que me preocupo com você e tudo que é dito aqui é confidencial, você sabe – disse Meg, muito alarmada com a ideia do que poderia resultar do seu discurso descuidado.

– Não faço fuxico – respondeu Laurie, com seu ar altivo e imponente, como Jo costumava chamar essa expressão que ele fazia em certas ocasiões. – Se Brooke vai ser termômetro, devo criar um bom clima para ele se comunicar.

– Por favor, não se ofenda. Não tive a intenção de dar sermão, fuxicar ou ser tola. Só achei que Jo estava estimulando em você um sentimento do qual poderia se arrepender. Você é tão bom conosco, sentimos como se fosse nosso irmão e simplesmente dizemos o que pensamos. Peço desculpa, minha intenção era a melhor – e Meg ofereceu sua mão com um gesto afetuoso e tímido.

Envergonhado do seu ressentimento momentâneo, Laurie apertou mãozinha gentil e disse, com sinceridade:

– Sou eu que devo ser perdoado. Passei o dia irritado. Gosto de ter você para me apontar os defeitos fraternalmente, assim não se preocupe se eu ficar aborrecido às vezes. Agradeço a todas.

Para mostrar que não estava ofendido, portou-se da forma mais agradável possível: enrolou algodão para Meg, recitou poesia para o prazer de Jo, coletou pinhas para Beth e ajudou Amy com suas samambaias, provando-se uma pessoa adequada para participar da "Sociedade das Mocinhas Atarefadas". No meio de uma animada discussão sobre hábitos domésticos das tartarugas (uma dessas amáveis criaturas arrastava-se, vinda do rio), o som sutil de uma campainha avisou que Hannah havia posto o chá para ferver e teriam tempo apenas de chegar em casa para o jantar.

– Posso voltar? – perguntou Laurie.

– Sim, se você for bom e amar seu livro, como reza a cartilha dos meninos – disse Meg, sorrindo.

– Vou tentar.

– Então pode vir, vou ensiná-lo a tricotar como os escoceses. Há uma demanda por meias agora – acrescentou Jo, sacudindo a sua como um grande estandarte de lã, quando se separaram no portão.

Durante o crepúsculo, enquanto Beth tocava para o sr. Laurence ao fim daquele dia; Laurie, à sombra da cortina, ouviu a pequena "David", cuja melodia simples sempre acalmava seu espírito inconstante; observou o velho, sentado com a cabeça grisalha apoiada na mão, pensando ternamente na filha morta que tanto amava. Lembrando-se da conversa da tarde, o menino disse para si mesmo, decidido a fazer o sacrifício com satisfação: "Vou abdicar do meu castelo e ficar com o velho senhor enquanto precisar de mim, pois sou tudo que ele tem".

## *Segredos*

Jo estava muito ocupada no sótão. Os dias de outubro começavam a esfriar e as tardes passaram a ser mais curtas. Durante duas ou três horas, o sol caloroso entrava pela janela, iluminando-a sentada no sofá, escrevendo entusiasmada, com seus papéis espalhados em um baú próximo a ela, enquanto Scrabble, seu ratinho de estimação, passeava pelas vigas, acompanhado do seu filho mais velho, um belo jovem que estava evidentemente muito orgulhoso dos seus bigodes. Mergulhada em seu trabalho, Jo rabiscou até a última página ser preenchida, quando assinou seu nome com um floreio e largou a caneta, exclamando:

– Pronto, dei o meu máximo! Se não servir, vou esperar até conseguir fazer muito melhor.

Deitada no sofá, ela leu o todo o manuscrito com cuidado, fazendo traços aqui e ali e colocando muitos pontos de exclamação, que pareciam pequenos balões. Então, amarrou o calhamaço com uma bela fita vermelha e sentou-se um minuto olhando para ele com uma expressão séria e pensativa, demonstrando claramente todo o empenho empregado na obra. A mesa de Jo naquele cômodo era um velho gabinete de cozinha pregado na parede. Nele, guardava seus papéis e alguns livros, protegidos contra Scrabble, que, sendo também inclinado à literatura, tinha o intuito de fazer uma biblioteca itinerante dos livros deixados em seu caminho, devorando suas folhas. Da mesa de lata, Jo tirou outro manuscrito, colocou ambos no bolso e desceu as escadas furtivamente, deixando seus amigos mordiscando suas canetas e saboreando sua tinta.

Vestiu o chapéu e a jaqueta fazendo o mínimo de barulho possível, foi para a janela dos fundos, passou pelo telhado de um alpendre baixo, pulou para o jardim e rumou para a estrada. Chegando lá, compôs-se, acenou para um ônibus que passava e foi para a cidade, com uma aparência alegre e misteriosa.

Se alguém a tivesse visto, teria achado seus movimentos bem peculiares, pois, ao desembarcar, caminhou apressada até um certo número de uma certa rua movimentada. Tendo encontrado o local com alguma dificuldade, passou pela porta, olhou para a escada empoeirada e, após parar um momento, saiu para a rua de súbito e fez o caminho de volta o mais rápido que pôde. Repetiu essa manobra várias vezes, para a diversão do jovem de olhos negros que descansava na janela do prédio em frente. Ao voltar pela terceira vez, Jo tomou coragem, ajustou o chapéu e subiu a escada, com uma expressão de quem estava indo extrair todos os dentes.

Havia, de fato, uma placa de dentista entre outras que adornavam a entrada e, após encarar por um momento um par de mandíbulas artificiais que se abriam e fechavam lentamente para chamar a atenção para uma bela dentadura, o jovem rapaz pegou o seu chapéu e desceu para se posicionar na porta do lado oposto, dizendo com um sorriso:

– É típico dela vir sozinha, mas, se passar por maus bocados, vai precisar de alguém para ajudá-la a voltar para casa.

Em dez minutos, Jo desceu a escada correndo com o rosto muito vermelho e uma aparência geral de quem havia acabado de passar por algum tipo de suplício. Quando encontrou o jovem cavalheiro, ela parecia tudo, menos satisfeita, e passou por ele balançando a cabeça. Mas ele a seguiu, perguntando com um ar simpático:

– Algum problema?

– Nada demais.

– Você voltou rápido.

– Sim, graças a Deus!

– Por que você foi sozinha?

– Não queria que ninguém soubesse.

– Você é a criatura mais estranha que já vi. Quantos você extraiu?

Jo olhou para seu amigo com uma expressão confusa e começou a rir, como se estivesse se divertindo muito.

– Tenho dois que preciso extrair, mas preciso esperar uma semana.

– Do que você está rindo? Você está tramando alguma coisa, Jo – disse Laurie, aturdido.

– Você também. O que você estava fazendo, senhor, naquele salão de bilhar?

– Desculpe, madame, mas aquilo não é um salão de bilhar, e sim um ginásio; eu estava tendo aulas de esgrima.

– Fico feliz em ouvir.

– Por quê?

– Você poderá me ensinar e, então, quando interpretarmos *Hamlet*, você poderá ser Laertes e faremos uma ótima cena de esgrima.

Laurie deu uma gargalhada, que fez vários transeuntes sorrirem involuntariamente.

– Vou ensiná-la, seja para interpretar *Hamlet* ou não. É muito divertido e você vai ficar bem forte. Mas eu não acredito que esse era o único motivo para você dizer "Fico feliz em ouvir" dessa forma tão decidida, estou certo?

– Sim, estava feliz porque você não estava em um salão de bilhar, pois espero que você não frequente esse tipo de lugar. Você frequenta?

– Não muito.

– Não queria que você frequentasse.

– Não é um problema, Jo. Tenho uma mesa de bilhar em casa, mas não tem graça se não há bons jogadores e, como gosto muito de praticar, às vezes venho aqui e jogo com Ned Moffat ou outro amigo.

– Oh, querido, sinto muito, pois você vai gostar disso cada vez mais, desperdiçar tempo e dinheiro e ficar parecido com aqueles meninos terríveis. Esperava que você se tornasse um homem respeitável e motivo de orgulho para seus amigos – disse Jo, balançando a cabeça.

– Será que não posso me divertir inocentemente de vez em quando sem perder o respeito? – perguntou Laurie, incomodado.

– Isso depende de como e onde você joga. Não gosto de Ned e sua turma e queria que você não se misturasse com eles. Mamãe não permite que o recebamos em nossa casa, embora ele queira ir. E se você ficar que nem ele, ela não vai querer que brinquemos com você como fazemos agora.

– Não vai? – perguntou Laurie, ansioso.

– Não, ela não suporta esses rapazes e prefere nos deixar trancadas a nos ver na companhia deles.

– Bom, ela ainda não vai precisar trancá-las. Não sou dessa turma nem pretendo ser, mas gosto de participar de algumas aventuras inofensivas de vez em quando, você não?

– Sim, ninguém se importa com isso; então aventure-se à vontade, mas não exagere, está bem? Ou será o fim de todas as nossas diversões.

– Serei um santo de tão puro.

– Não gosto de santos. Basta ser um rapaz simples, honesto e respeitável e nunca o abandonaremos. Não sei o que faria se você começasse a se comportar como o filho do sr. King. Ele tinha muito dinheiro, mas não sabia o que fazer com ele, então gastou com bebida e jogo e acabou por fugir, manchando o nome do pai, se não me engano... enfim, uma situação totalmente deplorável.

– Você acha que vou fazer o mesmo? Muito obrigado.

– Não, eu não... oh, meu caro, não! Mas ouço as pessoas falarem que o dinheiro é uma tentação e tanto e, às vezes, queria que você fosse pobre. Assim, não me preocuparia.

– Você se preocupa comigo, Jo?

– Um pouco, quando você está mal-humorado e descontente. Você possui um gênio muito forte, tenho medo de que se perca caso comece a trilhar o mau caminho.

Laurie caminhou em silêncio por alguns minutos e Jo o observava, arrependida por não ter freado a língua, pois seu amigo estava com um olhar furioso, embora seus lábios sorrissem enquanto ela falava.

– Você vai me dar sermão até chegar em casa? – perguntou ele.

– Claro que não. Por quê?

– Porque se for, vou pegar um ônibus. Se não, gostaria de acompanhá-la e contar algo muito interessante.

– Não vou mais dar sermão e quero muito ouvir as novidades.

– Muito bem, então, vamos lá. É um segredo e, se eu contar, você terá que contar um seu.

– Não tenho segredos – começou Jo, mas parou de repente, lembrando-se de que tinha.

– Você sabe que tem... não consegue esconder nada; vamos lá, confesse, ou não vou contar – disse Laurie.

– Esse seu segredo é bom?

– Oh, se é! É sobre pessoas que você conhece e é tão engraçado! Deveria ouvi-lo, estou louco para contar já faz muito tempo. Vamos, você começa.

– Você não vai contar nada lá em casa, não é?

– Nem uma palavra.

– E você não vai implicar comigo quando estivermos a sós?

– Eu nunca implico.

– Implica sim. Você sempre consegue o que quer das pessoas. Não sei como faz isso, tem um talento nato.

– Obrigado. Fale logo.

– Bom, eu entreguei duas histórias ao jornalista, e ele vai me dar uma resposta na semana que vem – sussurrou Jo no ouvido do seu confidente.

– Um viva para a srta. March, a celebrada escritora americana! – disse Laurie, arremessando seu chapéu para cima e pegando-o de volta, para grande satisfação de dois patos, quatro gatos, cinco galinhas e meia dúzia de crianças irlandesas, pois eles agora já estavam fora da cidade.

– Pare com isso! Acho que não vai dar em nada, mas não conseguiria descansar até ter tentado, e não disse nada porque não queria que ninguém mais ficasse desapontado.

– Vai dar certo. Olha, Jo, suas histórias são obras de Shakespeare em comparação à metade do lixo que publicam hoje em dia. Não vai ser divertido vê-las impressas e não devemos ter orgulho da nossa autora?

Os olhos de Jo brilharam, pois era sempre bom receber a confiança dos seus, e o elogio de um amigo é sempre mais doce do que uma dúzia de notícias sensacionalistas.

– Qual é seu segredo? Seja justo, Teddy, ou nunca mais confiarei em você – disse ela, tentando eliminar as esperanças alimentadas por uma palavra de incentivo.

– Posso me meter em confusão por contar, mas prometi que contaria, então vou contar; só fico tranquilo quando lhe digo cada mínima novidade. Eu sei onde está a luva de Meg.

– É isso? – disse Jo, desapontada, quando Laurie assentiu e piscou o olho com uma expressão cheia de mistério.

– É o suficiente para o momento, pois você vai concordar quando eu lhe contar onde está.

– Diga, então.

Laurie curvou-se e sussurrou três palavras no ouvido de Jo, que produziram uma mudança engraçada. Ela parou e o encarou por um minuto, com uma expressão ao mesmo tempo de surpresa e descontentamento, então continuou andando, e disse, de forma direta:

– Como você sabe?

– Eu vi.

– Onde?

– Bolso.

– Todo esse tempo?

– Sim, não é romântico?

– Não, é horrível.

– Você não gosta?

– Claro que não. É ridículo e não será permitido. Santa paciência! O que Meg vai dizer?

– Você não vai contar a ninguém. Lembre-se disso.

– Eu não prometi.

– Foi o combinado e eu confiei em você.

– Bom, não vou contar agora, de qualquer forma, mas estou enojada e queria que você não tivesse me contado.

– Pensei que você ficaria feliz.

– Com a ideia de alguém levar Meg embora? Não, obrigada.

– Você vai se sentir melhor quando for a vez de levarem você embora.

– Quero ver quem vai tentar – gritou Jo ferozmente.

– Eu vou! – divertiu-se Laurie com a ideia.

– Não acho que segredos funcionem comigo; sinto-me presa em minha mente desde que você me contou – disse Jo, aborrecida.

– Vamos descer a colina correndo e você vai se sentir melhor – sugeriu Laurie.

Não havia ninguém por perto, a estrada inclinava-se, convidativa, à sua frente e, achando a tentação irresistível, Jo desatou a correr, logo deixando para trás o chapéu, o pente e espalhando grampos de cabelo enquanto corria. Laurie alcançou a linha de chegada primeiro e estava bastante satisfeito com o sucesso de sua proposta, pois sua Atalanta[29] chegou ofegante, com o cabelo esvoaçando, os olhos brilhando, as bochechas vermelhas e nenhum sinal de descontentamento em seu rosto.

– Queria ser um cavalo, assim poderia correr quilômetros nesse ar maravilhoso e não ficar cansada. Isso foi ótimo, mas veja como fiquei parecida com um menino ao correr assim. Vá, pegue minhas coisas, como o querubim que você é – disse Jo, caindo sob os pés de uma árvore de bordo que fizera do chão um carpete, com suas folhas carmesim.

Laurie partiu, despreocupado, para recolher os pertences perdidos, e Jo refez suas tranças torcendo para que ninguém passasse até que

---

29. Atalanta, personagem da mitologia grega, foi uma heroína cuja coragem e capacidades, como caçadora e corredora, eram iguais às de qualquer homem. (N. E.)

estivesse recomposta. Mas alguém passou, e era ninguém menos que Meg, com um ar particularmente refinado e sua roupa de cerimônias, pois tinha ido fazer algumas visitas.

– O que diabos você está fazendo aqui? – perguntou ela, julgando sua irmã desgrenhada com uma surpresa polida.

– Recolhendo folhas – respondeu Jo, apresentando a mão cheia de folhas rosadas que acabara de juntar.

– E grampos de cabelo – acrescentou Laurie, jogando meia dúzia deles no colo de Jo. – Eles florescem nessa estrada, Meg, assim como pentes e chapéus.

– Você estava correndo, Jo. Como pôde? Quando vai parar com esses modos escandalosos? – disse Meg em tom de reprovação, enquanto Jo ajeitava a roupa e o cabelo, os quais o vento havia tomado liberdade de bagunçar.

– Nunca até ficar dura e velha e ter que usar uma muleta. Não queira que eu cresça antes do tempo, Meg. Já é muito difícil ver você mudando tão de repente. Deixe-me ser uma garotinha pelo tempo que eu puder.

Enquanto falava, Jo curvou-se para apanhar as folhas e disfarçar os lábios tremulantes. Nos últimos tempos, vinha percebendo que Margaret estava se tornando uma mulher muito rápido, e o segredo de Laurie a fez temer pela separação que certamente viria um dia e que agora parecia tão perto. Laurie percebeu o desânimo no rosto da amiga e desviou a atenção de Meg, perguntando:

– De onde você vem tão elegante?

– Da casa dos Gardiner. Sallie estava me contando sobre o casamento de Belle Moffat. Foi maravilhoso, e eles foram passar o inverno em Paris. Imagine como deve ser encantador!

– Você a inveja, Meg? – disse Laurie.

– Acho que sim.

– Fico feliz com isso – resmungou Jo, amarrando seu chapéu.

– Por quê? – perguntou Meg, aparentando surpresa.

– Porque se você gosta tanto dos ricos, nunca irá se casar e ir embora com um homem pobre – disse Jo, franzindo o cenho e voltando-se para Laurie, que a alertava silenciosamente para tomar cuidado com o que falava.

– Eu nunca vou "me casar e ir embora" com ninguém – observou Meg, saindo com grande dignidade enquanto os outros a seguiam, rindo, cochichando, pulando sobre as pedras e "comportando-se como crianças", como ela dizia a si mesma; embora muito provavelmente teria se juntado a eles se não estivesse com seu melhor vestido.

Durante uma ou duas semanas, o comportamento de Jo estava tão estranho que suas irmãs ficaram perplexas. Ela corria para a porta quando o carteiro tocava a campainha, tratava mal o sr. Brooke sempre que se encontravam e sentava-se e olhava para Meg com uma expressão desolada, e em certas ocasiões, levantando-se abruptamente e beijando seu rosto de um jeito muito misterioso. Laurie e ela estavam sempre fazendo gestos um para ou outro e conversando sobre o jornal "Voo das Águias", até as meninas declararem que ambos tinham ficado loucos. No segundo sábado, após Jo sair escondida, Meg, que estava costurando sentada à janela, ficou escandalizada ao ver Laurie correndo atrás de Jo no jardim e, por fim, capturá-la no caramanchão de Amy. Meg não conseguiu ver o que acontecia ali, mas ouvia gargalhadas muito altas, seguidas de um sussurrar de vozes e jornais sendo agitados.

– O que vamos fazer com essa menina? Seu comportamento nunca será o de uma jovem dama – suspirou Meg, enquanto assistia à corrida, expressando desaprovação.

– Espero que não. Ela é tão engraçada e carinhosa desse jeito – disse Beth, que nunca revelou o fato de estar um pouco magoada por Jo ter segredos com outra pessoa além dela.

– É muito difícil, mas nunca vamos conseguir torná-la *comme la fo* – acrescentou Amy, que estava sentada fazendo o penteado da moda em seus cachos, algo que a fazia se sentir extraordinariamente elegante, como uma dama.

Alguns minutos depois, Jo entrou, deitou-se no sofá e começou a ler.

– Está lendo algo de interessante? – perguntou Meg, condescendente.

– Nada além de uma história que não vai me acrescentar muita coisa, eu acho – respondeu Jo, escondendo, com muito cuidado, o nome impresso no jornal.

– Por que não lê em voz alta? Isso vai nos divertir e a deixará longe de confusão – disse Amy, no seu tom mais adulto.

– Qual o nome? – disse Beth, perguntando-se por que Jo mantinha o rosto por trás da folha.

– "Os Pintores Rivais".

– Parece bom, leia – disse Meg.

Jo, então, após pigarrear alto, tomou fôlego e começou a ler muito rápido. As meninas escutaram com interesse, pois o conto era romântico e, de alguma forma, patético; afinal; a maioria dos personagens morriam no fim.

– Gostei da parte sobre a esplêndida pintura – foi o comentário de aprovação que Amy fez quando Jo parou.

– Prefiro a parte romântica. Viola e Angelo são dois dos nossos nomes favoritos, não é estranho isso? – disse Meg, enxugando os olhos, pois a parte romântica era também trágica.

– Quem escreveu? – perguntou Beth, que observou de relance o rosto de Jo.

Jogando o jornal para o lado, a leitora levantou-se rapidamente, mostrou sua face séria e ruborizada e, com um misto engraçado de solenidade e animação, respondeu em voz alta:

– Sua irmã.

– Você? – ssurpreendeu-se Meg, largando a costura.

– É muito bom – disse Amy, criticamente.

– Eu sabia! Eu sabia! Oh, minha Jo, estou tão orgulhosa! – e Beth correu para abraçar a irmã e exultar aquele esplêndido sucesso.

Meu Deus, como estavam felizes! Meg não acreditou até ela mesma ler. "Srta. Josephine March" realmente estava impresso no papel. Amy criticou com carinho as partes artísticas da história e deu dicas para uma sequência, que infelizmente não poderiam ser implementadas, pois o herói e a heroína estavam mortos. Beth ficou empolgada e cantou com alegria. Hannah entrou e exclamou: – Santa Mãe! – de tão impressionada que estava com "essa proeza de Jo". A sra. March ficou muito orgulhosa quando soube. Jo ria, com lágrimas nos olhos, quando a mãe declarou que ela poderia ficar vaidosa como um pavão. Podia-se dizer que o "Voo das Águias" acontecia triunfantemente sobre a casa das March, enquanto o papel passava de mão em mão.

– Conte como foi. – Quando chegou? – Quanto você vai receber por isso? – O que papai vai achar? – Laurie não vai rir? – perguntava a família, todas ao mesmo tempo em volta de Jo, pois essas pessoas inocentes e apaixonadas faziam festa para qualquer alegriazinha doméstica.

– Parem de tagarelar, meninas, vou contar tudo – disse Jo, imaginando se a srta. Burney sentiu-se tão importante com seu *Evelina*[30] como ela se sentia com seu "Os Pintores Rivais". Após contar como havia entregado os contos, Jo acrescentou: – E quando voltei lá para receber a resposta, o homem disse que gostou de ambos, mas que não remunerava iniciantes, apenas imprimia as obras em seu jornal e noticiava sobre elas. Era uma boa prática, ele disse, e quando os iniciantes melhorassem, qualquer um pagaria. Então, deixei que ficasse com as duas histórias e hoje recebi esta. Laurie me pegou com o jornal e insistiu para ver o que era, eu deixei. Disse que estava boa e devo escrever mais; ele vai fazer com que na próxima haja dinheiro. Estou tão feliz, pois logo vou poder me sustentar e ajudar minhas meninas.

O fôlego de Jo acabou aqui e, enrolando a cabeça com o jornal, molhou seu conto com lágrimas esperadas, pois ser independente e receber os elogios de quem amava eram seus maiores desejos, e aquele parecia ser o primeiro passo em direção a um final feliz.

## Um telegrama

– Novembro é o mês mais desagradável do ano – disse Margaret, parada na janela em uma tarde monótona, olhando para o jardim congelado.

– Por isso que nasci nele – observou Jo, pensativa, totalmente alheia à mancha que havia em seu nariz.

– Se algo muito agradável acontecer agora, devemos pensar que é um mês magnífico – disse Beth, que sempre via o lado bom das coisas, mesmo em novembro.

– Acho que sim, mas nada de prazeroso jamais acontece nesta família – disse Meg, que estava aborrecida. – Todo dia é a mesma coisa: trabalhamos muito e nos divertimos pouco. Parece uma esteira.

---

30. Romance da escritora Frances 'Fanny' Burney (1752-1840), uma das romancistas inglesas mais populares do final do século XVIII. (N. E.)

– Santa paciência, como você está melancólica – disse Jo. – Não me admira, coitadinha; afinal, você vê as outras meninas se divertindo, enquanto você se mata de trabalhar, ano após ano. Oh, como eu queria poder resolver sua vida, como faço com a das minhas heroínas! Você já é bonita e boa o suficiente, então, eu arranjaria um parente rico que lhe deixasse uma herança inesperada. E, como herdeira, você desprezaria todos que um dia a menosprezaram, viajaria para o exterior e voltaria como Senhora Alguma Coisa, com um brilho de esplendor e elegância.

– Hoje em dia, as pessoas não recebem heranças assim; os homens têm que trabalhar e as mulheres casam por dinheiro. É um mundo horrível e injusto – disse Meg com amargura.

– Jo e eu faremos fortunas para todas. Espere só uns dez anos para ver se não conseguimos – disse Amy, que estava sentada em um canto fazendo tortas de argila, como Hannah chamava seus moldes de pássaros, frutas e rostos.

– Não posso esperar, e acho que não tenho muita fé em tinta e sujeira, embora seja grata por suas boas intenções.

Meg suspirou e virou-se novamente para o jardim congelado. Jo gemeu e apoiou os cotovelos na mesa em uma atitude desolada, mas Amy continuou, concentrada, o que fazia, e Beth, que estava sentada à outra janela, disse, sorrindo:

– Duas coisas agradáveis estão para acontecer agora. Mamãe está chegando e Laurie está no jardim como se tivesse algo bom para contar.

Quando ambos chegaram, a sra. March fez a pergunta de costume:

– Alguma carta do papai, meninas?

E Laurie disse, com seu jeito persuasivo:

– Quem quer dar um passeio? Estudei tanto matemática que minha cabeça ficou embaralhada, vou sair para espairecer um pouco. O dia está monótono, mas o clima está bom e vou levar Brooke para casa, então vai ser animado lá dentro da carruagem, mesmo que não esteja do lado de fora. Vamos, Jo, você e Beth vão, não é?

– Claro que iremos.

– Muito obrigada, mas estou ocupada – e Meg pegou sua cesta de trabalho, pois havia combinado com a mãe de que era melhor, para ela, pelo menos, não passar tanto tempo com um jovem rapaz.

– Nós três ficaremos prontas em um minuto – disse Amy, saindo apressada para lavar as mãos.

– Posso fazer algo pela senhora, Madame Mamãe? – perguntou Laurie, inclinando-se sobre a poltrona da sra. March com o olhar e o tom afetuoso de sempre.

– Não, obrigada, apenas passe pelo correio, se puder. É nosso dia de receber correspondência, e o carteiro não veio. Papai é pontual como o sol, mas deve ter havido algum atraso no caminho.

Um som agudo a interrompeu e um minuto depois Hannah entrou com uma carta.

– É uma daquelas coisas horríveis de telégrafo – disse ela, entregando a correspondência como se estivesse com medo de que explodisse e fizesse algum estrago.

Ao ouvir a palavra "telégrafo", a sra. March foi arrebatada, leu as duas linhas que continham no telegrama e, pálida, encostou-se na cadeira, como se aquele pequeno papel tivesse disparado uma bala em seu coração. Laurie foi buscar água, enquanto Meg e Hannah a ajudavam e Jo lia em voz alta, com uma voz terrivelmente assustada:

Sra. March,
Seu marido está muito doente. Venha o quanto antes.
S. HALE
Blank Hospital, Washington.

Todos ficaram imóveis e com a respiração pausada ao ouvirem; o dia escureceu-se estranhamente e, de repente, o mundo pareceu mudar, à medida que as meninas se posicionavam em volta da mãe, sentindo como se toda a alegria e o apoio de suas vidas estivessem prestes a ser arrancados delas.

A sra. March voltou a si novamente, leu a mensagem e esticou os braços para as filhas, dizendo, em um tom que nunca esqueceram:

– Tenho que ir logo, mas talvez seja muito tarde. Oh, minhas filhas, ajudem-me a suportar isso!

Durante vários minutos não se ouvia nada além dos soluços na sala, misturados com os fragmentos de palavras de conforto, ternas garantias de ajuda e sussurros esperançosos que se esvaíam em lágrimas. A pobre Hannah foi a primeira a se recuperar e, com uma sabedoria inconsciente, deu o exemplo às outras, pois para ela o trabalho era a solução para a maioria das aflições.

– Que o Senhor o mantenha vivo! Não vou perder tempo chorando, arrume suas coisas e vá logo, senhora – disse ela docemente, enquanto enxugava as lágrimas no avental; depois, apertou com carinho a mão da sua patroa e foi trabalhar como se fosse três mulheres em uma.

– Ela está certa: não há tempo para lágrimas agora. Acalmem-se, meninas, e deixem-me pensar.

As pobrezinhas tentaram manter a calma. A sra. March sentou-se reta, pálida, mas firme, e deixou seu lamento de lado para pensar em um plano para elas.

– Onde está Laurie? – perguntou, após organizar os pensamentos e decidir quais eram as primeiras atitudes a serem tomadas.

– Aqui, senhora. Oh, deixe-me ajudá-la! – disse o menino, vindo da sala ao lado, mais branco do que quando havia saído, sentindo que aquela tristeza era muito sagrada até para seus olhos amigáveis.

– Envie um telegrama dizendo que irei imediatamente. O próximo trem passa amanhã de manhã. Vou nele.

– O que mais? Os cavalos estão prontos. Posso ir a qualquer lugar e fazer qualquer coisa – disse ele, pronto para ir até o fim do mundo.

– Deixe um recado na casa da tia March. Jo, pegue papel e caneta.

Rasgando a parte em branco de uma das suas páginas recém-copiadas, Jo arrastou a mesa para junto da mãe, sabendo que o dinheiro para a longa e triste viagem seria tomado emprestado e sentindo que, pelo seu pai, faria o que fosse preciso para acrescentar um pouco àquela soma.

– Agora, vá, querido, mas não cause nenhum acidente dirigindo muito rápido. Não há necessidade.

O aviso da sra. March foi evidentemente ignorado, pois, cinco minutos depois, Laurie passava pela janela com sua tropa de cavalos, conduzindo-os como se sua vida dependesse disso.

— Jo, diga à sra. King que não poderei ir. No caminho, traga estas coisas que anotarei. Elas serão necessárias, pois preciso ir preparada para trabalhar como enfermeira. Os materiais do hospital nem sempre são bons. Beth, peça ao sr. Laurence algumas garrafas de vinho velho. Não me envergonho de implorar pelo seu pai. Ele merece o melhor. Amy, diga a Hannah para descer o baú preto, e Meg, ajude-me a encontrar minhas coisas, pois estou um pouco perturbada.

Escrever, pensar e orientar ao mesmo tempo pode ter atordoado a pobre senhora, por isso Meg pediu para que se sentasse um pouco em seu quarto e que as deixasse trabalhar. Todas se espalharam como folhas frente a uma rajada de vento, e a casa tranquila e feliz foi repentinamente desestabilizada, como se o telegrama fosse um feitiço maldito.

O sr. Laurence voltou apressado com Beth, trazendo para o inválido todo o conforto possível que o velho senhor bondoso pôde pensar, além de promessas amistosas de proteção para as meninas durante a ausência da mãe, o que acalmou bastante a sra. March. Ele ofereceu tudo, desde sua própria roupa até escolta pessoal. Mas não seria possível. A sra. March não aceitaria submeter o velho senhor a uma longa viagem, embora uma expressão de alívio fosse perceptível quando ele fez a oferta, afinal uma companhia seria ótimo para atenuar a ansiedade da viagem. Ele percebeu essa expressão, franziu as sobrancelhas, esfregou as mãos e saiu de repente, dizendo que voltaria em breve. Ninguém teve tempo de pensar nele de novo, até que Meg entrou, apressada, com um par de galochas em uma mão e uma xícara de chá na outra e deu de cara com o sr. Brooke.

— Lamento muito por ouvir isso, srta. March — disse ele, em um tom gentil e tranquilo, que soou muito agradável ao espírito perturbado da moça. — Vim me oferecer para acompanhar sua mãe. Tenho negócios a resolver para o sr. Laurence em Washington e será um verdadeiro prazer estar a serviço dela lá.

Ela deixou cair as galochas, e o chá estava perto de ter o mesmo destino quando Meg deu-lhe a mão com um semblante de tanta gratidão que o sr. Brooke sentiu-se recompensado duplamente, por um sacrifício muito maior do que o que estava prestes a cumprir.

– Como você é bom! Mamãe vai aceitar, tenho certeza, e será um alívio saber que ela terá alguém para tomar conta dela. Muito, muito obrigada!

Meg falou com sinceridade e esqueceu-se totalmente de si própria até algo nos olhos castanhos que a admiravam a fazer se lembrar do chá que esfriava. Ela conduziu o sr. Brooke até a sala, dizendo que iria chamar sua mãe.

Tudo estava organizado quando Laurie voltou com um bilhete da tia March embalando o dinheiro necessário e algumas linhas repetindo o que ela sempre dizia: era um absurdo March ir para o exército, que nunca esperou nada de bom resultante disso e esperava ter seus conselhos ouvidos da próxima vez. A sra. March jogou o bilhete no fogo, colocou o dinheiro na bolsa e continuou com os preparativos, tendo os lábios apertados de um jeito que Jo entenderia se estivesse ali.

A curta tarde logo chegou ao fim. Todas as outras tarefas foram realizadas: Meg e sua mãe ocuparam-se com alguns trabalhos de costura, enquanto Beth e Amy tomavam chá e Hannah terminava de passar roupa com o que chamava de "um tapa e uma porrada", mas Jo ainda não voltara. Começaram a ficar aflitas, e Laurie foi procurá-la, pois ninguém sabia o que a maluca da Jo tinha na cabeça. Não a encontrou; no entanto, ela, enfim, retornou, andando com uma expressão muito estranha, uma mistura de diversão e medo, satisfação e arrependimento, que confundiu a família tanto quanto o maço de notas que ela colocou diante da mãe, dizendo, com a voz trêmula:

– Aqui está minha contribuição para que papai fique confortável e volte para casa!

– Minha querida, onde você conseguiu esse dinheiro? Vinte e cinco dólares! Jo, espero que não tenha feito nada imprudente.

– Não, ganhei-o honestamente. Não pedi esmola, nem emprestado, nem roubei. Eu mereci e não acho que você vá me culpar, pois só vendi o que era meu.

Enquanto falava, Jo tirou o chapéu e um clamor generalizado seguiu, pois seu farto cabelo fora cortado.

– Seu cabelo! Seu lindo cabelo!

– Oh, Jo, como pôde? Era sua beleza.

– Minha menina querida, não havia necessidade.

– Ela não parece mais a minha Jo, mas eu a amo muito por ter feito isso!

Enquanto todas falavam e Beth abraçava-lhe a cabeça com ternura, Jo assumiu um ar de indiferença, que não enganou ninguém, e amassando a "moita" castanha em sua cabeça e tentando transparecer que havia gostado do resultado, disse:

– Isso não afeta o destino da nação, Beth, então não precisa lamentar. Vai ser bom para minha vaidade, eu estava ficando muito orgulhosa da minha cabeleira. Vai fazer bem para meu cérebro ficar sem aquele esfregão em cima dele. Sinto minha cabeça deliciosamente leve e fresca, e o barbeiro disse que eu logo terei cachos, como os de um menino, portanto, fácil de manter arrumado. Estou satisfeita, então, por favor, pegue o dinheiro e vamos jantar.

– Conte-nos tudo. Não estou satisfeita, mas não posso condená-la, pois sei que sacrificou sua vaidade, como você mesma diz, de boa vontade, por amor-próprio. Contudo, minha querida, não era necessário; tenho medo de que se arrependa mais cedo ou mais tarde – disse a sra. March.

– Não vou me arrepender! – respondeu Jo com firmeza, sentindo-se muito aliviada por sua atitude não ter sido totalmente condenada.

– Como decidiu sobre isso? – perguntou Amy, que cortaria a própria cabeça antes de cortar seus lindos cabelos.

– Bom, queria muito fazer algo pelo papai – respondeu Jo, enquanto se reuniam ao redor da mesa, pois os jovens conseguem comer mesmo quando têm problemas. – Assim como a mamãe, detesto pedir dinheiro emprestado, e eu sabia que a tia March iria reclamar, como ela sempre faz, mesmo se você pedir apenas um centavo. Meg usou todo o seu salário para pagar o aluguel, enquanto eu comprei algumas roupas. Senti-me insensível e precisava conseguir algum dinheiro, mesmo que eu tivesse de vender meu nariz para isso.

– Você não é insensível, minha filha! Você não tinha nada para passar o inverno e comprou o que havia de mais simples, com seu suado dinheiro – disse a sra. March com um olhar que aqueceu o coração de Jo.

— A princípio, não pensei em vender meu cabelo; e enquanto caminhava, fiquei matutando sobre o que poderia fazer, cheguei a sentir vontade de invadir uma dessas lojas de rico para roubar. Então, na vitrine de um barbeiro, vi algumas cabeleiras marcadas com preços, e uma delas, preta, que não era tão espessa como a minha, custava quarenta dólares. Na hora me dei conta que eu tinha de onde tirar dinheiro e, sem pensar, entrei, perguntei se compravam cabelo e quanto pagariam pelo meu.

— Não consigo conceber como você conseguiu fazer isso — disse Beth em tom de respeito.

— Oh, ele era um homenzinho que parecia viver apenas para passar óleo no cabelo. Primeiro ficou me olhando, como se não estivesse acostumado a ter meninas entrando em sua barbearia pedindo para que lhe comprassem o cabelo. Disse que não tinha gostado muito do meu, que não era da cor da moda, que não pagaria muito por ele, "O trabalho que isso vai dar para ficar bonito...", e assim por diante. Estava ficando tarde, e veio um receio de que se ele não cortasse meu cabelo logo, eu perderia a coragem, e vocês sabem que odeio desistir de algo que já comecei a fazer. Então, eu implorei para que ficasse com o cabelo e expliquei por que estava com tanta pressa. Fui tola, talvez, mas ele mudou de ideia, pois eu me empolguei e contei a história totalmente fora de ordem. Sua esposa ouviu e disse, gentilmente:

— Corte, Thomas, e agradeça à jovem. Eu faria o mesmo pelo nosso Jimmy se meu cabelo valesse alguma coisa.

— Quem é Jimmy? — perguntou Amy, que gostava das coisas explicadas com detalhes.

— O filho deles, que estava no exército. Como certas coisas fazem com que estranhos sejam amigáveis, não é? Ela conversou comigo durante todo o tempo em que o homem fazia o trabalho, o que foi uma boa distração.

— Você não se sentiu mal quando veio o primeiro corte? — perguntou Meg, com um calafrio.

— Olhei meus cabelos pela última vez enquanto o homem guardava seus instrumentos e dei o assunto por encerrado. Nunca choramingo por coisas insignificantes. Contudo, confesso que achei estranho ver meu querido cabelo naquela mesa e sentir apenas as pontas duras na minha cabeça. Senti quase como se tivesse arrancado um braço ou uma perna. A mulher me viu olhando para os cabelos e pegou uma longa mecha para que eu guardasse. Vou dar à senhora, mamãe, como uma lembrança das glórias passadas, pois me sinto tão confortável; acho que nunca mais terei cabelos longos.

A sra. March dobrou a mecha castanha ondulada e guardou-a junto com uma outra, pequena e grisalha, em sua escrivaninha. E disse apenas:
– Obrigada, querida. – Mas algo em seu semblante fez com que as meninas mudassem de assunto e conversassem o mais animadamente possível sobre a gentileza do sr. Brooke, a perspectiva de que o dia seguinte fosse bom e os momentos felizes que teriam quando o pai voltasse para ser cuidado em casa.

Ninguém quis ir para a cama quando, às dez da noite, a sra. March deu por encerrado o trabalho e disse:
– Vamos, meninas.

Beth foi para o piano e tocou o hino preferido do pai. Todas começaram a cantar com muito entusiamo, mas foram parando uma a uma até Beth ficar sozinha, cantando com todo o seu coração, pois a música sempre fora um doce consolo.

– Vão para a cama e não conversem, pois temos que nos levantar cedo e, por isso, precisamos de todo o sono possível. Boa noite, minhas queridas – disse a sra. March ao final do hino, pois ninguém se atreveu a cantar outro.

Tranquilamente, elas a beijaram e foram para a cama quietas, como se o querido enfermo dormisse no quarto ao lado. Beth e Amy logo adormeceram, apesar da grande comoção, mas Meg ficou acordada, com os mais sérios pensamentos que tivera em toda sua curta vida. Jo ficou estática e sua irmã achou que estivesse dormindo até que um soluço reprimido a fez exclamar, ao tocar o rosto úmido:

– Jo, querida, o que aconteceu? Está chorando por causa do papai?
– Não, agora não.
– O que foi, então?

– Meu... Meu cabelo! – desatou a chorar a pobre Jo, tentando, em vão, atenuar sua emoção no travesseiro.

Aquilo não pareceu nada engraçado para Meg, e ela beijou e acariciou a aflita heroína do jeito mais terno que podia.

– Não estou arrependida – protestou Jo, com um soluço. – Faria o mesmo amanhã, se pudesse. É só minha vaidade que me faz chorar desse jeito. Não diga a ninguém, já passou. Pensei que estivesse dormindo, então fiz um pequeno lamento privado por minha única beleza. Por que você está acordada?

– Não consigo dormir, estou muito ansiosa – disse Meg.

– Pense em algo agradável e o sono logo virá.

– Eu tentei, mas me senti mais desperta do que nunca.

– Em que você estava pensando?

– Rostos bonitos... olhos, particularmente – respondeu Meg, sorrindo para si mesma no escuro.

– Qual sua cor de olhos preferida?

– Castanhos; quer dizer, às vezes. Os azuis são lindos.

Jo riu, e Meg, severa, ordenou para que não falasse; então, prometeu amigavelmente cachear o cabelo dela, depois pegou no sono para sonhar que morava em seu castelo de areia.

Os relógios batiam meia-noite e os quartos estavam muito calmos quando uma figura deslizou, tranquila, de cama em cama, acariciando um cobertor aqui, ajeitando um travesseiro ali e parando para olhar longa e ternamente cada face adormecida, beijar cada uma com lábios que abençoavam em silêncio e rezar orações fervorosas que só as mães sabiam. Quando a sra. March levantou a cortina para olhar a noite sombria, a lua surgiu, repentina, por trás das nuvens e derramou seu brilho sobre ela como uma face brilhante e benigna, que pareceu sussurrar no silêncio: "Acalme-se, alma querida! Sempre há luz por trás das nuvens".

# Cartas

No início da manhã fria e cinza, as irmãs acenderam a luminária e leram seus capítulos com uma seriedade que nunca tiveram antes. Agora que a sombra de um problema real se fazia presente, os livrinhos estavam cheios de ajuda e conforto e, na hora em que se vestiam, todas concordaram em se despedir da sra. March com alegria e esperança, enviando-a para sua aflita jornada sem a tristeza de lágrimas ou lamentos. Tudo parecia muito estranho quando desceram: o dia tão quieto e escuro lá fora, enquanto lá dentro abundava luz e vida. Era estranho o café da manhã ser servido tão cedo e o rosto familiar de Hannah não parecia natural quando saiu da cozinha, ainda com sua touca de dormir. O grande baú estava pronto na sala, a capa e o chapéu da mamãe em cima do sofá e ela sentada, tentando comer, mas tão pálida e desgastada de sono e preocupação que as meninas acharam muito difícil cumprir o combinado. Os olhos de Meg encheram-se de lágrimas, embora tivesse tentado evitar; Jo obrigou-se a esconder o rosto mais de uma vez; e as meninas mais novas estavam com uma expressão grave e perturbada, como se a tristeza fosse uma nova experiência para elas.

Ninguém falou muito; como o tempo passava rápido e elas estavam sentadas esperando o carro, a sra. March disse às filhas, que se ocupavam em fazer algo por ela, uma dobrando seu xale, a outra amaciando as fitas do chapéu, uma terceira calçando-lhe as galochas e a quarta fechando sua mala:

– Meninas, deixo vocês aos cuidados de Hannah e sob a proteção do senhor Laurence. Hannah é a própria confiança em pessoa, e nosso bom vizinho irá protegê-las como se fossem suas próprias filhas. Não temo por vocês, embora me preocupe com a maneira como vocês vão lidar com esse problema. Não lamentem nem se aflijam quando eu partir; nem pensem que podem se confortar ficando alheias e tentando esquecer. Continuem com o trabalho como de costume, pois ele é um consolo abençoado. Tenham esperança e mantenham-se ocupadas e, aconteça o que acontecer, lembrem-se de que você nunca ficarão sem pai.

– Sim, mamãe.

– Meg, querida, seja prudente, cuide das suas irmãs, consulte Hannah e, no caso de qualquer complicação, recorra ao sr. Laurence. Jo, seja paciente, não fique triste ou tome atitudes impulsivas, escreva para mim com frequência e seja minha garotinha corajosa, pronta para ajudar e alegrar a todos. Beth, conforte-se com sua música e cumpra seus pequenos afazeres domésticos; e você, Amy, ajude todos que puder, seja obediente e fique feliz na segurança da sua casa.

– Sim, mamãe! Faremos isso!

O barulho da carruagem que se aproximava fez todas prestarem atenção. Era chegada a hora mais difícil, e as meninas portaram-se bem. Nenhuma chorou, nenhuma fugiu ou lamentou, embora seus corações estivessem muito pesados ao enviarem mensagens calorosas ao pai, lembrando-se, enquanto falavam, de que já poderia ser tarde demais para que estas fossem entregues. Beijaram a mãe com calma, abraçaram-na com ternura e tentaram acenar alegremente quando ela partiu.

Laurie e o avô também saíram para se despedir, e o sr. Brooke parecia tão forte, sensível e bondoso que as meninas logo o batizaram de "Sr. Bom Coração".

– Adeus, minhas queridas! Deus as abençoe e proteja! – sussurrou a sra. March ao beijar o rosto de cada uma, apressando-se para entrar na carruagem.

À medida que a carruagem se afastava, o sol aparecia e, olhando para trás, ela viu a luz que se derramava sobre o grupo no portão como um bom presságio. As meninas também viram, sorriram e acenaram, e a última coisa que ela contemplou quando virou a esquina foram os quatro rostos iluminados e, atrás delas, como se fossem guarda-costas, o velho sr. Laurence, a leal Hannah e o devotado Laurie.

– Como são todos bons conosco! – disse ela, virando-se para encontrar uma prova viva disso na respeitosa simpatia do jovem sr. Brooke.

— Não vejo como poderia ser de outra forma – retornou o rapaz, sorrindo de forma tão contagiante que a sra. March não conteve o próprio sorriso. Então a jornada começou com o bom presságio da luz do sol, dos risos e das palavras cordiais.

— Sinto como se tivesse acontecido um terremoto – disse Jo, quando seus vizinhos foram para casa tomar café da manhã, deixando-as descansarem e se acalmarem.

— Parece que metade da casa foi embora – acrescentou Meg, desapontada.

Beth abriu a boca para dizer algo, mas só conseguiu apontar para a pilha de meias caprichosamente remendadas que jazia sobre a mesa da mamãe, mostrando que, mesmo nos últimos momentos de pressa, ela havia pensado e trabalhado para elas. Era algo pequeno, mas acertou em cheio seus corações e, apesar das suas corajosas resoluções, todas desataram em um choro amargo.

Hannah com sua sabedoria deixou que elas aliviassem os sentimentos e, quando o pranto dava sinais de acabar, foi ao socorro delas, armada com uma cafeteira.

— Agora, minhas queridas meninas, lembrem-se do que sua mãe disse e não se preocupem. Venham tomar uma xícara de café e depois vamos trabalhar pela dignidade da família.

O café era um presente carinhoso, e Hannah demonstrou imenso tato ao fazê-lo naquela manhã. Ninguém poderia resistir aos seus gestos persuasivos ou ao convite aromático que saía do bico da cafeteira. Sentaram-se à mesa, trocaram seus lenços por guardanapos e, em dez minutos, tudo estava bem novamente.

— "Tenham esperança e mantenham-se ocupadas", esse é nosso lema; vamos ver quem melhor vai se lembrar dele. Eu vou para a casa da tia March, como de costume. Oh, já imagino o sermão! – disse Jo, tomando um gole e com o espírito revigorado.

— Eu vou para os King, embora preferisse ficar em casa e cuidar das coisas aqui – disse Meg, desejando que seus olhos não estivessem tão vermelhos.

– Não é preciso. Beth e eu podemos cuidar da casa perfeitamente – disse Amy, com ar de importância.

– Hannah vai nos dizer o que fazer e tudo vai estar em ordem quando você voltar – acrescentou Beth, pegando um esfregão e uma bacia sem demora.

– Acho a ansiedade muito interessante – observou Amy, comendo açúcar pensativamente.

As meninas não contiveram o riso e se sentiram melhor com isso, embora Meg balançasse a cabeça para a jovem que encontrou consolo em uma tigela de açúcar.

A visão dos folhados fez Jo ficar séria novamente; e quando ela e Meg saíram para suas tarefas diárias, voltaram-se com tristeza para olhar a janela na qual costumavam ver o rosto da mãe. Não estava lá, mas Beth lembrou-se da pequena cerimônia doméstica e ficou no lugar da mãe, acenando para elas como uma boneca chinesa de porcelana.

– Isso é típico da Beth! – disse Jo, respondendo ao aceno com o chapéu e um rosto grato. – Tchau, Meggy, espero que os King estejam calmos hoje. Não se preocupe com o papai, querida – acrescentou ela, quando se separaram.

– E espero que a tia March não reclame. Seu cabelo está nascendo e está meio masculino e bonito – respondeu Meg, tentando não rir da cabeça encaracolada que parecia muito pequena sobre os ombros altos da irmã.

– Esse é meu único conforto – e, tocando seu chapéu à la Laurie, Jo se foi, sentindo-se como uma ovelha tosquiada em um dia de inverno.

As notícias sobre o pai confortaram bastante as meninas; embora ele estivesse gravemente doente, a presença da melhor e mais terna enfermeira já lhe tinha feito bem. O sr. Brooke enviava boletins diários e, como chefe da família, Meg insistia em ler os despachos, que ficavam mais animadores à medida que as semanas passavam. No início, todas estavam ansiosas para escrever e envelopes cheios eram cuidadosamente enfiados na caixa de correio por uma ou outra irmã; sentiam-se importantes com suas correspondência para Washington. Como todos esses pacotes continham notas características do grupo, vamos roubar um correio imaginário e lê-lo:

*Querida mamãe,*
*É impossível descrever o quanto sua última carta nos deixou feliz, pois as notícias eram tão boas que nos fizeram rir e chorar ao lê-las. Como o sr. Brooke é gentil e que sorte que os negócios do sr. Laurence podem mantê-lo aí perto da senhora por tanto tempo, já que ele é tão útil para você e o papai. As meninas estão ótimas. Jo me ajuda a costurar e insiste em fazer todo tipo de trabalho pesado; teria receio de que ela se sobrecarregasse, mas sei que esse impulso não vai durar muito tempo. Beth é regular como um relógio ao fazer suas tarefas e nunca se esquece do que a senhora lhe disse; ela lamenta pelo papai e parece sempre séria, com exceção de quando está tocando seu pianinho. Amy se importa comigo com carinho e eu cuido bem dela. Ela se encarrega do seu próprio cabelo e eu a estou ensinando a fazer casas de botão e a remendar meias. Ela se esforça bastante, e eu sei que a senhora ficará contente em ver evolução dela quando chegar. O sr. Laurence nos protege como uma velha galinha maternal, como Jo diz, e Laurie é muito gentil e atencioso. Ele e Jo nos alegram, pois ficamos bem tristes às vezes; sentimos como se fôssemos órfãs, com você tão longe. Hannah é uma santa. Ela nunca recrimina e sempre me chama de srta. Margaret, o que é bastante adequado, você sabe, e me trata com respeito. Estamos todas bem e ocupadas, mas desejamos, dia e noite, ter a senhora de volta. Meu mais sincero amor ao papai e, acredite, da sempre sua...*
*MEG*

Essa carta, lindamente escrita em papel perfumado, era o oposta da seguinte, que foi rabiscada em uma grande folha de papel fino, ornamentada com manchas e toda sorte de floreios e letras enfeitadas.

*Minha preciosa mamãe,*

Três vivas ao querido papai! Brooke foi um bom amigo ao telegrafar assim que chegou e nos dizer que o papai estava melhor. Corri para o sótão quando recebemos a carta e tentei agradecer a Deus por ser tão bom para nós, mas eu só conseguia chorar e dizer: "Estou feliz! Estou feliz!". Isso serve como uma oração normal? Afinal, eu disse isso do fundo do coração. Temos momentos engraçados por aqui e agora posso aproveitá-los, pois todos estão desesperadamente bem, e é como se morássemos em um ninho de rolinhas. Você iria rir ao ver Meg na cabeceira da mesa, tentando ser toda maternal. Ela fica mais bonita a cada dia e me encanto por ela, às vezes. As crianças são os arcanjos de sempre e eu... bem, eu sou a Jo e nunca vou ser nada além disso. Oh, devo dizer-lhe que quase me indispus com Laurie. Tomei a liberdade de contar-lhe uma bobagem, e ele ficou ofendido. Eu estava certa, mas não me expressei bem e ele foi para casa dizendo que não voltaria até eu pedir desculpas. Neguei e fiquei furiosa.

Durou um dia. Senti-me mal e desejei muito que a senhora estivesse aqui. Laurie e eu somos muito orgulhosos, é difícil pedir desculpas. Achei que ele pediria, pois eu estava certa. Ele não pediu e só à noite me lembrei do que a senhora me disse quando Amy caiu no rio. Li meu livrinho, senti-me melhor, resolvi não deixar o sol se pôr em minha raiva e corri para pedir desculpas a Laurie. Encontrei-o no portão, vindo à minha procura para dizer o mesmo. Ambos rimos, pedimos desculpas um ao outro e nos sentimos bem e confortáveis novamente.

Escrevi um "poeminha" ontem, enquanto ajudava Hannah na limpeza e, como papai gosta das minhas bobagens, escrevo-o, em seguida, para que se divirta. Dê a ele meu abraço mais apertado e receba uma dúzia de beijos da sua...

DESLEIXADA JO

## UMA CANÇÃO DA ESPUMA DE SABÃO

Rainha da minha pia, eu canto contente,
Enquanto a espuma branca aumentar,

## Louisa May Alcott

Enxaguo e torço com as mãos e a mente
E abotoo as roupas para secar.
Depois no ar fresco, sob o céu forte e quente,
Elas vão balançar.
Queria poder tirar dos nossos corações e almas
As manchas da semana que tivemos
E deixar a água e o ar, com sua mágica
Nos deixar puras como queremos.
Então na terra haveria sim
Um glorioso dia de lavagem ao menos!

Ao longo do caminho de uma vida útil,
Florescerá para sempre a paz.
A mente ocupada não tem tempo para pensar
Em tristeza ou trevas mais
E os pensamentos ansiosos devem ser varridos,
Com a vassoura que nossa mão traz

Estou feliz por ter recebido a tarefa
De trabalhar dia após dia,
Pois me dá saúde, força e esperança
E aprendo alegremente uma melodia:
"Cabeça, pode pensar, Coração, pode sentir,
Mas, Mãos, trabalhem sem covardia!"

*Querida mamãe,*
*Só há espaço para eu enviar meu amor e alguns amores--perfeitos amassados que guardei para o papai ver. Eu leio todas as manhãs, tento ser boazinha o dia inteiro e canto para mim mesma até dormir, como o papai fazia. Não consigo mais cantar "Terra do fiel" porque choro. Todas estão sendo muito carinhosas e estamos felizes como podemos estar sem você. Amy quer o resto da página, então devo parar. Não me esqueci de cobrir os suportes, dou corda no relógio e arejo os quartos todos os dias.*

*Beije o papai na bochecha que ele diz ser minha. Oh, volte logo para sua amada...*
BETHZINHA

*Ma chère mamma,*
*Estamos todas bem e faço minhas lições sempre e nunca contrário as meninas... Meg diz que o que quero dizer é "contrario", então, escrevo aqui as duas palavras para você escolher a mais adequada. Meg é um grande conforto para mim e me deixa comer geleia toda noite na hora do chá ela é tão boa para mim Jo diz que é para manter meu humor adoçado. Laurie não é respeitoso como deveria ser e agora que estou quase na adolescência, ele me chama de menininha e me entristece ao falar francês comigo muito rápido quando digo merci ou bonjour como Hattie King. As mangas do meu vestido azul estão desgastadas, e Meg costurou novas, mas toda a parte da frente ficou errada e elas ficaram mais azuis do que o resto do vestido. Fiquei triste mas não se preocupe pois lido bem com meus problemas mas queria que Hannah pusesse mais goma nos meus aventais e fizesse bolos de trigo todo dia. Ela pode? Não coloquei o ponto de interrogação bem? Meg diz que minha pontuação e minha ortografia são ruins e fico aflita, mas meu deus tenho tanta coisa para fazer, não posso parar. Adieu, mando um monte de amor ao papai. Sua filha afetuosa...*
AMY CURTIS MARCH

*Cara sra. March,*
*Escrevo estas linhas para dar notícias. As meninas são espertas e muito inteligentes. A srta. Meg vai se tornar uma boa dona de casa. Ela gosta disso e aprende tudo surpreendentemente rápido. Jo faz tudo para passar na frente, ela não para e nunca sabemos onde ela está aprontando. Lavou uma bacia de roupas segunda-feira, mas as engomou antes de torcê-las e manchou de azul um vestido rosa. Eu pensei que ia morrer de rir. Beth é uma criaturinha linda e me ajuda muito, sendo proativa e confiável. Ela tenta aprender tudo*

e vai ao mercado, apesar da idade; também faz contas com minha ajuda... é maravilhosa. Temos feito bastante economia até agora. Só as deixo tomar café uma vez por semana, como a senhora deseja, e as mantenho saudáveis. Amy não se preocupa com nada, usando suas melhores roupas e comendo doces. O sr. Laurie está brincalhão como sempre e vira a casa de cabeça para baixo com frequência, mas ele gosta das meninas, então deixo que brinquem à vontade. O velho senhor manda várias coisas. Meu pão está crescendo, não tenho mais tempo para escrever. Meus cumprimentos ao sr. March e espero que esteja se recuperando da pneumonia. Respeitosamente,
Hannah Mullet

*Enfermeira Chefe da Ala nº 2,*
Tudo calmo no Rappahannock[31], tropas em boas condições, departamento do comissário bem conduzido, a Casa da Guarda sob comando do Coronel Teddy sempre em serviço, o Comandante-Chefe General Laurence passa o exército em revista todos os dias, o Quartel-mestre Mullet mantém o acampamento em ordem, e o Major Leão fica de prontidão durante a noite. Uma salva de vinte e quatro tiros para as boas notícias recebidas de Washington e um desfile com uniforme foi realizado no quartel-general. Comandante-chefe envia seus cumprimentos, e se une cordialmente com o...
CORONEL TEDDY

*Cara senhora,*
As meninas estão todas bem. Beth e meu menino enviam um relatório diário. Hannah é um modelo de empregada e protege a bela Meg como um dragão. O bom tempo permanece, ainda bem. Rezo para que Brooke seja útil e escreva-me caso precise de fundos para cobrir despesas extras. Não prive seu marido de nada.

---

31. O rio Rappahannock serviu como uma possível fronteira entre o Norte e o Sul durante a Guerra Civil Americana. Certamente foi o local dos primeiros assentamentos na Colônia da Virgínia e de algumas grandes batalhas durante a Guerra. A Batalha de Fredericksburg e a Batalha na Estação Rappahannock ocorreram ao longo do rio em 1862. (N. E.)

*Graças a Deus ele está se recuperando.*
*Do seu amigo sincero e criado,*
*JAMES LAURENCE.*

## A menina leal

Durante uma semana, a virtude que habitou a velha casa seria suficiente para encher toda a vizinhança. Foi realmente impressionante, pois todas pareciam estar com um espírito celestial e a abnegação era a regra. Uma vez aliviadas da aflição imediata por causa do pai, sem perceber, as meninas relaxaram seus esforços, dignos de elogios, e começaram a repetir os velhos hábitos. Não se esqueceram do lema, mas terem esperança e manterem-se ocupadas pareciam tarefas mais fáceis e, após tanta dedicação, sentiram que aquela empreitada merecia uma folga e assim fizeram.

Jo pegou um forte resfriado por não ter coberto o suficiente a cabeça tosquiada e foi obrigada a ficar em casa até melhorar, pois a tia March não gostava de ouvir a leitura de pessoas com resfriados. Ela gostou disso e, após uma enérgica arrumação, do sótão ao porão, deitou-se no sofá para cuidar do seu resfriado com arsênico e livros. Amy achava que o trabalho doméstico e a arte não davam certo e voltou para suas tortas de argila. Meg ia diariamente para a casa dos seus pupilos e costurava, ou considerava que sim, embora passasse a maior parte do tempo escrevendo longas cartas à sua mãe ou lendo os despachos de Washington. Beth manteve-se firme, com apenas ligeiros lapsos de ociosidade e lamentação.

As pequenas tarefas dela eram realizadas todos os dias com dedicação, e também várias das de suas irmãs, pois elas eram distraídas e a casa parecia um relógio sem pêndulo. Quando seu coração ficava pesado por conta da saudade que sentia da mãe ou ao medo do que pudesse acontecer com o pai, ela ia para um armário, escondia o rosto nos babados de um vestido velho e dava um pequeno gemido, rezando calmamente. Ninguém sabia o que poderia alegrá-la após um acesso de tristeza, mas todas sabiam o quão doce e útil Beth era e buscavam maneiras de confortá-la ou aconselhá-la em seus pequenos afazeres.

Ninguém tinha ideia de que essa experiência era um teste de caráter e, quando a primeira agitação acabou, sentiram que tinham se saído bem e mereciam aplausos. E assim foi, mas o erro delas estava em parar de se comportar dessa maneira e aprenderam a lição por meio de muita aflição e arrependimento.

– Meg, queria que você fosse visitar os Hummels. Você sabe que a mamãe nos disse para não nos esquecermos deles – disse Beth, dez dias após a partida da sra. March.

– Estou muito cansada esta tarde – respondeu Meg, balançando-se na cadeira, confortavelmente, enquanto costurava.

– Você pode, Jo? – perguntou Beth.

– Esse vento fará mal ao meu resfriado.

– Pensei que já estava quase boa.

– Boa o suficiente para sair com Laurie, mas não para ir até a casa dos Hummels – disse Jo, rindo, mas um pouco envergonhada da sua inconsistência.

– Por que você não vai? – perguntou Meg.

– Vou todos os dias, mas o bebê está doente, e eu não sei o que fazer. A sra. Hummel sai para o trabalho e Lottchen cuida dele. Mas ele está cada vez mais doente e acho que você ou Hannah deveriam ir.

Beth falou com seriedade, e Meg prometeu que iria no dia seguinte.

– Peça a Hannah algo bom para levar, Beth; o ar lhe fará bem – disse Jo, acrescentando, elogiosa: – Eu iria, mas quero terminar o que estou escrevendo.

– Minha cabeça dói e estou cansada, então pensei que talvez alguma de vocês pudessem ir – disse Beth.

– Amy logo vai chegar, ela poderá ir – sugeriu Meg.

Então, Beth deitou-se no sofá, as outras voltaram ao que estavam fazendo e os Hummels foram esquecidos. Passou-se uma hora. Amy não chegou, Meg foi para seu quarto experimentar um novo vestido, Jo estava absorta em sua história e Hannah ressonava ao lado do fogo na cozinha, quando Beth silenciosamente colocou seu capuz, encheu sua cesta de coisas para as pobres crianças e saiu no ar gelado, com a cabeça pesada e a expressão abatida em seus olhos pacientes. Era tarde quando voltou, e ninguém a viu esgueirar-se pelas escadas e trancar-se no quarto da mãe. Meia hora depois, Jo foi ao armário da mãe buscar algo e lá encontrou a pequena Beth sentada ao lado da caixa dos remédios, muito séria, com os olhos vermelhos e um frasco de cânfora na mão.

– Jesus Cristo! O que aconteceu? – disse Jo, e Beth levantou a mão como se avisasse para a irmã não se aproximar e perguntou rapidamente:

– Você já teve escarlatina, não é?

– Anos atrás, quando Meg também teve. Por quê?

– Então vou lhe contar. Oh, Jo, o bebê morreu!

– Que bebê?

– O da sra. Hummels. Morreu no meu colo antes que ela chegasse em casa – disse Beth com um soluço.

– Coitadinha, que terrível você passar por isso! Eu deveria ter ido – disse Jo, pegando a irmã nos braços e sentando-se na grande poltrona da mãe, com expressão de remorso.

– Não foi terrível, Jo, apenas tão triste! Logo percebi que ele tinha piorado, mas Lottchen disse que sua mãe havia ido chamar um médico, então peguei o bebê para que Lott descansasse. Ele parecia adormecido, mas de repente chorou um pouquinho e tremeu, depois ficou imóvel. Tentei aquecer seus pés, e Lotty lhe deu um pouco de leite, mas ele não se mexeu, então concluí que estava morto.

– Não chore, querida! O que você fez?

– Apenas me sentei e o segurei até a sra. Hummel chegar com o médico. Ele disse que o bebê estava morto e examinou Heinrich e Minna, que estavam com a garganta inflamada. "Escarlatina, senhora. Deveria ter me chamado antes", disse ele, irritado. A sra. Hummel disse que era pobre e havia tentado ela mesma curar o bebê, mas agora era tarde e só podia pedir que ele ajudasse os outros e confiar na sua caridade. Ele lhe deu um sorriso, parecia mais benevolente; tudo aquilo era muito triste, e eu chorei com eles até o médico se virar de repente e me dizer que eu devia ir para casa e tomar beladona imediatamente ou seria a próxima a ficar doente.

– Não, você não vai ficar doente – respondeu Jo, abraçando-a forte, com um olhar assustado. – Oh, Beth, se você adoecer, nunca vou me perdoar! O que devemos fazer?

– Não precisa se apavorar. Se eu ficar doente, será algo leve. Eu li no livro da mamãe que os primeiros sintomas são dor de cabeça, garganta inflamada e uma sensação estranha, como a que estou tendo agora. Tomei um pouco de beladona e me sinto melhor – disse Beth, pousando suas mãos frias na testa e tentando parecer bem.

– Se pelo menos mamãe estivesse em casa! – exclamou Jo, pegando o livro e sentindo como se Washington fosse um lugar muito distante. Ela leu uma página, olhou para Beth, examinou a temperatura da sua cabeça, olhou sua garganta e, então, disse, com gravidade: – Você esteve com o bebê todos os dias durante mais de uma semana e com os outros que também vão adoecer; receio que você também vai pegar, Beth. Vou chamar Hannah, ela sabe tudo sobre doenças.

– Não deixe Amy vir. Ela nunca teve e odiaria passar para ela. Você e Meg podem adoecer de novo? – perguntou Beth, ansiosa.

– Acho que não. E não me importo se adoecer. Seria bem feito para mim: fui egoísta em deixar você ir para ficar escrevendo minhas bobagens – murmurou Jo, enquanto ia consultar Hannah.

A boa alma acordou em um minuto e assumiu o caso, garantindo que não havia com que se preocupar; todos pegavam escarlatina e, se fosse tratada corretamente, ninguém morria. Jo tomou aquilo como verdade e se sentiu muito aliviada; em seguida, foram chamar Meg.

– Agora vou dizer o que faremos – disse Hannah, depois de examinar e interrogar Beth. – Vamos chamar o dr. Bangs só para examinar você, querida, e ver se começamos bem. Depois vamos mandar Amy para a casa da tia March, para evitar que também adoeça, e uma de vocês pode ficar em casa e entreter Beth por um ou dois dias.

– Eu devo ficar, é claro, sou a mais velha – começou Meg, aflita e repreendendo a si mesma.

– Eu fico. Afinal, é por minha causa que ela está doente. Eu disse a mamãe que assumiria as obrigações e não o fiz – disse Jo, decidida.

– Qual você prefere, Beth? Só é necessário uma – disse Hannah.

– Jo, por favor – e Beth encostou a cabeça na irmã com um olhar satisfeito, que efetivamente resolveu a questão.

— Vou contar a Amy — disse Meg, um pouco magoada, mas no geral aliviada, pois não gostava de servir de enfermeira, ao contrário de Jo.

Amy rebelou-se e declarou fervorosamente que preferia adoecer de escarlatina a ir para a casa da tia March. Meg ponderou, apelou e ordenou, tudo em vão. Amy protestou que não iria; Meg a deixou em desespero e foi perguntar a Hannah o que deveria ser feito. Antes que ela voltasse, Laurie entrou na sala e encontrou Amy soluçando, com a cabeça mergulhada nas almofadas do sofá. Ela lhe contou a história, esperando ser consolada, mas Laurie apenas colocou as mãos nos bolsos e andou pela sala, assoviando baixinho e passando o dedo nas sobrancelhas, absorto em seus pensamentos. Sentou-se ao lado dela e disse, do jeito mais convincente:

— Seja uma mulherzinha razoável e faça o que elas dizem. Não, não chore e escute meu plano. Você vai para a casa da tia March e eu vou buscá-la todos os dias, de carro ou andando, e então nos divertiremos muito. Não vai ser melhor do que ficar aqui se lamentando?

— Não quero ser descartada como se estivesse atrapalhando — começou Amy, com voz de choro.

— Meu Deus, menina, é para você ficar bem. Você não quer ficar doente, quer?

— Não, claro que não, mas talvez eu fique, pois estive ao lado de Beth o tempo todo.

— É exatamente por isso que você deve ficar afastada, para escapar à doença. Mudança de ares e cuidados vão fazer bem a você, ou, se não for de todo assim, pelo menos os efeitos da doença serão mais leves. Aconselho você a se afastar o quanto antes, pois escarlatina não é brincadeira, senhorita.

— Mas a casa da tia March é muito chata e ela é tão rabugenta — disse Amy, parecendo assustada.

— Não vai ser chato se eu aparecer todos os dias para dizer como Beth está e levar você para perambular por aí. A velha senhora gosta de mim e vou ser o mais doce possível com ela para que não nos aborreça, independente do que fizermos.

— Você vai me levar na carruagem puxada pelo Puck?

– Dou minha palavra de honra como cavalheiro.
– E vai me visitar todo santo dia?
– Claro que sim!
– E me trazer de volta assim que Beth ficar boa?
– No mesmo minuto.
– E vamos ao teatro?
– Uma dúzia de vezes, se conseguirmos.
– Bom... Então, acho que vou – disse Amy mais calma.
– Boa menina! Chame Meg e diga-lhe que você cedeu – disse Laurie, com um tapinha de aprovação, que irritou Amy mais do que a ideia de ceder.

Meg e Jo desceram as escadas para presenciar o milagre que havia sido operado, e Amy, sentindo-se preciosa e altruísta, prometeu ir, mas só se o médico garantisse que Beth adoecera.

– Como está a pequena? – perguntou Laurie, pois Beth era especial para ele, e ficou mais aflito com a situação do que gostaria de demonstrar.

– Está deitada na cama da mamãe e se sente melhor. A morte do bebê a perturbou, mas acho que está apenas resfriada. Hannah concorda, parece preocupada, e isso me deixa inquieta – respondeu Meg.

– Que mundo doloroso este! – disse Jo, desarrumando o cabelo de um jeito preocupado.

– Mal saímos de um problema e já arranjamos outro. Parece que, quando mamãe não está por perto, tudo fica insuportável e não há para onde correr, o que me deixa muito atrapalhada.

– Também não precisa se transformar em um porco-espinho, não fica bem. Ajeite seu cabelo, Jo, e me diga se devo telegrafar à sua mãe ou fazer qualquer outra coisa – disse Laurie, que nunca havia aceitado a perda da única beleza de sua amiga.

– É isso que me perturba – disse Meg. – Acho que devemos avisar-lhe se Beth ficar muito doente, mas Hannah disse que não, pois mamãe não pode deixar o papai e isso só causaria aflição. Beth não vai ficar doente por muito tempo, Hannah sabe o que fazer e mamãe disse que deveríamos obedecê-la, embora não me pareça o certo a fazer.

– Hum, bom, não tenho o que dizer. E se vocês perguntassem ao vovô depois que o médico for embora?

– Faremos isso. Jo, vá chamar o dr. Bangs – ordenou Meg. – Não podemos decidir nada até ele vir.

– Fique onde está, Jo. Sou eu o menino para resolver esse tipo de coisas neste estabelecimento – disse Laurie, pegando seu chapéu.

– Você não está ocupado? – começou Meg.

– Não, já fiz minhas lições do dia.

– Você estuda nas férias? – perguntou Jo.

– Sigo o bom exemplo que minhas vizinhas me dão – foi a resposta de Laurie, deixando a sala em seguida.

– Meu menino me enche de esperanças – comentou Jo, observando-o passar pela cerca com sorriso aprovador.

– Ele é muito bom para um menino – foi a resposta, de certa forma, indelicada de Meg, pois o assunto não a interessava.

O dr. Bangs disse que Beth tinha os sintomas da escarlatina, mas achava que seria leve, embora parecesse preocupado com a história dos Hummel. Decidiram-se pela partida de Amy, após serem tomadas algumas medidas para ela se livrar de qualquer perigo. A menina então saiu solenemente, escoltada por Jo e Laurie.

Tia March os recebeu com a hospitalidade de costume.

– O que vocês querem agora? – perguntou ela, olhando por cima dos óculos, enquanto o papagaio, empoleirado nas costas da cadeira, avisou:

– Vá embora. Meninos não são permitidos aqui.

Laurie retirou-se para a janela e Jo contou-lhe a história.

– O que esperavam indo se misturar com os pobres? Amy pode ficar aqui e arranjar algo para fazer se não estiver doente, o que duvido, pois parece que já está. Não chore, criança, me aborrece ouvir o choro das pessoas.

Amy estava a ponto de chorar, mas Laurie maliciosamente puxou o rabo do papagaio, o que fez Polly dar um berro assustado e dizer "Solta minhas botas!" de um jeito tão engraçado que ela acabou rindo.

– O que você tem ouvido da sua mãe? – perguntou a velha senhora, de forma ríspida.

– Papai está muito melhor – respondeu Jo, tentando manter-se séria.

– Oh, está? Bom, isso não deve durar muito, creio eu. March nunca foi muito resistente – foi a positiva resposta.

– Ha, ha! Nunca desista, pegue seu rapé, boa sorte, até! – esganiçou Polly, dançando em seu poleiro e pegando o chapéu da velha com a garra, enquanto Laurie puxava seu rabo.

– Cuidado com a língua, ave mal-educada! Jo, é melhor você ir. Não é adequado ficar andando por aí tão tarde com um rapaz sem rumo como...

– Cuidado com a língua, ave mal-educada! – disse Polly, caindo da cadeira e correndo para bicar o rapaz "sem rumo", que gargalhava da última fala do bicho.

"Acho que não aguentarei isso, mas vou tentar", pensou Amy, ao ser deixada sozinha com a tia March.

– Vá, menina assustadora! – gritou Polly e, depois dessa fala rude, Amy não conseguiu segurar o choro.

## Dias sombrios

Beth estava de fato com escarlatina e muito mais doente do que todos suspeitavam, com exceção de Hannah e o médico. As meninas não sabiam nada sobre doenças e, como o sr. Laurence não estava autorizado a vê-la, Hannah fizera tudo à sua maneira, com o atarefado dr. Bangs dando seu melhor, embora ainda deixasse muito trabalho para a excelente enfermeira. Meg ficou em casa, com medo de infeccionar os King, e assumiu os afazeres domésticos, sentindo-se muito aflita e um pouco culpada quando escrevia cartas em que não mencionava a doença de Beth. Ela achava que não era certo enganar a mãe, mas tinha sido ordenada a obedecer Hannah, que não queria saber nada sobre "avisar a sra. March e preocupá-la com pouca coisa".

Jo devotava-se a Beth dia e noite, o que não era uma tarefa difícil, pois Beth era muito paciente e aguentou a dor, o máximo que conseguiu, sem reclamar. Mas, uma vez, durante um acesso de febre, ela começou a falar com uma voz rouca, entrecortada, movimentando os dedos sobre o cobertor como se estivesse tocando seu querido piano, e tentou cantar com a garganta tão inflamada que não podia produzir um som sequer; a menina chegou ao ponto de não reconhecer os rostos familiares, chamando as pessoas pelos nomes errados e implorando pela mãe. Jo ficou assustada, Meg suplicou para contar a verdade à mãe e até mesmo Hannah disse que "pensaria nisso, embora ainda não houvesse perigo". Uma carta de Washington perturbou-as ainda mais, pois o sr. March tivera uma recaída e não poderia voltar para casa tão cedo.

Os dias pareciam sombrios agora: a casa estava triste e vazia e as irmãs trabalhavam e esperavam com o coração pesado, enquanto a sombra da morte pairava sobre aquele lar que já fora tão feliz. Foi, então, que Margaret, sentada sozinha, com lágrimas caindo sobre seu trabalho, sentiu como era rica e tinha tantas coisas mais preciosas do que os luxos que o dinheiro poderia comprar – amor, proteção, paz, saúde, as verdadeiras bênçãos da vida. E Jo, vivendo no quarto escuro, com sua irmãzinha sofrendo o tempo todo diante de seus olhos e aquela voz pungente soando em seus ouvidos, aprendeu a ver a beleza e a doçura do caráter dela, a sentir como era profundo e terno o lugar que ela ocupava em todos os corações e passou a reconhecer o valor do altruísmo de Beth, que vivia para os outros e trazia felicidade ao lar praticando aquelas virtudes simples que todos poderiam possuir e deveriam amar e valorizar mais do que talento, riqueza ou beleza. Já Amy, em seu exílio, sentia imensa saudade de casa, onde pensava que poderia cuidar de Beth, e sentia agora que nenhum trabalho seria difícil ou cansativo, lembrando-se, arrependida, de tantas tarefas negligenciadas que aquelas mãozinhas esforçadas haviam feito por ela. Laurie vivia pela casa como um fantasma implacável, e o sr. Laurence trancou o grande piano, pois não conseguia suportar a lembrança da jovem vizinha que costumava tornar o crepúsculo um momento tão prazeroso para ele. Todos sentiam falta de Beth. O leiteiro, o padeiro, o merceeiro e o açougueiro perguntavam como ela estava; a pobre sra. Hummel veio pedir desculpas por sua falta de sensibilidade e rogou por uma mortalha para Minna; os vizinhos enviavam todo tipo de conveniências e desejos de melhora e, mesmo aqueles que a conheciam tão bem, ficaram surpresos ao perceber quantos amigos a tímida e pequena Beth tinha.

Enquanto isso, ela permanecia deitada em sua cama com a velha Joanna ao seu lado, pois, mesmo em seus delírios, não se esquecera da sua boneca protegida. Sentia falta dos seus gatos, mas não permitiria que fossem trazidos para perto dela, com medo de que eles também adoecessem. Em suas horas tranquilas, preocupava-se com Jo, mandava mensagens de carinho a Amy, pedia que dissessem à sua mãe que escreveria em breve e frequentemente requisitava lápis e papel, na intenção de escrever uma mensagem para seu pai não achar que ela não se importava com ele. Mas logo esses intervalos de consciência acabavam, e ela revirava-se horas a fio, com palavras incoerentes em seus lábios ou imersa em um sono profundo que não lhe trazia qualquer alívio. O dr. Bangs a via duas vezes ao dia, Hannah ficava a postos durante toda a noite, Meg mantinha um telegrama em sua mesa pronto para ser enviado a qualquer momento, e Jo nunca saía do lado de Beth.

O primeiro dia de dezembro foi de fato um dia de inverno para elas; um vento amargo soprava, a neve caía muito rápido e o ano parecia estar pronto para acabar. Quando o dr. Bangs chegou naquela manhã, observou Beth durante muito tempo, segurou sua mão um minuto e soltou-a com gentileza, dizendo a Hannah, em tom baixo:

– Se a sra. March puder deixar seu marido, é melhor chamá-la.

Hannah assentiu sem falar, pois seus lábios contraíram-se nervosamente. Meg caiu em uma cadeira, sentindo a força de seus membros esvaírem-se ao ouvir aquelas palavras. E Jo, empalidecendo por um instante, correu para a sala, pegou o telegrama, vestiu-se apressada e saiu enfrentando a tempestade. Voltou pouco tempo depois e, enquanto tirava silenciosamente sua capa, Laurie entrou com uma carta, dizendo que o sr. March estava melhorando de novo. Jo leu, sentindo-se agradecida, mas o peso não parecia ter saído do seu coração e sua face estava tão repleta de tristeza que, na hora, Laurie perguntou:

– O que foi? Beth piorou?

– Mandei chamar mamãe – disse Jo, tirando as botas com uma expressão trágica.

– Que bom, Jo! Foi você que tomou essa decisão? – perguntou Laurie ajudando-a a sentar na cadeira do salão e a tirar as botas, já que suas mãos tremiam muito.

– Não. O médico nos pediu.

– Oh, Jo, a situação está mesmo ruim? – perguntou Laurie, com uma expressão sobressaltada.

– Sim, está. Ela não nos reconhece, sequer fala sobre os bandos de pombas verdes, como ela chama as folhas de videira na parede. Não se parece nada com a minha Beth e não há ninguém que possa nos ajudar a suportar isso. Mamãe e papai estão longe e Deus parece tão distante que não consigo alcançá-lo.

Enquanto as lágrimas caíam pelo seu rosto, a pobre Jo estendeu as mãos exprimindo seu desamparo, como se tateasse na escuridão, e Laurie as tomou, sussurrando com um nó na garganta:

– Estou ao seu lado, querida Jo!

Ela não conseguiu falar, mas ficou ao lado dele e o toque caloroso da mão amiga confortou seu coração ferido e pareceu levá-la para perto do braço Divino, o único que poderia ajudá-la a superar aquele tormento.

Laurie queria dizer algo terno e reconfortante, mas não achou as palavras certas, então permaneceu em silêncio, acariciando suavemente a cabeça da amiga, como a mãe dela costumava fazer. Foi o melhor que pôde oferecer, muito mais acolhedor do que palavras eloquentes; Jo sentiu a simpatia tácita e, no silêncio, conheceu o doce consolo que o afeto proporciona à tristeza. As lágrimas que a aliviavam logo secaram e ela olhou para cima, com o rosto grato.

– Obrigada, Teddy, estou melhor agora. Não me sinto mais tão desamparada e tentarei suportar o que vier.

– Continue esperando que o melhor aconteça, isso vai ajudá-la, Jo. Logo sua mãe estará aqui e tudo vai ficar bem.

– Estou feliz que o papai está melhor. Assim ela não se sentirá tão mal por deixá-lo. Meu Deus! Parece que todos os problema apareceram ao mesmo tempo e eu tive que suportar a pior parte – suspirou Jo, esticando seu lencinho úmido sobre os joelhos, para que secasse.

– Meg não fez nada? – perguntou Laurie, parecendo indignado.

– Oh, sim, ela tenta, mas não pode amar Beth como eu, e não vai sentir falta dela como eu sentirei. Beth é minha consciência, e não posso desistir dela. Não posso! Não posso!

E, assim, abaixou mais uma vez a cabeça e chorou desesperadamente em seu lenço, já que havia se segurado com bravura por todo esse tempo sem derramar uma lágrima sequer. Laurie passou a mão sobre os olhos, mas não conseguiu falar até controlar a sensação sufocante em sua garganta e firmar os lábios. Isso poderia não ser considerado um ato masculino, mas ele não conseguiu evitar e fico feliz por isso. Naquele momento, com Jo já soluçando mais silenciosamente, ele disse, cheio de esperança:

– Não acho que ela morrerá. Ela é tão boa e nós a amamos tanto, não acredito que Deus iria tirá-la de nós.

– As pessoas boas e queridas sempre morrem – gemeu Jo, mas parou de chorar, pois as palavras do amigo a animaram, apesar de suas dúvidas e seus temores.

– Pobrezinha, você está muito cansada. A tristeza não combina com você. Pare um pouco. Vou aliviá-la num instante.

Laurie desceu de dois em dois degraus e Jo descansou a cabeça no pequeno capuz marrom de Beth, que ninguém havia pensado em tirar do lugar da mesa onde ela deixou. O capuz deveria ter algo de mágico, pois o espírito submisso da sua dona gentil pareceu tomar conta de Jo, e, quando Laurie voltou correndo com uma taça de vinho, ela o recebeu com um sorriso, dizendo, corajosamente:

– Eu bebo, à saúde da minha Beth! Você é um bom médico, Teddy, e um amigo acolhedor. Como posso retribuí-lo? – acrescentou ela, pois o vinho refrescara-lhe o corpo, assim como as palavras gentis haviam feito com sua mente atribulada.

– Mandarei a conta qualquer hora, e hoje à noite vou dar-lhe algo que irá aquecer seu coração muito mais do que um barril de vinho – disse Laurie, olhando para ela com uma expressão de satisfação reprimida.

– O que é? – perguntou Jo, esquecendo-se por um minuto das suas preocupações.

– Telegrafei para sua mãe ontem, Brooke respondeu que ela está vindo e chegará hoje à noite; tudo ficará bem. Está feliz com o que fiz?

Laurie falou muito rápido e ficou corado e animado num instante, pois havia mantido em segredo sua atitude, com medo de desapontar as meninas ou fazer mal a Beth. Jo ficou branca, pulou da cadeira e, no momento em que ele parou de falar, envolveu o pescoço do amigo em seus braços, falando alto, alegremente:

– Oh, Laurie! Oh, mamãe! Estou tão feliz!

Ela não chorou de novo, e sim riu histericamente, tremendo e agarrando seu amigo, como se tivesse ficado um pouco atordoada com a súbita notícia.

Laurie, embora estivesse completamente maravilhado, comportou-se com grande presença de espírito. Deu tapinhas suaves nas costas de Jo e, entendendo que ela estava se recuperando, deu-lhe um ou dois beijinhos tímidos, o que acabou por reanimá-la. Segurando no corrimão, ela afastou-o gentilmente, dizendo, sem fôlego:

– Oh, não! Não foi minha intenção, que coisa horrível da minha parte; você foi tão atencioso ao enviar o telegrama, contrariando as ordens de Hannah, que não pude evitar abraçá-lo. Conte-me tudo e não me dê vinho outra vez, ele me faz agir dessa maneira.

– Não me importo! – Laurie riu, arrumando a gravata. – Você sabe, fiquei inquieto, assim como o vovô. Pensamos que Hannah estava exagerando na autoridade e sua mãe tinha que saber. Ela nunca nos perdoaria se Beth... Bom, se algo acontecesse, você sabe. Então, o vovô disse que já passava da hora de fazermos algo, e ontem fui ao posto do telégrafo, pois o médico parecia muito sério e Hannah arrancaria minha cabeça se eu propusesse enviar o telegrama. Nunca gostei de ser governado, sendo assim, eu mesmo tomei a decisão. Sua mãe virá, eu sei. O último trem é às duas da manhã e eu vou buscá-la; você só precisa controlar suas emoções e manter Beth tranquila até que a abençoada senhora chegue.

– Laurie, você é um anjo! Como poderei retribuir e agradecer?

– Jogue-se em mim de novo. Gostei disso! – disse Laurie, com um olhar astuto, algo que já não fazia há um par de semanas.

– Não, obrigada. Farei por procuração, quando seu avô vier. Não me provoque mais, vá para casa e descanse, pois precisará acordar no meio da noite. Deus o abençoe, Teddy, Deus o abençoe!

Jo já havia se afastado e, quando terminou de falar, saiu correndo para a cozinha, sentou-se em um aparador e contou aos gatos que estava "feliz, muito feliz!". Enquanto isso, Laurie saía, sentindo que havia feito algo muito bom.

– Esse é o menino mais intrometido que já conheci, mas eu o perdoo e espero que a sra. March chegue logo – disse Hannah, com um ar de alívio depois que Jo contou-lhe as boas novas.

Meg teve um entusiasmo mais tranquilo e refletiu sobre a carta, enquanto Jo arrumava o quarto da convalescente e Hannah fazia "algumas tortas, caso viesse uma companhia inesperada". Uma lufada de ar fresco pareceu soprar pela casa e algo melhor do que raios do sol iluminaram os quartos tranquilos. Todas pareciam sentir uma mudança esperançosa. O pássaro de Beth voltou a cantar e uma rosa recém desabrochada foi descoberta no arbusto de Amy, que ficava na beira da janela. O fogo parecia queimar com incomum alegria e sempre que as meninas se encontravam, suas faces pálidas rompiam em sorrisos, ao abraçarem-se e sussurrarem, encorajadoramente: "Mamãe está vindo, querida! Mamãe está vindo". Todas se alegraram, a não ser Beth. Ela permanecia naquele pesado torpor, sem perceber a esperança, a alegria, a dúvida e o perigo. Era uma visão de dar pena: o rosto outrora rosado parecia agora alterado e vazio; as mãos outrora diligentes, agora fracas e deterioradas; os lábios outrora sorridentes, agora mudos; e o cabelo outrora bonito e bem cuidado, agora espalhado e desarrumado no travesseiro. Passava o dia inteiro assim, despertando vez ou outra apenas para balbuciar "água" com os lábios tão secos que mal conseguia pronunciar a palavra. Durante todo o dia, Jo e Meg ficaram ao seu lado, observando, esperando e confiando em Deus e na mãe, e durante todo dia a neve caiu, o vento cortante enfureceu-se e as horas passaram devagar. A noite finalmente chegou; no entanto, e a cada hora que o relógio badalava, as irmãs, sentadas em cada lado da cama, entreolhavam-se com os olhos brilhantes, pois a cada hora que se passava a ajuda estava mais perto. O médico dissera que se ocorresse alguma mudança, para melhor ou para pior, seria por volta da meia-noite e, portanto, ele voltaria a essa hora.

Hannah, bastante cansada, deitou-se no sofá que ficava ao pé da cama e logo adormeceu. O sr. Laurence andava para lá e para cá na sala, sentindo que preferiria enfrentar um grupo rebelde ao semblante aflito da sra. March. Laurie deitou-se no tapete, fingindo descansar e encarando o fogo com o olhar sensível que deixou seus olhos negros belamente suaves e claros.

As meninas nunca se esqueceriam daquela noite, pois nenhuma delas conseguiu dormir: continuaram na vigília, com a terrível sensação de impotência que nos acomete em horas como essa.

– Se Deus salvar Beth, nunca mais reclamarei de nada – sussurrou Meg, com sinceridade.

– Se Deus salvar Beth, tentarei amá-Lo e servir-Lhe durante toda a minha vida – respondeu Jo, com fervor semelhante.

– Queria não ter um coração, está doendo muito – suspirou Meg, após uma pausa.

– Se toda essa dificuldade for constante durante a vida, não vejo como conseguiremos viver – acrescentou sua irmã tristemente.

O relógio bateu a meia-noite e ambas esqueceram-se de si mesmas para verificar como Beth estava, pois perceberam que ocorrera uma mudança em seu rosto pálido. A casa estava quieta como a morte e nada além do lamento do vento quebrava o silêncio profundo. Hannah, exausta, adormecera, e ninguém além das irmãs viu a sombra pálida que parecia cair sobre a pequena cama. Passou mais uma hora e nada aconteceu, a não ser a partida silenciosa de Laurie para a estação. Outra hora se passou, mas ninguém havia chegado e os temores aflitos pelo atraso por conta das tempestades ou acidentes no caminho ou, ainda pior, de uma grande tristeza em Washington, assustavam as meninas.

Já passava das duas da manhã quando Jo, que ficara à janela pensando sobre como o mundo parecia sombrio no redemoinho de vento e neve, ouviu um movimento na cama e, virando-se muito rápido, viu Meg ajoelhar-se ao lado da cadeira de balanço da mãe, com o rosto escondido. Um medo terrível congelou Jo ao pensar que Beth havia morrido e Meg não tivera coragem de contar-lhe.

Então, mais que depressa, voltou ao seu posto e, aos seus olhos ansiosos, uma grande mudança parecia ter ocorrido. O rubor da febre e o olhar de dor haviam sumido, e o rostinho amado parecia tão pálido e pacífico em seu absoluto repouso que Jo não sentiu vontade de chorar ou lamentar. Inclinando-se sobre a mais querida das suas irmãs, ela beijou a testa úmida com o coração nos lábios e sussurrou, suavemente:

– Adeus, minha Beth. Adeus!

Com a agitação, Hannah despertou, foi até a cama, olhou para Beth, sentiu suas mãos, aproximou o ouvido dos seus lábios e, em seguida, pondo o avental pela cabeça, sentou-se na cadeira de balanço e exclamou, em baixo volume:

– A febre cedeu, ela está dormindo tranquila, sua pele está úmida e respira naturalmente. Graças a Deus! Oh, minha nossa!

Antes que as meninas pudessem acreditar na feliz verdade, o médico chegou para confirmá-la. Era um homem singelo, mas elas acharam seu rosto celestial quando sorriu e disse, olhando de forma paternal para elas:

– Sim, minhas queridas, acho que a garotinha vai superar dessa vez. Mantenham a casa tranquila, deixem-na dormir e, assim que ela acordar, deem-lhe...

Nenhuma ouviu o que deveriam dar a Beth, pois ambas correram para o corredor escuro e, sentando-se na escada, abraçaram-se fortemente, exultantes e com os corações cheios demais para as palavras. Quando voltaram para serem beijadas e abraçadas pela fiel Hannah, encontraram Beth deitada, como costumava estar, com a bochecha apoiada na mão, sem a assustadora palidez, respirando tranquilamente, como se tivesse acabado de adormecer.

– Se pelo menos mamãe chegasse agora! – disse Jo, no momento em que a noite de inverno começava a desaparecer.

– Veja – disse Meg, vindo com uma rosa branca, recém desabrochada. – Pensei que essa flor dificilmente desabrocharia para colocarmos na mão de Beth amanhã, caso ela... nos deixasse. Mas desabrochou esta noite e agora vou colocá-la em um vaso aqui; assim, logo que nossa queridinha acordar, a primeira coisa que verá será essa pequena rosa e o rosto da mamãe.

O alvorecer nunca fora tão lindo e o mundo jamais parecera tão agradável aos olhos de Meg e Jo como naquela manhã, ao término da longa e triste vigília.

– Parece um mundo encantado – disse Meg, sorrindo, atrás da cortina, admirando a vista deslumbrante.

– Ouça! – disse Jo, levantando-se.

Sim, era o som da campainha na porta do andar de baixo, um grito de Hannah e, então, a voz de Laurie dizendo, alegremente:

– Meninas, ela chegou! Ela chegou!

## O testamento de Amy

Enquanto todas essas coisas aconteciam em casa, Amy passava maus bocados na casa da tia March. Ela sentiu profundamente seu exílio e, pela primeira vez na vida, percebeu o quanto era amada e mimada em casa. Tia March nunca mimou ninguém; era algo que não aprovava, mas procurava ser gentil, pois a garotinha bem-comportada lhe agradava bastante, e as filhas do sobrinho tinham um lugar especial no velho coração da tia March, embora não achasse adequado confessar isso. Ela realmente fez seu melhor para que Amy ficasse feliz, mas, oh céus, como cometera erros! Algumas pessoas velhas permanecem com o coração jovem, apesar das rugas e dos cabelos grisalhos, e simpatizam com os pequenos cuidados e as alegrias das crianças, fazem-nas se sentir em casa e conseguem disfarçar lições de sabedoria por trás de brincadeiras agradáveis, dando e recebendo a amizade do jeito mais doce. Mas tia March não tinha esse dom e deixava Amy bastante incomodada com suas regras e ordens, os modos afetados e as longas e prosaicas conversas. Como achava a menina mais dócil e amável do que a irmã, a velha senhora sentiu-se na obrigação de compensar, o máximo possível, os maus efeitos da liberdade e indulgência que a menina tinha em casa. Assim, pegou Amy pela mão e a ensinou da mesma forma que fora ensinada sessenta anos antes, um processo que causou espanto na alma de Amy e a fez sentir-se como uma mosca na teia de uma aranha muito rígida.

Ela tinha que lavar as xícaras todas as manhãs e polir as velhas colheres, o bule de prata e os copos até ficarem brilhantes. Depois, tinha que varrer a sala, trabalho que exigia muito esforço. Nada escapava aos olhos da tia March e toda a mobília tinha pés em forma de pata e muitos entalhes, os quais nunca conseguia limpar direito. Em seguida, deveria dar comida a Polly, pentear o cachorro e subir e descer as escadas umas doze vezes para pegar coisas e realizar tarefas, pois a velha senhora era manca e raramente levantava-se da grande poltrona. Após esses trabalhos extenuantes, tinha que fazer suas lições, o que era um teste diário de cada virtude que possuía. Por fim, era-lhe permitido uma hora de exercícios ou brincadeiras e ela se divertia.

Laurie ia lá todos os dias e bajulava a tia March até Amy poder sair com ele, ocasião em que passeavam a pé ou de carro e passavam ótimos momentos. Após o almoço, tinha que ler em voz alta e ficar sentada imóvel até a velha senhora dormir, normalmente durante uma hora, assim que ela passava a primeira página. Apareciam, em seguida, colchas de retalho ou toalhas que Amy costurava com aparente serenidade, mas revoltada por dentro, até o crepúsculo, quando podia se divertir da maneira que quisesse até a hora do chá. As noites eram o pior momento, pois a tia March começava a contar longas histórias sobre sua juventude, tão indizivelmente chatas que Amy estava sempre pronta para ir para a cama, com a intenção de chorar seu triste destino, mas, em geral, dormia antes que derramasse mais de uma ou duas lágrimas.

Não fosse por Laurie e pela velha Esther, a empregada, ela pensava que jamais superaria aqueles momentos terríveis. Só o papagaio já era suficiente para distraí-la, mas ele logo percebeu que ela não o admirava e vingou-se sendo o mais malvado possível. Ele puxava seus cabelos sempre que chegava perto, derrubava o pão e o leite, praguejava quando ela limpava sua gaiola, fazia Mop latir bicando-o enquanto a madame cochilava, xingava-a na frente das visitas e comportava-se, em todos os aspectos, como uma velha ave abominável. Também não suportava o cachorro, uma fera gorda e irritante, que rosnava e grania quando ela limpava suas sujeiras e deitava-se de costas, com as patas para o ar e uma expressão idiota quando queria comer algo, o que acontecia umas doze vezes por dia. A cozinheira estava sempre de mau humor, o velho cocheiro era surdo e Esther era a única que sempre se importava com a jovem.

Esther era uma mulher francesa, que morava com a "madame", como ela chamava a patroa, há muitos anos e era tiranizada pela velha senhora, que não fazia nada sem sua ajuda. Seu verdadeiro nome era Estelle, mas a tia March pediu que o mudasse, ao que ela obedeceu, com a condição de que nunca pedisse para mudar sua religião. Amy simpatizou com a *mademoiselle* e esta a entretinha com histórias peculiares da sua vida na França quando ela a acompanhava, enquanto arrumava as rendas da madame. Esther também lhe permitia perambular pela grande casa e examinar as coisas belas e curiosas guardadas nos grandes armários e nos baús antigos, que tia March acumulava. O principal deleite de Amy era um gabinete indiano, cheio de gavetas esquisitas, pequenos escaninhos e lugares secretos, em que eram guardados todos os tipos de ornamentos, alguns preciosos, alguns meramente curiosos, todos mais ou menos antigos.

Examinar e organizar essas coisas dava grande satisfação a Amy, especialmente os estojos de joias, em cujos forros de veludo repousavam ornamentos que adornaram uma elegante mulher quarenta anos atrás. Havia um conjunto de granates que tia March vestia sempre que saía, as pérolas que o pai lhe dera no dia do casamento, os diamantes do seu amado, os anéis e broches de azeviche para o luto, os medalhões estranhos, com retratos de amigos mortos e salgueiros chorões feitos de cabelo, os braceletes infantis que sua filhinha usara, o grande relógio do tio March, com o selo vermelho com que tantas mãos de criança brincaram e, em uma caixa separada, o anel de noivado da tia March, agora muito pequeno para seus dedo gordo, mas guardado cuidadosamente como a joia mais preciosa de todas.

– Qual dessas *mademoiselle* escolheria, se pudesse? – perguntou Esther, que sempre estava por perto para guardar os valiosos objetos.

– Os que mais gosto são os diamantes, mas não há nenhum colar entre eles, e eu adoro colares, são tão atraentes. Eu escolheria este se pudesse – respondeu Amy, olhando com grande admiração para uma corrente de ouro com miçangas de ébano, do qual pendia uma pesada cruz do mesmo material.

– Também escolheria esse, mas não como um colar. Ah, não! Para mim é um rosário e assim usaria, como uma boa católica – disse Esther, olhando com desejo para a bela joia.

— Ele deve ser usado como você usa a corrente de miçangas amadeiradas e perfumadas, que fica pendurada no seu espelho? – perguntou Amy.

— Isso mesmo, para rezar com ele. Os santos ficam agradecidos quando alguém reza com um rosário tão bonito como esse, ao invés de usá-lo como uma bijuteria qualquer.

— Você parece tirar grande conforto de suas orações, Esther, e sempre parece tranquila e satisfeita. Queria ser assim.

— Se *mademoiselle* fosse católica, encontraria o verdadeiro conforto; mas, como não é, seria bom reservar um momento todo dia para meditar e orar, como fazia a patroa a quem servi antes da madame. Ela tinha uma pequena capela e encontrou consolo para muitos problemas.

— Seria bom se eu fizesse isso também? – perguntou Amy, que, em sua solidão, sentia a necessidade de algum tipo de ajuda e achava que poderia esquecer-se do livrinho agora que Beth não estava lá para lembrá-la dele.

— Seria excelente e encantador, e eu organizaria com satisfação a salinha da penteadeira para você, se assim quiser. Não diga nada à madame, mas, quando ela dormir, vá e sente-se sozinha para se concentrar em bons pensamentos e pedir ao querido Deus que preserve sua irmã.

Esther era verdadeiramente devota e muito sincera em seu conselho, pois tinha um coração afetuoso e se compadecia bastante com a aflição das irmãs March. Amy gostou da ideia e permitiu que ela organizasse o pequeno cômodo ao lado do seu quarto, na esperança de que isso lhe fizesse bem.

— Queria saber para onde todas essas coisas lindas irão quando a tia March morrer – disse ela, enquanto lentamente guardava o rosário brilhante e fechava os estojos de joias um a um.

— Para você e suas irmãs. Eu sei, a madame me confidenciou. Eu testemunhei seu testamento, e assim será – sussurrou Esther, com um sorriso.

— Que bom! Mas queria que ela nos desse agora. Procrastinar não é agradável – observou Amy, dando uma última olhada nos diamantes.

— Ainda é muito cedo para as jovens usarem essas coisas. Madame disse que a primeira que ficar noiva ganhará as pérolas, e eu imagino que o pequeno anel turquesa será dado a você quando partir, pois a madame aprova seu bom comportamento e seus modos graciosos.

— Você acha? Oh, eu serei um cordeirinho se puder ganhar esse adorável anel! É muito mais bonito que o de Kitty Bryant. Afinal, gosto da tia March – e Amy experimentou o anel azul com uma expressão de satisfação e uma firme resolução de merecê-lo.

Desse dia em diante, tornou-se um modelo de obediência, e a velha senhora complacentemente admirava o sucesso do seu treinamento. Esther arrumou o cômodo com uma pequena mesa, colocou um escabelo à frente dela e, acima, uma imagem retirada de um dos compartimentos que estavam trancados. Ela achou que não era de grande valor, e, sendo adequada, tomou-a emprestada certa de que a madame jamais perceberia, nem se importaria com isso. Era, porém, uma cópia muito valiosa de uma das pinturas mais famosas do mundo, e os olhos de Amy, amantes da beleza, nunca se cansavam de olhar para o rosto doce da Mãe Divina, enquanto ternos pensamentos ocupavam seu coração. Sobre a mesa, ela colocava sua pequena bíblia e um hinário, mantinha o vaso sempre repleto das melhores flores que Laurie lhes trazia e ia todos os dias "sentar-se sozinha" com bons pensamentos, rezando para o querido Deus preservar sua irmã. Esther lhe deu um rosário de miçangas negras com uma cruz de prata, mas Amy o pendurou e não o usava, sentindo-se em dúvida quanto à adequação das suas preces protestantes.

A menina fazia tudo isso com sinceridade, pois, estando sozinha fora do ninho seguro que era sua casa, sentia uma necessidade tão intensa de uma mão bondosa para segurar, que, por instinto, voltou-se para o Amigo forte e terno, cujo amor paternal envolve especialmente Suas crianças. Sentia falta do auxílio da mãe para entender-se e conduzir-se, mas, tendo sido ensinada para onde olhar, fez seu melhor para encontrar o caminho e segui-lo com confiança. Amy era uma jovem peregrina e agora seu fardo parecia muito pesado. Ela tentou esquecer-se de si mesma, manter-se alegre e satisfeita em fazer o certo, embora ninguém a visse ou a elogiasse por isso. Em seu primeiro esforço para ser muito, muito boa, ela decidiu elaborar seu testamento, como tia March havia feito; assim, se adoecesse e viesse a falecer, suas posses poderiam ser divididas de forma justa e generosa. Porém, doía-lhe o simples pensamento em abdicar dos seus pequenos tesouros, que aos seus olhos eram tão preciosos como as joias da velha senhora.

Durante uma de suas horas de folga, escreveu o importante documento o melhor que pôde, com a ajuda de Esther em relação a alguns termos técnicos e, quando a bondosa francesa assinou seu nome, Amy sentiu-se aliviada e guardou o testamento para mostrar a Laurie, sua segunda testemunha. Como era um dia chuvoso, foi para o andar de cima para entreter-se em um dos grandes quartos e levou Polly como companhia. Nesse quarto, havia um armário cheio de roupas fora de moda, com as quais Esther permitiu que ela brincasse, e era sua diversão preferida vestir-se com os brocados desbotados e desfilar para lá e para cá em frente ao longo espelho, fazendo reverências imponentes e arrastando a cauda que fazia um barulho agradável aos seus ouvidos. Estava tão ocupada naquele dia que não escutou quando Laurie tocou a campainha, nem viu seu rosto espiando-a enquanto modelava com ar sério, balançando o leque e mexendo a cabeça, na qual usava um turbante cor-de-rosa, contrastando estranhamente com seu vestido de brocado azul e a saia amarela acolchoada. Andava com cuidado, pois usava sapatos de salto alto e, quando Laurie contou isso a Jo depois, foi uma imagem engraçada imaginá-la desfilando com aquela roupa, com Polly atrás dela, imitando-a como podia e, ocasionalmente, parando para rir ou exclamar:

– Estamos bem? Vá embora, assombração! Olha a língua! Me dê um beijo! Ha! Ha!

Tendo reprimido com dificuldade uma gargalhada, com medo de ofender sua majestade, Laurie bateu palmas e foi recebido graciosamente.

– Fique à vontade enquanto tiro essas coisas; tenho que consultá-lo sobre um assunto muito sério – disse Amy, depois de mostrar seu esplendor e colocar Polly em um canto. – Esse pássaro é a provação da minha vida – continuou ela, removendo a montanha cor-de-rosa da sua cabeça, enquanto Laurie sentou-se em uma cadeira.

– Ontem, quando a tia estava dormindo e eu tentando ficar o mais imóvel possível, Polly começou a gritar e bater as asas na gaiola, então deixei-o sair e encontrei uma aranha enorme lá. Coloquei-a para fora e ela correu para debaixo de uma estante. Polly correu atrás dela, abaixou-se e olhou debaixo da estante, dizendo, daquele seu jeito engraçado, piscando o olho: "Saia, querida, vamos passear". Foi impossível não rir, o que fez Polly xingar, então a tia acordou e nos repreendeu.

– A aranha aceitou o convite do velho amigo? – perguntou Laurie, bocejando.

– Sim, ela saiu de lá, e Polly correu, muito assustado, e escalou a poltrona da tia, dizendo: "Pegue-a! Pegue-a! Pegue-a!", enquanto eu corria atrás da aranha.

– É mentira! Oh, senhor! – gritou o papagaio, bicando os dedos dos pés de Laurie.

– Eu torceria seu pescoço se você fosse meu, seu velho chato – disse Laurie, balançando seu punho em direção ao pássaro, que pôs a cabeça para o lado e berrou:

– Aleluia! Abençoado seja, querido!

– Agora, estou pronta – disse Amy, fechando o guarda-roupa e pegando um pedaço de papel do bolso. – Quero que você leia isso, por favor, e me diga se está direito e de acordo com a lei. Achei que deveria fazer, pois a vida é incerta e não quero nenhum problema sobre meu túmulo.

Laurie mordeu os lábios e, afastando-se da pequena palestrante pensativa, leu o documento a seguir, com notável seriedade, considerando a ortografia:

MEU TESTAMENTO

Eu, Amy Curti March, gozando de plena saúde mental, deixo todas as minhas posses, a saber, nomeadamente:

Para meu pai, minhas melhores pinturas, desenhos, mapas e obras de arte, incluindo as molduras. Deixo também meus cem dólares, com os quais pode fazer o que quiser.

Para minha mãe, todas as minhas roupas, exceto o avental azul com bolsos – também meu retrato e meu medalhão, com muito amor.

Para minha querida irmã Margaret, deixo meu anel azul-turquesa (se eu ganhá-lo), também minha caixa verde com as pombas, minha peça de renda verdadeira para seu pescoço e o desenho que fiz dela como uma memória da sua "garotinha".

Para Jo, deixo meu broche, o que foi remendado com lacre, também meu tinteiro de bronze – ela perdeu a tampa –, e meu mais precioso coelho de gesso, como desculpas por ter queimado sua história.

Para Beth (se ela viver mais do que eu), dou minhas bonecas e a pequena escrivaninha, meu leque, minhas golas de linho e minhas novas pantufas, se couberem nela, por causa do peso que perdeu com a doença. E, com isso, deixo também para ela meu pesar por ter um dia ridicularizado a velha Joanna.

Para meu amigo e vizinho Theodore Laurence, deixo meu portfólio de papéis, meu modelo de argila de um cavalo, embora ele tenha dito que não tem pescoço. Deixo também, em retribuição por sua grande bondade na hora da aflição, todas as minhas obras de arte que ele gostar, sendo Notre Dame a melhor.

Ao nosso venerável benfeitor, sr. Laurence, deixo minha caixa violeta com espelho na tampa, que servirá bem para suas canetas e lhe trará a lembrança da menina que partiu e agradece os favores feitos à sua família, especialmente Beth.

Desejo que minha amiga preferida, Kitty Bryant, fique com o avental de seda azul e meu anel de contas douradas, com um beijo.

Para Hannah, deixo minha caixinha que ela queria e deixo também todos os meus retalhos na esperança de que ela lembre-se de mim, quando vê-los.

E agora, tendo disposto de todas as minhas valiosas propriedades, espero que todos fiquem satisfeitos e não culpem a morta. Perdoo a todos e confio que possamos nos encontrar quando a trombeta soar. Amém.

Neste testamento, ponho minha assinatura e selo neste 20º dia de novembro, Anni Domino 1861.

Amy Curtis March

Testemunhas:
Estelle Valnor, Theodore Laurence.

O último nome foi escrito a lápis e Amy explicou que ele deveria reescrever com caneta, selando-o adequadamente para ela.

– Quem pôs essa ideia na sua cabeça? Alguém lhe contou sobre Beth desistir das coisas dela? – perguntou Laurie sobriamente, enquanto Amy colocava um pouco de fita vermelha, com lacre, uma vela e uma mesinha à frente do amigo.

Ela explicou e, em seguida, perguntou, aflita:

— Como está Beth?

— Desculpe por ter falado, mas já que comecei, vou terminar. Ela ficou tão doente um dia que disse a Jo que queria dar seu piano para Meg, seus gatos para você e a velha boneca para Jo, que deveria amá-la por consideração a ela. Pediu desculpas por ter tão pouco para dar e deixou mechas de cabelo para os outros, e seu sincero amor ao vovô. Mas nunca falou em testamento.

Laurie estava assinando e selando enquanto falava e não olhou para cima até que uma grande lágrima caiu no papel. O rosto de Amy parecia perturbado, mas ela disse apenas:

— As pessoas não colocam posfácios em seus testamentos, às vezes?

— Sim, chamam-se codicilos.

— Coloque um no meu, então, que todos os meus cachos sejam cortados e distribuídos aos meus amigos. Esqueci-me disso, mas quero fazê-lo, mesmo que isso estrague minha aparência.

Laurie acrescentou mais esse desejo, sorrindo para o último e maior sacrifício de Amy. Em seguida, entreteve-a por uma hora, muito interessado em suas provações. E quando ele teve que ir, Amy segurou-o, sussurrando com a voz trêmula:

— Beth está realmente correndo perigo?

— Receio que sim, mas devemos esperar o melhor, então não chore, querida — e Laurie pôs seu braço em volta dela com um gesto fraternal bastante reconfortante.

Quando ele saiu, ela foi para sua pequena capela e, sentando-se sob a luz do crepúsculo, rezou por Beth, com lágrimas caindo e uma dor no coração, sentindo que um milhão de anéis azul-turquesa não a consolariam, caso perdesse sua doce irmãzinha.

## Confidência

Não acho que tenho palavras para narrar o encontro da mãe com as filhas. Foram belas horas para se viver, mas muito difíceis de descrever, então, vou deixar que meus leitores imaginem e dizer apenas que a casa estava cheia de uma felicidade genuína. A terna esperança de Meg fora realizada, pois, quando Beth acordou do seu sono longo e curativo, as primeiras coisas que seus olhos viram foram a pequena rosa e o rosto da mãe. Muito fraca para pensar, apenas sorriu e se aninhou nos braços carinhosos que a envolveram, sentindo que a saudade havia sido finalmente aliviada. Logo voltou a dormir, e as meninas esperaram pela mãe, que não poderia soltar a mãozinha magra que se agarrou à sua mesmo após cair no sono.

Hannah havia preparado um café da manhã estonteante para a viajante, pois achava impossível canalizar seu entusiasmo de outra forma, e Meg e Jo alimentaram a mãe como pequenas cegonhas zelosas, enquanto ouviam-na sussurrar a respeito do estado do pai, das promessas do sr. Brooke de ficar e cuidar dele, dos atrasos que a tempestade ocasionara na jornada rumo ao lar e do indescritível conforto que o rosto esperançoso de Laurie lhe proporcionou quando chegou desgastada por causa da fadiga, da aflição e do frio.

Que dia estranho, porém agradável, fora aquele: tão brilhante e alegre lá fora, onde todo o mundo parecia dar as boas-vindas à primeira neve; tão quieto e sereno dentro de casa, onde todos dormiam, cansados da vigília, e uma tranquilidade mística reinava na casa enquanto Hannah, sonolenta, montava guarda à porta. Com uma alegre sensação de que as preocupações haviam acabado, Meg e Jo fecharam os olhos fatigados e, enfim, descansaram, como barcos afetados por uma tempestade e que acabam seguros pela âncora em um porto calmo. A sra. March não saiu do lado de Beth, mas descansou na grande cadeira de balanço, acordando a todo momento para olhar, tocar e cobrir a filha, como um avarento observando algum tesouro recuperado.

Enquanto isso, Laurie saiu para confortar Amy e contou a história tão bem que até a tia March fungou e não falou "eu bem que avisei" nenhuma vez. Amy saíra tão fortalecida dessa situação que acredito na possibilidade de que os bons pensamentos cultivados naquela pequena capela realmente começaram a dar frutos. Enxugou suas lágrimas rapidamente, conteve sua impaciência para ver a mãe e sequer pensou no anel azul-turquesa quando a velha senhora, muito amável, concordou com a opinião de Laurie, de que ela havia se comportado como uma verdadeira mulherzinha. Até Polly parecia impressionado, pois chamou-a de boa menina, abençoou-a e perguntou-lhe "vamos passear, querida?", com seu tom mais afável. Teria ido de muito bom grado, para desfrutar o clima invernal e brilhante daquele dia, mas, ao perceber que Laurie estava caindo de sono apesar do esforço que fazia para disfarçar, ela o convenceu a descansar um pouco no sofá enquanto escrevia um bilhete para a mãe. Passou muito tempo nessa tarefa e, quando retornou, ele estava se espreguiçando com ambos os braços sob a cabeça, em um sono tranquilo, tendo a tia March fechado as cortinas e ficado quieta, em um ato incomum de bondade.

Após algum tempo, começaram a achar que ele não acordaria antes de anoitecer, e não sei se acordaria se não tivesse despertado, de repente, com os gritos de alegria de Amy ao ver a mãe. Provavelmente, havia várias garotinhas felizes pela cidade naquele dia, mas ouso dizer que Amy era a mais feliz de todas, ao se sentar no colo da mãe e contar a ela suas provações, recebendo o consolo e a compensação na forma de sorrisos de aprovação e carinhos amorosos. Foram juntas para a capela, à qual a sra. March não se opôs quando seu objetivo lhe foi explicado.

– Ao contrário, gostei muito, querida – passando a vista do rosário empoeirado ao livrinho desgastado e pela bela imagem com sua guirlanda de sempre-vivas. – É um plano excelente ter um lugar onde possamos nos refugiar quando as coisas nos atormentam e entristecem. Há muitas épocas difíceis nessa vida que levamos, mas podemos sempre suportá-las se pedirmos ajuda do jeito certo. Acho que minha filhinha está aprendendo isso.

– Sim, mamãe, e quando eu for para casa, reservarei um cantinho no grande gabinete para colocar meus livros e a cópia que tentei fazer dessa imagem. O rosto da mulher não ficou bom, é bonita demais para que eu a desenhasse, mas o bebê está melhor; gosto muito dessa imagem. Gosto de pensar que Ele foi criança um dia, pois assim não pareço tão distante, o que me ajuda.

Enquanto Amy apontava para o Menino Jesus sorridente sobre o joelho da mãe, a sra. March viu algo na mão levantada que lhe provocou um sorriso. Ela nada disse, mas Amy entendeu o olhar e, após uma pausa de um minuto, acrescentou, seriamente:

– Queria falar sobre isso, mas esqueci. A tia me deu o anel hoje. Ela me chamou, me deu um beijo e colocou-o em meu dedo dizendo que eu era um orgulho para ela e que queria ficar comigo para sempre. Ela deu essa proteção engraçada para que o anel não caísse de meu dedo, pois é muito grande. Gostaria de usá-lo, mamãe, posso?

– São muito bonitos, mas acho você muito nova para esse tipo de enfeite, Amy – disse a sra. March, olhando para a mãozinha roliça, com as pedras azuis no dedo indicador e a pitoresca proteção composta por duas pequeníssimas mãos douradas.

– Vou tentar não ser vaidosa – disse Amy. – Não gosto dele só porque é muito bonito, mas queria usá-lo como a menina da história usava seu bracelete, para sempre me lembrar de algo.

– Você quer dizer da tia March? – perguntou sua mãe, rindo.

– Não, para me lembrar de não ser egoísta.

Amy pareceu tão sincera que sua mãe parou de rir e ouviu respeitosamente o pequeno plano.

– Tenho pensado muito ultimamente sobre meus defeitos e ser egoísta é o maior deles; então, vou tentar com afinco me curar dele, se puder. Beth não é egoísta e é por isso que todos a amam e se sentiram tão mal ao pensar em perdê-la. As pessoas não se sentiriam tão mal por mim se eu estivesse doente e eu não mereço tê-los, mas gostaria de ser amada por muitos amigos e que eles sentissem minha falta. Vou tentar, o quanto eu puder, ser mais como Beth. É possível que eu esqueça minhas resoluções, mas, se eu tiver sempre algo por perto para me lembrar disso, acho que poderei me sair melhor. Posso tentar dessa forma?

– Sim, mas acredito mais no cantinho do grande gabinete. Use seu anel, querida, e faça seu melhor. Acho que você conseguirá, pois o desejo sincero de ser boa já é metade da batalha. Agora, preciso voltar para cuidar de Beth. Continue firme, filhinha, e logo a teremos em casa de novo.

Naquela noite, enquanto Meg escrevia para seu pai contando sobre a chegada segura da viajante, Jo foi até o quarto de Beth, no andar de cima, e, ao encontrar a mãe em seu lugar habitual, parou um minuto girando os dedos no cabelo, com movimentos preocupados e um olhar indeciso.

– O que foi, querida? – perguntou a sra. March, segurando sua mão, com um rosto que pedia segredo.

– Vou contar-lhe algo, mamãe.

– Sobre Meg?

– Como você é rápida! Sim, é sobre ela; e embora seja algo pequeno, inquieta-me.

– Beth está dormindo. Fale baixo e me conte tudo. Espero que aquele Moffat não tenha vindo aqui – disse a sra. March, incisiva.

– Não. Teria fechado a porta na cara dele – disse Jo, ajeitando-se no chão, aos pés da sua mãe. – No último verão, Meg deixou um par de luvas na casa dos Laurence e só uma voltou. Esquecemo-nos disso, até que Teddy me contou que o sr. Brooke estava com a outra e que ele gostava de Meg, mas não ousaria contar, já que ela era tão jovem e ele, tão pobre. Não é uma situação lastimável?

– Você acha que Meg gosta dele? – perguntou a sra. March, com um olhar ansioso.

– Misericórdia! Não sei nada sobre o amor e esses absurdos! – disse Jo, com um misto engraçado de interesse e desdém. – Nos romances, as meninas demonstram esse sentimento com espanto e rubor, desmaiando, emagrecendo e agindo feito tolas. Mas Meg não faz nada disso. Ela come, bebe e dorme como uma criatura sensível, olha diretamente em meus olhos quando falo sobre esse homem e só cora um pouco quando Teddy brinca sobre namorados. Eu o proíbo de fazer isso, mas ele não me leva a sério como deveria.

– Então você acha que Meg não está interessada em John?

– Quem? – perguntou Jo, encarando a mãe.

– O sr. Brooke. Eu o chamo de John agora. Passei a chamá-lo assim no hospital, e ele gostou.

– Oh, meu Deus! A senhora vai tomar o partido dele. Ele tem sido bom para o papai e você não vai mandá-lo embora, mas apenas permita que Meg se case com ele se ela quiser. Que maldade! Ir cuidar do papai e ajudá-la só para que a senhora goste dele – e Jo puxou o próprio cabelo com ira novamente.

– Minha querida, não se zangue com isso. Vou dizer como aconteceu: John foi comigo a pedido do sr. Laurence e dedicou-se tanto ao seu pai que não tivemos como não gostar dele. Ele foi muito sincero e honrado a respeito de Meg, pois confessou amá-la, mas que teria uma casa confortável antes de pedir sua mão em casamento. Ele só queria nossa licença para amá-la e trabalhar para ela, e o direito de fazer com que Meg o amasse, se ele conseguisse. Ele é um jovem excelente e não poderíamos deixar de ouvi-lo, mas não consentirei que Meg fique noiva sendo tão nova.

– Claro que não. Seria estúpido! Sabia que havia algo sendo tramado. Senti isso, mas é pior do que imaginei. Queria que Meg se casasse comigo para mantê-la protegida na família.

Esse arranjo estranho provocou um sorriso na sra. March, mas ela disse, seriamente:

– Jo, confiei em você e não quero que diga nada ainda a Meg. Quando John voltar e eu os vir juntos, poderei analisar melhor os sentimentos dela em relação a ele.

– Ela verá aqueles olhos lindos de que tanto fala e colocará tudo a perder. Seu coração é mole e vai derreter como manteiga no sol, se alguém a olhar com afeto. Meg lê os pequenos relatos que ele envia mais do que suas cartas, mamãe, e me belisca quando falo no assunto; além disso, gosta de olhos castanhos e não acha John um nome feio. Sei que vai se apaixonar e, assim, vai ser o fim da paz, da diversão e dos momentos aconchegantes juntas. Já vi tudo! Eles vão namorar pela casa e todas teremos que desviar. Meg será absorvida e nunca mais será boa para mim. Brooke vai conseguir juntar uma grande fortuna e levá-la embora, fazendo um buraco na família; meu coração ficará partido e tudo será abominavelmente desconfortável. Oh, meu Deus! Por que não somos todos meninos? Assim não haveria aborrecimentos.

Jo apoiou o queixo nos joelhos, em uma atitude de descontentamento, e balançou o punho para o repreensível John. A sra. March suspirou e Jo olhou para cima com um ar de alívio.

– Você não gosta disso, não é, mamãe? Fico feliz. Vamos mandá-lo cuidar da vida dele e não dizer nada a Meg, e sim ficarmos todas juntas e felizes como sempre fomos.

– Fiz mal em suspirar, Jo. É natural e correto vocês todas irem para as próprias casas em algum momento, mas quero ficar com minhas meninas o máximo que puder. Lamento que isso tenha acontecido tão cedo; Meg só tem dezessete anos e não demorará muito até que John consiga um lar. Seu pai e eu concordamos que ela não deve se comprometer de maneira nenhuma, nem se casar, antes dos vinte. Se ela e John se amam, podem esperar e testar o amor fazendo isso. Meg é consciente e não tenho medo de que o trate com rudeza. Minha filha linda e de coração terno! Espero que tenha uma vida feliz.

– Você não preferiria que ela se casasse com um homem rico? – perguntou Jo, ao perceber que a voz da mãe vacilara um pouco nas últimas palavras.

– Dinheiro é algo bom e útil, Jo, e espero que minhas filhas nunca precisem dele de forma intensa nem sejam tentadas por ele. Gostaria que John estivesse firmemente estabelecido em alguns bons negócios, o que lhe proporcionaria uma renda grande o suficiente para manter-se livre de dívidas e dar a Meg uma vida confortável. Não tenho ambição por uma fortuna esplêndida, uma posição de destaque ou um nome importante para minhas filhas. Se posição e dinheiro viessem juntos com amor e virtude, ficaria grata em aceitá-los e aproveitaria sua fortuna; mas sei, por experiência própria, quanta alegria genuína pode ser conseguida em uma casinha humilde, onde o pão está na mesa todos os dias e algumas privações proporcionam doçura aos poucos prazeres. Estou contente em ver Meg começar a vida com humildade, pois, se não estou enganada, ela será rica se tiver ao lado o coração de um homem bom, o que é melhor do que qualquer fortuna.

– Entendo, mamãe, e concordo, mas fico desapontada com Meg. Meu plano era que ela se casasse com Teddy no futuro e vivesse na riqueza para sempre. Não seria ótimo? – perguntou Jo, olhando para cima com o rosto mais brilhante.

– Ele é mais novo que ela, você sabe – começou a falar a sra. March, mas Jo a interrompeu...

– Só um pouco. Ele é maduro para a idade que tem e é alto; além disso, quando quer, seus modos são de um cavalheiro. Ele é rico, generoso e bom, e ama todas nós, por isso é uma pena que meu plano tenha sido frustrado.

– Receio que Laurie não seja maduro o suficiente para Meg, e é muito avoado para que alguém dependa dele. Não faça planos, Jo, deixe que o tempo e os próprios corações dos seus amigos decidam por eles. Não podemos nos intrometer nesses assuntos e é melhor não metermos "tolices românticas", como você mesma diz, em nossas cabeças, ou isso estragará nossa amizade.

– Está bem, não irei. É que odeio ver as coisas todas embaralhadas e se complicando, quando um puxão aqui e um corte ali poderiam consertar tudo. Bom seria, se nunca crescêssemos. Mas botões tornam-se rosas, filhotes tornam-se gatos, é uma pena!

– Que história é essa de nunca crescer e gatos? – perguntou Meg, entrando no quarto com a carta nas mãos.

– Só um dos meus discursos estúpidos. Vou para a cama. Venha, Peggy – disse Jo, levantando-se como um quebra-cabeça animado.

– Muito boa e muito bem escrita. Acrescente que envio meu amor a John – disse a sra. March, depois de ler a carta e devolvê-la.

– Você o chama de John? – perguntou Meg, sorrindo, com seus olhos inocentes voltados para os de sua mãe.

– Sim, ele tem sido como um filho para nós, e gostamos muito dele – respondeu a sra. March, devolvendo o olhar com intensidade.

– Fico feliz com isso, ele é tão sozinho. Boa noite, mamãe querida. É tão bom tê-la de volta que não consigo me expressar – foi a resposta de Meg.

O beijo que sua mãe lhe deu foi muito terno e, quando saiu do quarto, a sra. March disse, com um misto de satisfação e tristeza:

– Ela ainda não ama John, mas em breve aprenderá como fazê-lo.

## A travessura de Laurie, o perdão de Jo

Jo parecia absorta no dia seguinte, com o segredo pesando sobre ela, e achando difícil não transparecer mistério e importância. Meg percebeu isso, mas não se preocupou em fazer perguntas; aprendera que a melhor maneira de lidar com Jo era pela lei dos contrários, então teve certeza de que saberia tudo sem perguntar nada. Ela ficou bastante surpresa, portanto, quando o silêncio permaneceu e Jo assumiu um ar condescendente, o que definitivamente agravou seu ânimo. Meg decidiu, por sua vez, assumir um ar reservado e digno e dedicar-se à mãe. Isso fez com que Jo ficasse à própria mercê, pois a sra. March assumiu o papel de enfermeira e ordenou que ela descansasse, praticasse algum exercício e se divertisse, após seu longo confinamento. Com Amy longe, Laurie era seu único refúgio; porém, por mais que gostasse da companhia dele, temia-o também, por conta de sua incorrigível característica provocadora, receando que ele conseguisse arrancar-lhe o segredo.

E ela estava certa a esse respeito. O querido e travesso rapaz, tão logo suspeitou do mistério, dispôs-se a descobri-lo, tirando Jo do sério. Ele a adulou, subornou, ridicularizou, ameaçou e repreendeu; demonstrou indiferença, o que poderia arrancar-lhe a verdade de surpresa; declarou que sabia do que se tratava e que não se importava; e, por fim, pela perseverança, ficou satisfeito em saber que era algo relacionado a Meg e sr. Brooke. Indignado por não merecer a confiança do seu tutor, dedicou-se a elaborar uma forma adequada de retaliação pelo descrédito.

Enquanto isso, Meg havia aparentemente esquecido o assunto e estava absorta nos preparativos para o retorno do pai; porém, de repente, uma mudança pareceu tomar conta dela e, durante um ou dois dias, nem parecia a mesma. Sobressaltava-se quando lhe dirigiam a palavra, corava quando olhavam para ela, permanecia muito quieta e sentava-se para costurar com um olhar tímido e atribulado. Quando sua mãe perguntava o que tinha, respondia que estava muito bem e quando era Jo quem lhe fazia perguntas, ficava em silêncio implorando para ser deixada em paz.

– Ela já sente o amor no ar e que está avançando muito rápido. Já apresenta a maioria dos sintomas: anda nervosa e irritada, não come, vive no mundo da lua e vagueia pelos cantos. Flagrei-a cantando aquela música que ele lhe deu, e uma vez disse John, como a senhora; então ficou vermelha como uma papoula. O que devemos fazer? – disse Jo, pronta para tomar qualquer medida, mesmo que drástica.

– Nada, a não ser esperar. Deixe-a em paz, seja gentil e paciente e a chegada do seu pai irá acalmar tudo – respondeu sua mãe.

– Chegou um bilhete para você, Meg, todo selado. Que estranho! Teddy nunca sela os meus – disse Jo no dia seguinte, ao distribuir o conteúdo da pequena caixa postal.

A sra. March e Jo estavam concentradas em seus afazeres quando um som vindo de Meg fez com que olhassem para ela, que encarava seu bilhete com um rosto assustado.

– Minha filha, o que se passa? – perguntou sua mãe, correndo até ela, enquanto Jo tentava pegar o papel que havia causado aquilo.

– É tudo um engano, ele não enviou isso. Oh, Jo, como pôde fazer isso? – e Meg escondeu o rosto nas mãos, chorando como se seu coração estivesse partido.

– Eu? Não fiz nada! Do que ela está falando? – perguntou Jo, estupefata.

Os olhos suaves de Meg inflamaram de raiva quando puxou um bilhete amassado do bolso e atirou-o para Jo, dizendo, em tom de repreensão:

– Você o escreveu e aquele garoto malvado a ajudou. Como pôde ser tão rude, tão má e cruel conosco?

Jo mal conseguiu ouvi-la, pois estava, junto da mãe, lendo o bilhete, que foi escrito com uma letra peculiar.

Minha querida Margaret,

Não posso mais conter minha paixão e preciso saber qual será meu destino antes de voltar. Não ouso contar aos seus pais ainda, mas acho que eles consentiriam se soubessem que nos amamos. O sr. Laurence irá ajudar-me a encontrar um bom lugar e, então, minha doce menina, você me fará feliz. Peço que não diga nada à sua família por ora, a não ser uma palavra de esperança por meio de Laurie.

Do seu devotado,
John.

– Oh, aquele travesso! É assim que ele me retribui por manter minha palavra com a mamãe. Vou repreendê-lo e trazê-lo aqui para se desculpar – disse Jo, ansiando por fazer justiça imediatamente. Mas sua mãe a conteve, dizendo, com um olhar que era raro aparecer em seu rosto:

– Pare, Jo, acalme-se primeiro. Você já pregou tantas peças que não me admiraria se tivesse participado dessa também.

– Dou minha palavra, mamãe, não fiz nada! Nunca vi esse bilhete antes e não sei nada sobre isso, juro pela minha vida! – disse Jo, de forma tão sincera que acreditaram nela. – Se eu tivesse participado disso, teria feito muito melhor, escrito um bilhete mais delicado. Teria pensado que você perceberia que o sr. Brooke não escreveria dessa maneira – acrescentou ela, atirando desdenhosamente o papel.

– Parece a letra dele – vacilou Meg, comparando-o com o bilhete em sua mão.

– Oh, Meg, você não o respondeu, não é? – perguntou a sra. March.

– Sim, respondi! – e Meg escondeu o rosto de novo, vencida pela vergonha.

– Que confusão! Deixem-me trazer aquele garoto insensível para se explicar e levar um sermão. Não vou descansar enquanto isso não acontecer – e Jo se dirigiu à porta mais uma vez.

– Quieta! Deixe-me cuidar disso, pois parece pior do que pensei. Margaret, conte-me toda a história – ordenou a sra. March, sentando-se ao lado de Meg e segurando Jo, com medo de que escapasse.

– Recebi a primeira carta de Laurie, que não parecia saber de nada – começou Meg, sem levantar o olhar. – Minha primeira reação foi de preocupação e quis contar-lhe tudo, mas lembrei-me de como você gostou do sr. Brooke, então pensei que não se importaria se eu mantivesse esse pequeno segredo por uns dias. Sou tão boba que gostei de pensar que ninguém sabia e, enquanto estava analisando qual decisão tomar, senti-me como aquelas meninas dos livros, que precisam fazer essas coisas. Perdoe-me, mamãe, estou pagando pela minha tolice agora. Nunca poderei olhar na cara dele de novo.

– O que você lhe disse? – perguntou a sra. March.

– Eu disse apenas que era muito nova para fazer qualquer coisa a esse respeito, e não queria esconder nada da senhora e ele deveria falar com o papai. Que estava muito grata por sua gentileza e seria sua amiga e nada mais, durante um bom tempo.

A sra. March sorriu com satisfação, e Jo bateu palmas, exclamando e rindo:

– Você é quase igual Caroline Percy, um modelo de prudência! Continue, Meg. O que ele respondeu a isso?

– Escreveu de um jeito totalmente diferente, afirmando não ter enviado nenhuma carta de amor e lamentava muito que minha irmã ardilosa, Jo, tomasse essas liberdades usando nossos nomes. Ele foi muito doce e respeitoso, mas imaginem como foi terrível para mim!

Meg apoiou-se em sua mãe, com um semblante desesperado, e Jo caminhou alvoroçada pela sala, proferindo nomes contra Laurie. Parou de repente, pegou os dois bilhetes e, após olhar bem para eles, disse, decidida:

– Não acredito que Brooke tenha visto qualquer uma dessas cartas. Teddy escreveu ambas e guardou a sua para zombar de mim, porque não quis lhe contar meu segredo.

– Não tenha segredos, Jo. Conte tudo à mamãe e não cause problemas, como eu deveria ter feito – foi o aviso de Meg.

– Não foi nada disso! Mamãe me contou.

– Já basta, Jo. Vou consolar Meg enquanto você vai chamar Laurie. Vou analisar o caso a fundo e dar fim a essas brincadeiras de uma vez por todas.

Jo saiu e a sra. March gentilmente contou a Meg sobre os reais sentimentos do sr. Brooke.

– Agora, querida, fale-me dos seus. Você o ama o suficiente para esperar até que ele consiga um lar ou prefere ficar livre no momento?

– Tenho andado assustada e preocupada. Não quero saber de namorados por um bom tempo, talvez nunca – respondeu Meg, petulante. – Se John não sabe sobre esse absurdo, não diga nada e faça com que Jo e Laurie segurem suas línguas. Não vou ser feita de boba. Que vergonha!

Vendo que o temperamento normalmente gentil de Meg havia se alterado e seu orgulho ferido por essa piada de mau gosto, a sra. March a acalmou com promessas de silêncio absoluto e muita discrição a respeito do futuro. No instante em que os passos de Laurie foram ouvidos na entrada, Meg correu para o escritório e a sra. March recebeu o transgressor sozinha.

Jo não lhe disse do que se tratava, temendo que não fosse, mas, no momento em que viu o rosto da sra. March, ele entendou e parou de girar seu chapéu, com um ar culpado que o condenou de imediato. Jo foi dispensada, mas optou por andar para lá e para cá no vestíbulo, como uma sentinela, com medo de que o prisioneiro pudesse fugir. O som das vozes na sala aumentou e baixou durante meia hora, mas o que aconteceu durante esse diálogo as meninas nunca souberam.

Quando foram chamadas, Laurie estava em pé ao lado da sra. March com uma expressão tão arrependida que Jo o perdoou ali mesmo, embora sem transparecer. Meg recebeu suas humildes desculpas e ficou muito confortável com a confirmação de que Brooke não sabia nada a respeito da brincadeira.

– Nunca lhe contarei nada até o dia da minha morte, nada conseguirá arrancar esse segredo de mim. Perdoe-me, Meg; farei o que for preciso para mostrar o quanto estou arrependido – acrescentou ele, parecendo muito envergonhado.

– Vou tentar, mas não foi algo nem um pouco cordial. Não sabia que você podia ser tão dissimulado e malicioso, Laurie – respondeu Meg, tentando esconder sua confusão de donzela sob um ar de grave repreensão.

– Foi algo abominável, e mereço que não me dirija a palavra durante um mês, mas você não vai fazer isso, não é? – e Laurie juntou as mãos em um gesto tão forte de súplica, falando com seu tom irresistivelmente persuasivo, que ficou impossível condená-lo, apesar do seu comportamento escandaloso.

Meg perdoou-o, e o rosto sério da sra. March relaxou, apesar dos seus esforços para se manter séria, quando ouviu-o declarar que iria redimir-se dos seus pecados com todos os tipos de penitências e humilhar-se como um verme perante a donzela ferida.

Jo permanecia indiferente, tentando endurecer seu coração em relação a ele e sendo bem-sucedida apenas em expressar desaprovação.

Laurie olhou para ela uma ou duas vezes, mas, como não mostrou nenhum sinal de abrandamento, ele ficou magoado e virou as costas até que as outras terminassem de falar. Então, fez uma pequena reverência para ela e saiu sem dizer palavra.

Assim que ele saiu, Jo desejou ter sido mais clemente e, quando Meg e sua mãe foram para o andar de cima, sentiu-se sozinha e ficou com saudades de Teddy. Após resistir por algum tempo, rendeu-se ao impulso e, com a desculpa de devolver um livro, caminhou até a mansão.

– O sr. Laurence está? – perguntou Jo a uma empregada que vinha do andar de baixo.

– Sim, senhorita, mas não acredito que possa vê-lo no momento.

– Por que não? Está doente?

– Não, senhorita, mas alterou-se com o sr. Laurie, que estava birrando por algum motivo e atormentando o velho senhor, então não me atrevo a chamá-lo.

– Onde está Laurie?

– Trancado em seu quarto e não responde à porta, embora eu tenha tentado. Não sei o que fazer com o jantar, pois está pronto e não há ninguém para comê-lo.

– Vou ver qual é o problema. Não tenho medo de nenhum dos dois.

Jo subiu e bateu suavemente na porta do pequeno gabinete de Laurie.

– Pare com isso ou eu abro a porta e você vai ver! – respondeu o jovem cavalheiro, com um tom ameaçador.

Em seguida, Jo bateu de novo. A porta abriu-se e, ao vê-la à sua frente, Laurie não conseguiu esconder a surpresa. Notando que o mau humor era real, Jo, que sabia como lidar com ele, assumiu uma expressão de arrependimento, ajoelhou-se em uma bela encenação e disse, humildemente:

– Por favor, perdoe-me por ter sido tão ranzinza. Vim aqui para nos acertarmos e não vou embora até conseguir.

– Está bem. Levante-se e não seja boba, Jo – foi a resposta do cavalheiro à sua petição.

– Obrigada, assim o farei. Posso saber qual o seu problema? Você não parece exatamente tranquilo.

— Fui sacudido, e não consigo me conformar com isso — rosnou Laurie, indignado.

— Quem fez isso? — perguntou Jo.

— O vovô. Se fosse qualquer outra pessoa, eu teria... — e o jovem magoado terminou sua sentença com um gesto enérgico com o braço direito.

— Não foi nada. Faço isso o tempo todo e você não se importa — disse Jo, apaziguadora.

— Pff! Você é uma menina, é até engraçado, mas não posso permitir que um homem faça isso comigo!

— Não acho que alguém se atreveria a tentar se você estivesse tão alterado como agora. Por que ele o tratou assim?

— Só porque não quis dizer o motivo de sua mãe ter me chamado. Prometi não contar e obviamente não iria quebrar minha promessa.

— Você não poderia agradar seu avô de outra forma?

— Não, ele queria saber a verdade, toda a verdade, nada além da verdade. Teria contado o que fiz se fosse possível poupar Meg. Como isso não era possível, segurei a língua e aguentei o sermão até o velho me pegar pela gola. Então fugi, com medo de perder as estribeiras.

— Não foi nada bom, mas ele deve estar arrependido, sei que está. Então, desça e faça as pazes com ele. Vou ajudá-lo.

— Nem morto! Não vou ouvir sermão e ser agredido por todos só por causa de uma brincadeira. Lamento por Meg e pedi perdão como um homem, mas não vou fazer isso de novo sabendo que não estou errado.

— Ele não sabia disso.

— Ele deveria confiar em mim e não agir como se eu fosse criança. Não tem jeito, Jo, ele tem de aprender que posso cuidar de mim mesmo e não preciso ser conduzido por ninguém.

— Que azedo você! — suspirou Jo. — Como pretende resolver essa questão?

— Bom, ele deveria se desculpar e acreditar em mim quando digo que não posso contar sobre o ocorrido.

— Isso não vai acontecer! Ele não vai fazer isso de jeito nenhum.

— Não vou ceder enquanto ele não se desculpar.

— Ah, Teddy, seja razoável. Deixe passar, e eu explicarei da melhor maneira possível. Você não pode morar nesse quarto. Qual o sentido de ser melodramático?

— Não pretendo ficar aqui por muito tempo. Vou fugir para qualquer lugar e, quando o vovô sentir minha falta, logo vai mudar de opinião.

— Talvez, mas você não deveria ir embora e preocupá-lo.

— Não me venha com sermão. Vou para Washington visitar Brooke. Lá é animado e vou me divertir depois de tantos problemas.

— Seria muito divertido realmente! Adoraria poder fugir também — disse Jo, esquecendo seu papel de mentora ao imaginar vivamente a vida da capital em guerra.

— Vamos juntos, então! Por que não? Você surpreende o seu pai, e eu, o velho Brooke. Seria uma brincadeira gloriosa. Vamos, Jo. Deixamos uma carta dizendo que estamos bem e partimos imediatamente. Tenho dinheiro o suficiente. Vai lhe fazer bem e não será inadequado, afinal você irá visitar seu pai.

Durante um momento, Jo pareceu inclinada a concordar, pois, por mais louco que o plano fosse, pareceu-lhe perfeito. Estava cansada do confinamento, queria uma mudança, e os pensamentos sobre seu pai misturaram-se tentadoramente com a novidade dos acampamentos e hospitais, liberdade e diversão. Seus olhos brilhavam quando ela olhou pela janela, mas, ao ver a casa velha, balançou a cabeça com triste decisão.

— Se eu fosse um menino, fugiríamos juntos e passaríamos bons momentos; mas como sou uma menina triste, devo ser correta e ficar em casa. Não me tente, Teddy, é um plano louco.

— Essa é a graça dele — começou Laurie, em um acesso de obstinação e possuído pela ideia de quebrar barreiras de alguma forma.

— Pare de falar — disse Jo, cobrindo as orelhas. — Meu destino é ficar em casa e devo logo aceitar que assim será. Vim aqui para aconselhá-lo, não para ouvir coisas que me fazem parar de pensar.

— Sei que Meg desaprovaria tal proposta, mas pensei que você fosse mais animada — começou Laurie, insinuante.

— Garoto malvado, cale-se! Sente-se e pense sobre seus pecados e pare de tentar aumentar os meus. Se eu fizer com que seu avô se desculpe por tê-lo sacudido, você desiste de fugir? — perguntou Jo, seriamente.

– Sim, mas você não vai fazer isso – respondeu Laurie, que desejava acertar as coisas, mas sentia que sua dignidade escandalizada deveria ser apaziguada primeiro.

– Se eu consigo lidar com o jovem, também consigo com o velho – resmungou Jo enquanto saía, deixando Laurie inclinado sobre o mapa de uma ferrovia com a cabeça apoiada nas mãos.

– Entre! – e a voz áspera do sr. Laurence soou mais áspera do que nunca, quando Jo bateu na porta.

– Sou eu, senhor, vim devolver um livro – disse ela brandamente, enquanto entrava.

– Quer outro? – perguntou o velho cavalheiro, com ar temível e atormentado, mas tentando não demonstrar.

– Sim, por favor. Gosto muito do velho Sam, acho que vou tentar o segundo volume – respondeu Jo, esperando apaziguá-lo ao aceitar uma segunda dose de Samuel Johnson, de Boswell, pois ele havia recomendado vivamente aquela obra. As sobrancelhas desgrenhadas relaxaram um pouco enquanto ele se aproximava da prateleira onde a literatura de Johnson estava colocada. Jo subiu até o último degrau, fingindo procurar o livro, mas na verdade pensando na melhor forma de introduzir o perigoso assunto da sua visita. O sr. Laurence pareceu suspeitar que ela planejava algo, pois, após dar várias voltas pelo cômodo, pôs-se em frente a ela falando tão abruptamente que *A História de Rasselas* caiu no chão.

– O que o garoto está tramando? Não o proteja. Sei que andou metido em travessuras pelo jeito que agiu quando chegou em casa. Não consegui arrancar-lhe nenhuma palavra e, quando ameacei arrancar-lhe a verdade, correu e trancou-se em seu quarto.

– Ele agiu mal, mas já foi perdoado e todos prometemos não dizer a ninguém uma palavra sobre o que aconteceu.

– Não pode ser. Ele não irá se esconder atrás de uma promessa feita a vocês, meninas de coração mole. Se fez algo descabido, deve confessar, pedir desculpas e ser punido. Desembuche, Jo. Não vou ficar sem saber.

O sr. Laurence parecia tão alarmado e falava tão sério que Jo poderia muito bem ter corrido dali, se pudesse; mas ela estava no alto da escada e ele ao pé, como um leão guardando o caminho, portanto teve que ficar e enfrentar a situação.

– Nada posso dizer, senhor. Minha mãe proibiu. Laurie confessou, pediu desculpas e foi devidamente punido. Guardamos segredo para proteger outra pessoa, não ele, e vai ser pior se o senhor interferir. Por favor, não faça isso. Foi em parte culpa minha, mas está tudo bem agora. Então, vamos esquecer isso e falar sobre *Rambler* ou algo aprazível.

– Esqueça *Rambler*! Desça daí e me dê sua palavra que aquele garoto leviano não fez nada desagradável ou impertinente. Se ele fez, após toda a gentileza com que o tratam, vou surrá-lo com minhas próprias mãos.

A ameaça pareceu terrível, mas não alarmou Jo, pois sabia que o velho irascível nunca levantaria um dedo contra o neto, não importava o quanto dissesse o contrário. Ela desceu, obediente, e revelou o máximo que pôde da brincadeira de Laurie sem trair Meg ou esquecer-se da verdade.

– Hum... ah... bem, se o menino não quis contar para manter a promessa, e não por capricho, perdoo-o. Ele é teimoso e difícil de lidar – disse o sr. Laurence, esfregando o cabelo até parecer como se estivesse em um vendaval, suavizando a cara amarrada com ar de alívio.

– Também sou teimosa, mas uma palavra gentil me tranquiliza quando nem todos os cavalos ou os homens do rei conseguiriam – disse Jo, tentando salvar seu amigo, que parecia sair de uma enrascada só para entrar em outra.

– Você acha que não sou gentil com ele, hein? – foi a resposta direta.

– Oh, nada disso, senhor. Você é até gentil demais, às vezes, e só um pouco ríspido quando ele testa sua paciência. Não acha?

Jo estava determinada a encerrar aquilo, e tentou parecer plácida, embora tenha ficado um pouco tensa após seu ousado discurso. Para seu grande alívio e surpresa, o velho cavalheiro apenas colocou seus óculos na mesa fazendo barulho e exclamou, com franqueza:

– Você está certa, menina, sou assim! Amo o garoto, mas ele me tira a paciência e sei como isso vai acabar se continuarmos assim.

– Eu lhe digo, ele vai fugir.

Jo lamentou pelo que disse enquanto falava. Ela quis alertá-lo de que Laurie não aguentaria ser tão controlado e esperava que ele fosse mais paciente com o rapaz. O rosto avermelhado do sr. Laurence mudou subitamente, e ele sentou-se, lançando um olhar conturbado para a imagem de um belo homem sobre a mesa. Era o pai de Laurie, que fugiu na juventude e casou-se contra a vontade imperiosa do seu pai. Jo supôs que ele se lembrava e se arrependia do passado e desejou ter segurado a língua.

– Ele não vai fazer isso, a menos que esteja muito preocupado; às vezes, ameaça, quando fica cansado de estudar. Eu mesma também penso nisso em alguns momentos, especialmente desde que cortei meu cabelo. Então, se um dia o senhor nos perdesse, poderia espalhar cartazes dizendo que procura por dois meninos entre os navios que partiam para a Índia. Ela riu enquanto falava, e o sr. Laurence pareceu aliviado, evidentemente tomando aquilo como uma piada.

– Que garotinha audaz você é, como ousa falar assim? Onde está seu respeito por mim e os seus modos? Esses meninos e meninas! Vocês são um tormento, ainda assim não conseguimos viver sem vocês – disse ele, beliscando as bochechas da menina com bom humor. – Vá e traga o rapaz para jantar, diga a ele que está tudo bem e avise-o para não assumir ares trágicos com seu avô. Não vou suportar isso.

– Ele não virá, senhor. Sentiu-se mal porque o senhor não acreditou quando afirmou não poder falar sobre o que aconteceu. Acho que a sacudida o magoou profundamente.

Jo tentou parecer comovente, mas não conseguiu, pois o sr. Laurence começou a rir, e então ela percebeu que a batalha estava ganha.

– Lamento por isso e deveria agradecer-lhe por não me sacudir, suponho. O que diabos ele espera? – e o velho senhor pareceu um pouco envergonhado do seu nervosismo.

– Se eu fosse o senhor, escreveria-lhe um pedido de desculpas. Ele disse que não sairá do quarto enquanto isso não acontecer, fala em ir para Washington... um absurdo atrás do outro. Um pedido de desculpas formal faria com que percebesse o quão tolo é e o amansaria. Tente. Laurie gosta desse jogo, e assim será melhor do que falar com ele. Eu serei a mensageira e direi como deve se comportar.

O sr. Laurence lançou-lhe um olhar sério e colocou os óculos, dizendo, calmo:

– Você é uma garotinha esperta, mas não me importo de ser conduzido por você e por Beth. Pegue um pedaço de papel e vamos acabar com esse absurdo.

O bilhete foi escrito nos termos que o velho cavalheiro usaria para com outro cavalheiro após uma grande ofensa. Jo deu um beijo na careca do sr. Laurence e correu para deslizar o pedido de desculpas por baixo da porta do quarto de Laurie, avisando-o pelo buraco da fechadura que fosse humilde, respeitoso e mais algumas impossibilidades agradáveis. Permanecendo trancada a porta, ela deixou que o bilhete fizesse seu trabalho e já estava saindo, tranquila, quando o jovem escorregou pelo corrimão e esperou por ela ao pé da escada, dizendo, com sua mais virtuosa expressão de bem-estar:

– Que boa amiga você é, Jo! Apanhou uma tormenta? – acrescentou ele, rindo.

– Não, ele é bem sereno, em geral.

– Ah! Quem dera. Se você continuasse brava comigo, nem sei o que faria – ele começou, lisonjeiro.

– Não fale assim. Vire a página e comece de novo, Teddy, meu menino.

– Vivo virando páginas e estragando-as, como costumava fazer com meus cadernos; já recomecei tantas vezes que nunca haverá um fim – disse ele, meio triste.

– Vá jantar, vai se sentir melhor. Homens sempre ficam irritados quando estão famintos – e Jo saiu pela porta da frente depois disso.

– Esse é um "rótulo" da minha "seita" – respondeu Laurie, citando Amy, e dirigiu-se à sala de jantar para compartilhar a refeição com o avô, que demonstrou um humor benevolente e um respeito extremo em seus modos durante todo o resto do dia.

Todos pensavam que o assunto estava encerrado e a pequena nuvem se desfizera, mas a malcriação estava feita. Embora os outros tenham esquecido, Meg se lembrava. Ela nunca mencionava certa pessoa, mas pensava muito nele, sonhava mais sonhos do que nunca e, certa vez, ao procurar selos na mesa da irmã, Jo encontrou um pedaço de papel rabiscado com as seguintes palavras "Sra. John Brooke", para as quais rosnou tragicamente, atirando o papel ao fogo e sentindo que a brincadeira de Laurie havia precipitado um dia maldito.

## Prados aprazíveis

As semanas que se seguiram foram pacíficas como a luz do sol após uma tempestade. Os doentes melhoraram rapidamente e o sr. March começou a falar em retornar no início do novo ano. Beth já conseguia se deitar no sofá do gabinete durante o dia. Primeiro, divertindo-se com seus adorados gatinhos e, depois, costurando para suas bonecas, que haviam caído tristemente no esquecimento. Os membros dela, outrora ativos, estavam tão rígidos e frágeis que Jo a levava todos os dias em seus braços fortes para tomar ar puro pela casa. Meg escureceu e queimou com alegria as mãos alvas cozinhando pratos delicados para "a queridinha", enquanto Amy, leal escrava do anel, celebrava seu retorno distribuindo tantos tesouros o quanto pudesse convencer as irmãs de aceitar.

Com o Natal se aproximando, os mistérios costumeiros começavam a assombrar a casa, e Jo com frequência perturbava a família propondo cerimônias completamente impossíveis ou muito absurdas, em homenagem a esse incomum feliz Natal. Laurie era igual, e haveria fogueiras, foguetes e arcos do triunfo se fosse do seu jeito. Após muitas escaramuças e frustrações, a ambiciosa dupla foi, em fim, dada por vencida e saíram com rostos tristes, contrariados por gargalhadas quando estavam sozinhos.

Vários dias de clima atípico e ameno antecederam um esplêndido Natal. Hannah sentiu que seria um dia extraordinariamente agradável e provou-se uma verdadeira profetisa, pois tudo e todos pareciam prestes a produzir um grande sucesso. Para começar, o sr. March escreveu que logo estaria com elas. Em seguida, Beth sentiu-se ótima naquela manhã e, vestida com o presente que sua mãe lhe dera, uma delicada capa de merinó carmesim, foi carregada com grande triunfo até a janela para contemplar a oferta de Jo e Laurie. Os Incontestáveis tinham feito seu melhor para merecer o nome, pois trabalharam como elfos durante a noite e evocaram uma cômica surpresa. No jardim, jazia uma imponente donzela feita de neve, coroada com azevinho, carregando uma cesta de frutos e flores em uma mão, um grande rolo de músicas na outra, um xale que formava um perfeito arco-íris sobre seus ombros gelados e uma canção de Natal saindo dos seus lábios por um papel cor-de-rosa.

## Louisa May Alcott

### DA DONZELA PARA BETH

Querida Rainha Bess, Deus a abençoe!
Que nada lhe entristeça,
Saúde e paz, e que a alegria sobrevoe
seu reino e o Natal resplandeça.

Aqui está o alimento de nossa mocinha atarefada,
E flores para lhe agradar o olfato.
Aqui está a música para ser em seu pianinho dedilhada,
Um xale para seus pés sem sapato.

Um retrato de Joanna, muito belo!
Veja, pelo estimado Rafael, foi feito
Que trabalhou com grande esmero
Para fazê-lo belo e perfeito.

Esta fita vermelha, lhe foi entregue,
Para a cauda de Madame Purrer,
E o sorvete feito pela bela Peg,
Um Mont blanc em um balde todos hão de querer.

Em meu peito de neve estão aqueles
Que me fizeram com o mais puro amor
Aceite-a, a donzela alpina, deles,
Laurie e Jo, com todo o louvor.

Como Beth riu quando viu isso! E como Laurie corria para lá e para cá para pegar os presentes! E que discursos divertidos Jo fez, enquanto os entregava!

– Estou tão feliz! Se o papai pudesse estar aqui, não aguentaria segurar as lágrimas – disse Beth, suspirando de contentamento, enquanto Jo a carregava para o gabinete após toda aquela emoção, onde refrescou-se com as deliciosas uvas que a "donzela" lhe enviara.

– Também estou – acrescentou Jo, batendo no bolso onde guardava seu *Undine e Sintram*.

– Eu também, com certeza – ecoou Amy, contemplando a réplica de "A Virgem com o Menino Jesus", que sua mãe lhe dera em uma bela moldura.

– Claro que estou também! – disse Meg, acariciando as dobras prateadas do seu primeiro vestido de seda, que o sr. Laurence havia insistido em presentear-lhe.

– Como não poderia estar? – disse a sra. March com gratidão, ao passear os olhos da carta do marido ao rosto sorridente de Beth, sua mão acariciando o broche feito de cabelos grisalhos, dourados, castanhos e pretos que as meninas haviam acabado de colocar-lhe no peito.

De vez em quando, nesse mundo de trabalho, as coisas de fato acontecem de um jeito muito romanesco, e isso é muito agradável. Meia hora depois de todas afirmarem como estavam felizes e que mal podiam segurar as lágrimas; elas, por fim, as deixaram rolar. Laurie abriu a porta da sala e colocou a cabeça para dentro, em silêncio. Ele também poderia ter dado uma cambalhota e proferido um grito de guerra indígena, pois seu rosto estava tão cheio de excitação e sua voz tão alegre que todas levantaram-se, embora tenha dito apenas, com a voz estranha e ofegante:

– Aqui está outro presente de Natal para a família March.

Antes que as palavras saíssem da sua boca, ele afastou-se e, em seu lugar, apareceu um homem alto, agasalhado até os olhos, apoiado no braço de outro homem alto, que tentava dizer algo, embora sem sucesso. Houve uma algazarra e, durante vários minutos, todas pareceram perder a razão, fazendo as coisas mais estranhas e sem conseguir falar uma palavra sequer.

O sr. March ficou invisível sob o abraço dos quatro pares de braços carinhosos. Jo quase desmaiou e teve que ser socorrida por Laurie no gabinete das porcelanas. O sr. Brooke beijou Meg inteiramente por engano, como depois explicara, sendo um tanto incoerente. E Amy, a solene, tropeçou em uma banqueta e não conseguiu mais levantar-se, chorando perante as botas do pai da maneira mais comovente. A sra. March foi a primeira a recobrar-se e levantou a mão, avisando:

– Parem! Lembrem-se de Beth.

Contudo, já era tarde. A porta do escritório foi aberta, a pequena capa vermelha apareceu na soleira, a alegria deu forças aos membros fracos e Beth correu direto para os braços do pai. Não importa o que aconteceu logo em seguida, pois os corações transbordavam, lavando toda a amargura do passado e deixando somente a doçura do presente.

Nem tudo foi romântico, e todas soltaram um riso farto quando Hannah foi descoberta atrás da porta, soluçando sobre o peru que ela tinha esquecido de pôr sobre a mesa ao sair correndo da cozinha. Quando o riso diminuiu, a sra. March agradeceu o sr. Brooke por cuidar do seu marido, e este lembrou-se de que o sr. March precisava descansar e, levando Laurie, saiu em seguida. Logo depois, os dois convalescentes foram ordenados a repousar, o que fizeram sentando-se ambos em uma grande poltrona e conversando bastante.

O sr. March contou o quanto desejava surpreendê-las e como, quando o tempo bom voltou, ele foi orientado pelo médico a aproveitar isso; contou também como Brooke era devotado, um jovem querido e correto. Quanto ao motivo pelo qual o sr. March pausou por um minuto e, após olhar de relance para Meg, que estava cutucando o fogo com violência, olhou para sua esposa com um levantar de sobrancelhas inquiridor; deixo a cargo da sua imaginação, leitor. Faço o mesmo quanto ao motivo pelo qual a sra. March acenou positivamente com a cabeça e perguntou, de repente, se ele gostaria de comer algo. Jo viu tudo, entendeu os olhares e saiu aborrecida para pegar vinho e caldo de carne, resmungando para si mesma ao bater a porta:

— Odeio jovens queridos com olhos castanhos!

Nunca houve um jantar de Natal como o daquele dia. O peru gordo estava à vista para ser contemplado quando Hannah o colocou na mesa, recheado, dourado e decorado. Depois veio o pudim de ameixa, que derreteu na boca de todos, assim como as geleias, as quais Amy aproveitou como uma mosca em um pote de mel. Tudo correu bem, o que era um milagre, de acordo com Hannah:

— Minha cabeça estava tão atrapalhada, sra. March, que não sei como não queimei o pudim ou recheei o peru com passas.

O sr. Laurence e seu neto jantaram com eles, assim como o sr. Brooke, a quem Jo lançava olhares sombrios, para total diversão de Laurie. Havia duas espreguiçadeiras lado a lado na cabeceira da mesa, nas quais sentaram-se Beth e o pai, banqueteando-se, com moderação, de um pouco de frango e uma pequena fruta. Todos brindaram, contaram histórias, cantaram, relembraram o passado e tiveram um ótimo momento. Um passeio de trenó havia sido planejado, mas as meninas não queriam deixar o pai; assim, os convidados partiram cedo e, ao entardecer, a família feliz reuniu-se ao fogo.

– Um ano atrás estávamos reclamando do triste Natal que esperávamos passar. Vocês se lembram? – perguntou Jo, fazendo uma pausa curta, seguida de uma longa conversa sobre muitas coisas.

– Mesmo assim, o ano foi muito bom! – disse Meg, sorrindo para o fogo e congratulando-se por ter tratado o sr. Brooke com dignidade.

– Acho que foi um ano bem difícil – observou Amy, atenta ao brilho da luz refletindo em seu anel, com olhos pensativos.

– Estou feliz que acabou, porque temos o senhor de volta – sussurrou Beth, sentada no colo do pai.

– Foi uma estrada difícil a que percorreram, minhas pequenas peregrinas, especialmente a última parte. Mas você conseguiram com bravura, e acho que os fardos em breve serão tirados de suas costas – disse o sr. March, olhando com satisfação paternal para os quatro rostos reunidos ao seu redor.

– Como o senhor sabe? O que mamãe lhe contou? – perguntou Jo.

– Não muito. As palhas mostram para que lado o vento sopra, e hoje descobri muitas coisas.

– Oh, conte-nos que coisas são essas! – pediu Meg, sentada ao lado do pai.

– Aqui está uma – e, levantando a mão que estava pousada no braço de sua poltrona, mostrou o indicador enrugado, uma queimadura nas costas da mão e duas ou três feridas na palma. – Lembro-me de uma época em que esta mão era branca e delicada, e seu objetivo inicial era mantê-la assim. Era muito bonita na época, mas para mim é muito mais bonita agora, pois nessas manchas aparentes leio uma pequena história. Uma oferenda queimada foi feita à vaidade, esta palma enrijecida ganhou algo melhor do que calos, e estou certo de que a costura feita nesses dedos perfurados durará muito, de tanta boa vontade com que os pontos foram dados. Meg, minha querida, valorizo a habilidade feminina em manter o lar feliz mais do que mãos alvas ou roupas da moda. Estou orgulhoso de cumprimentar essa mãozinha boa e talentosa, e espero não ser solicitado tão cedo para que seja levada embora.

Se Meg queria uma recompensa pelas horas de trabalho paciente, ela a recebeu no aperto caloroso da mão do seu pai e no sorriso de aprovação que ele lhe deu.

– E o que dizer de Jo? Por favor, diga algo bom; ela se esforçou bastante e foi muito, muito boa comigo – disse Beth no ouvido do seu pai.

Ele riu e olhou para a menina alta sentada no lado oposto ao dele, com uma expressão serena incomum no rosto.

– Apesar dos cachos cortados, não vejo "meu filho Jo" que deixei um ano atrás – disse o sr. March. – Vejo uma jovem moça que fecha sua gola corretamente, amarra seus cadarços com precisão e não assovia, não fala gírias nem deita no tapete como costumava fazer. Seu rosto está magro e pálido agora, por culpa da vigília e da aflição, mas gosto de olhar para ele, pois ficou mais doce, e sua voz tem um tom mais baixo. Ela não corre, move-se com suavidade, e cuida de uma certa pessoazinha de um jeito maternal que me agrada. Perdi minha garota rebelde, mas ganhei uma mulher forte, útil e terna em seu lugar, e por isso estou muito satisfeito. Não sei se o corte de cabelo amansou nossa ovelha indomável, mas sei que em toda Washington não encontrei nada que fosse belo o suficiente para ser comprado com os vinte e cinco dólares enviados pela minha boa menina.

Os olhos atentos de Jo ofuscaram-se por um momento, e seu rosto magro ruborizou à luz do fogo ao receber o elogio do pai, sentindo que merecia parte dele.

– Agora sobre Beth – disse Amy, esperando que chegasse logo sua vez, mas pronta para esperar.

– Há tão pouco a dizer dela. Receio falar demais e fazer com que fuja, embora não seja mais tão tímida como costumava ser.

Então, ele começou a falar, com alegria, mas, relembrando o quão perto esteve de perdê-la, abraçou-a forte, dizendo, com ternura e com o rosto encostado no dela:

– Você está segura, minha Beth, e assim vou mantê-la, Deus queira que sim.

Após um minuto de silêncio, olhou para Amy, que estava sentada no banquinho aos seus pés e disse, fazendo um carinho no cabelo brilhante:

– Observei que Amy pegou as coxas no jantar, realizou afazeres para sua mãe durante toda a tarde, deu a Meg seu lugar esta noite e esperou por todas com paciência e bom humor. Também observei que não se preocupa tanto com a aparência nem se olha no espelho, e nem sequer mencionou um anel muito bonito que agora está usando. Então, concluo que aprendeu a pensar mais nos outros e menos em si própria e decidiu se esforçar e moldar seu caráter com o mesmo cuidado com que molda suas pequenas figuras de argila. Fico feliz com isso, e embora eu tenha muito orgulho da graciosa estátua que ela fez, tenho infinitamente mais orgulho da filha atenciosa e com talento para tornar a vida mais bela para si e para os outros.

– Em que você está pensando, Beth? – perguntou Jo, quando Amy agradeceu ao pai e contou sobre o anel.

– Li hoje em *Viagem do Peregrino* como, após muitos problemas, o Cristão e o Esperançoso chegaram a um prado verde e aprazível, onde os lírios floresciam durante o ano todo, e ali descansaram tranquilamente, assim como nós agora, antes de partirem para o fim da sua jornada – respondeu Beth, e, ao desvencilhar-se dos braços do pai e dirigir-se ao seu pianinho, acrescentou: – É hora de cantar, e quero ficar no meu lugar antigo. Vou tentar cantar a canção do menino pastor que os Peregrinos ouviram. Fiz a música para o papai, porque ele gosta dos versos.

Sentando-se diante do pequeno piano, Beth tocou nas teclas suavemente e aquela doce voz – a qual chegaram a pensar que nunca mais ouviriam – cantou, acompanhando a si própria, o hino pitoresco: uma canção excepcionalmente adequada para ela.

> Aquele que está embaixo não tem a queda a recear,
> Aquele que é humilde e não orgulhoso.
> Aquele que simplicidade está sempre a buscar,
> Terá Deus a guiá-lo e um coração amoroso.
>
> Estou contente com tudo a mim pertencente,
> Seja pouco, seja suficiente, seja bastante.

E, Senhor! Ainda desejo a alegria resplandecente,
Porque vós a salvaste de um caminho desgastante.

Fartura para eles é um estorvo,
Que continue a peregrinação.
Alegria pouca e futura aqui absorvo
É o melhor em toda geração!

## Tia March resolve a questão

Como um enxame de abelhas atrás de sua rainha, mãe e filhas rodeavam o sr. March no dia seguinte, deixando tudo de lado para olhar, esperar e ouvir o novo convalescente, que estava prestes a ser morto com tanta gentileza. Quando ele sentou-se apoiado na grande poltrona ao lado do sofá de Beth, com as outras três por perto e Hannah aparecendo de vez em quando para espiar o bom homem, parecia que nada mais era preciso para completar sua felicidade. Mas algo era necessário e as meninas mais velhas sentiram isso, embora nenhuma confessasse. O sr. e a sra. March entreolhavam-se com uma expressão aflita, quando seus olhos encontravam Meg. Jo tinha acessos súbitos de seriedade e foi vista balançando seu punho para o guarda-chuva do sr. Brooke, que ficara no vestíbulo. Meg estava alheia, tímida e quieta, alvoroçava-se quando a campainha tocava e ruborizava quando o nome de John era mencionado. Amy disse que todos pareciam "esperar por algo e não conseguiam sossegar, o que era estranho, já que o pai estava a salvo em casa". E Beth, inocentemente, questionava-se por que os vizinhos não apareciam como de costume.

Laurie passou por lá durante a tarde e, vendo Meg à janela, pareceu subitamente possuído por um assomo melodramático; ajoelhou-se na neve, bateu em seu peito, arrancou os cabelos e juntou as mãos como se implorasse por uma dádiva. Quando Meg disse-lhe que se comportasse e fosse embora, arrancou lágrimas imaginárias do seu lenço e cambaleou até a esquina como se estivesse em absoluto desespero.

– O que esse tolo quer com isso? – disse Meg, rindo e fazendo-se de desentendida.

– Ele está mostrando como seu John passará a agir. Tocante, não é? – respondeu Jo, com desdém.

– Não diga "meu John", não é adequado ou sequer verdadeiro – mas a voz de Meg demorava-se nas palavras, como se estas lhe fossem agradáveis. – Por favor, não me chateie, Jo, já disse que não ligo tanto assim para ele e não há nada a ser dito. Devemos todos ser amigos e continuarmos como antes.

– Não há como; algo foi dito e a travessura de Laurie fez com que eu passasse a olhá-la com menos estima. Eu percebo e mamãe também. Você já não é mais como antes, parece estar sempre distante de mim. Não quero aborrecê-la e vou suportar isso com bravura, mas queria que fosse resolvido logo. Detesto esperar, então, se você quer mesmo fazer isso algum dia, apresse-se e faça logo – disse Jo, irritada.

– Não posso dizer nada até que ele fale, mas não vai; papai já disse que sou muito nova – começou Meg, inclinando-se para o trabalho com um sorrisinho estranho, sugerindo que não concordava de todo com o pai nesse ponto.

– Se ele falasse, você não saberia o que dizer, ia chorar e ficar corada, ou deixaria que as coisas fossem do jeito dele, em vez de responder-lhe um bom e decidido "não".

– Não sou tão tola e fraca como pensa. Sei exatamente o que devo dizer, pois já planejei tudo, então não vou ser pega de surpresa. Não há como saber o que pode acontecer, e quero estar preparada.

Jo não pôde deixar de rir do ar importante que Meg assumira inconscientemente, tão envolvente quanto as belas e várias cores que as maçãs do seu rosto assumiam.

– Você se importaria de me dizer qual seria sua resposta? – perguntou Jo, com mais respeito.

– De jeito nenhum. Você já tem dezesseis anos, idade suficiente para ser minha confidente, e minha experiência lhe será útil no futuro, talvez, quando tiver que tratar desses mesmos assuntos.

– Não pretendo passar por isso. É divertido ver outras pessoas namorando, mas eu me sentiria uma tola fazendo isso – disse Jo, parecendo alarmada com a ideia.

– Acho que não, se você gostasse muito de alguém e ele gostasse de você – Meg falou como se fosse para si mesma e olhou para a rua onde ela frequentemente via namorados passeando juntos ao entardecer do verão.

– Pensei que você iria me dizer qual seria sua resposta àquele homem – disse Jo, encerrando rudemente o pequeno devaneio da irmã.

– Oh, eu direi a ele simplesmente, bem calma e decidida, "obrigada, sr. Brooke, você é muito gentil, mas concordo com o papai que sou muito jovem para me comprometer no momento; portanto, não diga mais nada e permita-nos continuar como amigos".

– Hum, parece-me formal e frio o suficiente! Não acredito que você algum dia diria isso, e sei que não ficará satisfeita, se disser. Se ele agir como os amantes rejeitados dos livros, você vai ceder em vez de machucar os sentimentos dele.

– Não, não vou. Direi que estou decidida e sairei da sala com dignidade.

Meg levantou-se enquanto falava e estava preparando-se para ensaiar sua saída altiva quando, ao ouvir passos no vestíbulo, sentou-se e começou a costurar o mais rápido que podia, como se sua vida dependesse de terminar uma emenda específica em um tempo determinado. Jo deu uma gargalhada com a súbita mudança e, quando alguém bateu levemente na porta, abriu-a com um aspecto que era qualquer coisa, menos hospitaleiro.

– Boa-tarde. Vim buscar meu guarda-chuva, isto é, vim ver como seu pai está hoje – disse o sr. Brooke, ficando um pouco confuso enquanto seu olhar ia de um rosto ao outro.

– Muito bem, está no porta-chapéus. Vou chamá-lo e dizer que o senhor está aqui – e, tendo misturado seu pai e o guarda-chuva na resposta, Jo saiu da sala para dar a Meg uma chance de fazer seu discurso e pôr em prática seu ar de altivez. Mas no instante em que saiu, Meg começou a aproximar-se da porta, murmurando:

– Mamãe irá gostar de vê-lo. Por favor, sente-se, vou chamá-la.

– Não vá. Tem medo de mim, Margaret? – e o sr. Brooke pareceu tão magoado que Meg pensou ter sido muito rude.

Ela corou até os pequenos cachos que lhe caíam pela testa, pois ele nunca a tinha chamado de Margaret antes, e ficou surpresa ao perceber como lhe pareceu natural e doce ouvi-lo chamá-la assim. Ansiosa por parecer amigável e sem embaraço, estendeu a mão em um gesto de confiança e disse, agradecida:

– Como posso ter medo de alguém que foi tão bom para o papai? Só queria poder agradecer-lhe por isso.

– Posso dizer-lhe como? – perguntou o sr. Brooke, segurando a mãozinha dela e encarando-a com tanto amor em seus olhos castanhos que o coração de Meg acelerou-se, e seu desejo era tanto o de fugir dali quanto o de parar e escutar.

– Oh, não, por favor, prefiro que não diga – disse ela, tentando retirar sua mão e parecendo assustada, apesar de ter negado que estava.

– Não vou perturbá-la. Só queria saber se você gosta pelo menos um pouquinho de mim, Meg. Eu a amo tanto, querida – acrescentou o sr. Brooke, ternamente. Era esse o momento para o discurso calmo e adequado, mas Meg não o proferiu. Esqueceu-se de cada palavra, inclinou a cabeça e respondeu um "não sei" tão suave que John teve que abaixar-se para ouvir a respostinha tola.

Ele parecia pensar que o esforço valia a pena, pois sorriu para si mesmo como se estivesse satisfeito, apertando a mão com gratidão e dizendo, em seu tom mais persuasivo:

– Você pode tentar descobrir? Quero tanto saber, pois não terei vontade de trabalhar até saber se, no fim, terei minha recompensa ou não.

– Sou muito jovem – vacilou Meg, imaginando por que estava tão acelerada, embora estivesse gostando daquilo.

– Vou esperar e, enquanto isso, poderia aprender a gostar de mim. Seria muito difícil para você, querida?

– Não se eu escolher aprender, mas...

– Por favor, escolha aprender, Meg. Adoro ensinar, e isso é mais fácil que alemão – interrompeu John, tomando a outra mão, para que ela não tivesse como esconder o rosto quando ele inclinou-se para olhá-lo.

O tom de suas palavras era adequadamente suplicante, mas ao olhar, tímida, para ele, Meg viu que seus olhos estavam alegres e ternos e que tinha o sorriso satisfeito de quem não tem dúvidas de seu sucesso. Isso a irritou. As tolas lições de Annie Moffat sobre flerte vieram-lhe à mente, e o amor pelo poder, que dorme no íntimo das melhores mulherzinhas, despertou de repente e tomou conta dela. Sentiu-se empolgada e estranha e, sem saber mais o que fazer, sucumbiu a um impulso caprichoso, desvencilhando-se das mãos do sr. Brooke e dizendo, petulante:

– Não vou escolher. Por favor, vá embora e deixe-me em paz!

O coitado do sr. Brooke sentiu como se seu adorável sonho estivesse desmoronando em seus ouvidos, pois nunca vira Meg com aquele humor e isso o assustou.

– É isso o que quer dizer realmente? – perguntou ele ansioso, seguindo-a enquanto ela saía do cômodo.

– Sim, é isso. Não quero me aborrecer com tais assuntos. Papai disse que não há necessidade, é muito cedo e prefiro não me preocupar com isso.

– Posso esperar que você mude de ideia no futuro? Vou esperar e não dizer nada por um tempo. Não brinque comigo, Meg. Não pensei que você pudesse ser assim.

– Não pense em mim de jeito nenhum, prefiro assim – disse Meg, com uma satisfação atrevida ao testar a paciência do seu pretendente e o próprio poder.

Ele ficou sério e pálido e parecido com os heróis dos romances que ela admirava, mas não bateu a mão na testa nem andou alvoroçado pela sala, como tais heróis faziam. Ficou apenas olhando para ela com tanta tristeza, tanta ternura, que ela sentiu seu coração abrandar-se, apesar da sua vontade. O que teria acontecido em seguida, é impossível dizer, pois tia March entrou coxeando naquele exato momento.

A velha senhora não pôde resistir ao desejo de ver o sobrinho. Havia encontrado Laurie enquanto tomava ar e, ao ouvir sobre a chegada do sr. March, foi visitá-lo imediatamente. A família estava toda ocupada na parte de trás da casa e ela foi entrando, tranquila, esperando surpreendê-los. Surpreendeu apenas dois deles, tanto que Meg sobressaltou-se como se tivesse visto um fantasma, e o sr. Brooke escondeu-se no gabinete.

– Valha-me Deus, do que se trata isso? – perguntou a velha senhora, batendo no chão com sua bengala quando viu o jovem rapaz pálido e a jovem moça ruborizada.

– É um amigo de papai. Estou surpresa em vê-la! – gaguejou Meg, sentindo que receberia um sermão naquele momento.

– Isso é evidente – respondeu a tia March, sentando-se. – Mas o que o amigo do seu pai estava dizendo para que você ficasse vermelha como uma peônia? Algo se passa aqui e insisto em saber o que é – batendo novamente a bengala no chão.

– Estávamos apenas conversando. O sr. Brooke veio buscar seu guarda-chuva – começou Meg, desejando que o sr. Brooke e seu guarda-chuva estivessem em segurança do lado de fora da casa.

– Brooke? O tutor daquele menino? Ah! Agora entendo. Já sei de tudo. Jo, inadvertidamente, mostrou-me por engano uma das cartas do seu pai, e eu a obriguei a contar. Você não o aceitou, não é, menina? – disse a tia March, escandalizada.

– Fale baixo! Ele vai escutar. Não devo chamar a mamãe? – disse Meg, muito alterada.

– Ainda não. Tenho algo a dizer-lhe, e devo clarear minha mente de uma vez. Diga-me, você pretende casar-se com esse Cook? Se sim, um centavo sequer do meu dinheiro irá para você. Lembre-se disso e seja uma menina razoável – disse a velha senhora, imponente.

A tia March havia aperfeiçoado a arte de despertar um espírito contraditório nas pessoas mais prudentes e gostava de fazer isso. Mesmo o melhor de nós tem em si uma pitada de perversidade, especialmente quando somos jovens e estamos apaixonados. Se a tia March tivesse implorado para que Meg aceitasse John Brooke, ela provavelmente teria declarado que nem pensava nisso, mas como foi, de maneira categórica, obrigada a não gostar dele, de imediato decidiu que gostaria, sim. Assim como a perversidade, a tendência natural tornou a decisão fácil e, estando já muito alterada, Meg opôs-se à velha senhora com uma atitude inesperada.

– Vou casar-me com quem eu quiser, tia March, e você deixe seu dinheiro para quem bem entender – disse ela, balançando a cabeça com ar resoluto.

— Insolente! É assim que você toma meu conselho, mocinha? Vai se arrepender no futuro quanto experimentar o amor em um casebre e perceber que fracassou.

— Não deverá ser um fracasso pior do que o de certas pessoas em mansões – retrucou Meg.

Tia March colocou seus óculos e olhou a menina de cima a baixo, pois nunca a tinha visto com esse temperamento. Meg mal reconhecia a si mesma, sentindo-se tão corajosa e independente, feliz em defender John e afirmar seu direito de amá-lo, se quisesse. Tia March viu que tinha começado da maneira errada e, após uma pequena pausa, recomeçou, dizendo da forma mais amena que conseguiu:

— Veja bem, Meg, querida, seja razoável e siga meu conselho. Digo isso da forma mais bondosa possível, não quero que estrague sua vida cometendo um erro logo no início. Você deve ter um bom casamento e ajudar sua família. É sua obrigação arranjar alguém rico, esse deveria ser seu objetivo.

— Papai e mamãe não pensam o mesmo. Eles gostam de John, apesar de ser pobre.

— Seus pais, minha querida, são tão sábios quanto dois bebês.

— Fico feliz com isso – disse Meg, com firmeza.

Tia March não lhe deu atenção e continuou o sermão.

— Esse Rook é pobre e não tem qualquer relação com alguém rico, não é?

— Não é rico, mas tem muitos bons amigos.

— Você não pode viver confiando nisso. Experimente e verá como eles podem se tornar maus amigos. Ele não tem qualquer negócio, ou tem?

— Ainda não. O sr. Laurence vai ajudá-lo.

— Isso não vai durar muito. James Laurence é um velho rabugento e não se pode depender dele. Então, você pretende se casar com um homem sem dinheiro, posição ou negócios e continuar trabalhando mais duro do que já trabalha, quando poderia estar confortável todos os dias, se considerasse o que digo para viver melhor? Achei que você era mais razoável, Meg.

– Não poderia encontrar alguém melhor mesmo se esperasse metade da vida! John é bom e sábio, tem muito talento, vontade de trabalhar e com certeza conseguirá algo, pois é enérgico e corajoso. Todos gostam dele e o respeitam e fico orgulhosa quando penso que ele gosta de mim, embora seja tão pobre, jovem e tola – disse Meg, com uma expressão mais bela do que nunca por sua sinceridade.

– Ele sabe que você é bem relacionada, minha filha. Esse é o segredo do seu amor, suspeito.

– Tia March, como ousa dizer algo assim? John não seria capaz de uma maldade dessas e não quero ouvi-la nem um minuto a mais, se continuar a falar isso – disse Meg, indignada, pois a injustiça das suspeitas da velha senhora fez com que se esquecesse de tudo. – Meu John nunca se casaria por dinheiro, eu tampouco. Somos trabalhadores e vamos esperar. Não tenho medo de ser pobre; fui feliz até agora e sei que vou ficar com ele porque me ama, e eu...

Meg parou aí, lembrando-se de repente de que ainda não havia tomado uma decisão e havia dito ao "seu John" para ir embora, mas ele poderia estar ouvindo suas afirmações inconsistentes.

Tia March estava muito irritada, pois tinha certeza de que conseguiria um bom partido para sua bela sobrinha, e algo no rosto feliz da jovem fez com que a velha senhora solitária se sentisse triste e amarga.

– Bom, então lavo minhas mãos sobre esse assunto! É uma menina obstinada e perdeu mais do que imagina com essa insensatez. Não, não vou parar de falar. Estou decepcionada com você e não tenho mais vontade de ver seu pai agora. Não espere nada de mim quando estiver casada. Os amigos do seu sr. Brooke vão tomar conta de vocês. Desisto de você para sempre.

E batendo a porta na cara de Meg, tia March saiu furiosa. A velha pareceu levar consigo toda a coragem da menina, pois, sozinha, Meg parou por um momento, sem saber se ria ou chorava. Antes que pudesse tomar uma decisão, o sr. Brooke apareceu dizendo em um fôlego só:

– Não pude deixar de ouvir, Meg. Agradeço a você por me defender e agradeço à tia March por me mostrar que você gosta pelo menos um pouquinho de mim.

– Não sabia o quanto, até ela falar mal de você – começou Meg.

– Então não preciso mais ir embora? Posso ficar aqui e ser feliz, não posso, querida?

Essa foi outra boa chance para Meg fazer seu discurso arrasador com uma saída triunfal, mas ela não fez nem um nem outro e condenou-se para sempre aos olhos de Jo ao sussurrar, docilmente "Sim, John" e esconder o rosto no colete do sr. Brooke.

Quinze minutos após a partida da tia March, Jo desceu as escadas furtivamente, parou um momento na porta da sala e, não ouvindo qualquer ruído vindo de lá, fez um movimento com a cabeça e sorriu com uma expressão satisfeita, dizendo para si mesma: "Ela dispensou-o como planejado e o assunto está resolvido. Vou lá ouvir a história e rir muito dela".

No entanto, a pobre Jo nunca chegou a rir: foi paralisada na soleira por um espetáculo que a segurou ali, olhando fixamente com a boca tão aberta quanto seus olhos. Indo com a intenção de exultar sobre o inimigo caído e louvar a irmã forte e decidida pelo banimento de um namorado contestável, foi certamente um choque contemplar o mencionado inimigo sentado, sereno, no sofá, e a irmã, determinada, entronada em seu colo, com uma expressão da mais abjeta submissão. Jo soltou uma espécie de suspiro, como se recebesse um banho repentino de água gelada, pois essa reviravolta inesperada realmente lhe tirou o fôlego. Ao ouvirem o estranho ruído, os namorados viraram-se e a encontraram. Meg deu um salto, aparentando orgulho e timidez, mas "aquele homem", como Jo o chamava, simplesmente riu e disse, tranquilo, enquanto beijava a estupefata recém-chegada:

– Irmãzinha Jo, não nos vai dar os parabéns?

Isso foi um insulto adicional ao estrago, e aquilo tudo era demais para ela. Fazendo um gesto revoltoso com as mãos, Jo saiu sem dizer uma palavra. Correndo para o andar de cima, alvoroçou os convalescentes exclamando, de maneira trágica, ao irromper no quarto:

– Oh, alguém desça, rápido! John Brooke está agindo de modo importuno, e Meg está gostando disso!

O sr. e a sra. March saíram do quarto rapidamente e, atirando-se na cama, Jo chorou e praguejou de modo tempestuoso enquanto contava a terrível notícia para Beth e Amy. As meninas, no entanto, consideraram o evento a coisa mais agradável e interessante, e Jo, sendo pouco consolada por elas, logo subiu para seu refúgio no sótão, confidenciando seus problemas aos ratos.

Ninguém jamais soube o que ocorreu na sala naquela tarde, mas houve muita conversa, e o tranquilo sr. Brooke deixou seus amigos atônitos com a eloquência e o espírito com os quais defendeu sua causa, contou seus planos e os persuadiu a arranjar tudo como ele queria.

A campainha do chá tocou antes que ele terminasse de concluir a descrição do paraíso que desejava construir para Meg e, orgulhosamente, a levou para a sala de jantar, ambos parecendo tão felizes que Jo não teve como demonstrar ciúmes ou tristeza. Amy estava muito impressionada com a devoção de John e a altivez de Meg; Beth olhava-os sorrindo de longe; enquanto o sr. e a sra. March interrogavam o jovem casal com uma satisfação tão terna que ficou evidente como a tia March estava certa em chamá-los de "sábios como dois bebês". Ninguém comeu muito, mas todos estavam muito felizes e a velha sala pareceu iluminar-se incrivelmente com o início do primeiro romance da família.

– Você não pode mais dizer que nada de agradável acontece, não é, Meg? – disse Amy, tentando decidir como ela poderia agrupar os namorados em um desenho que estava tentando fazer.

– Com certeza, não. Muita coisa aconteceu depois de eu ter dito isso! Parece que foi há um ano – respondeu Meg, a qual parecia estar sonhando, sentindo-se muito distante de coisas comuns como pão e manteiga.

– As alegrias vêm para encerrar as tristezas, e gosto de pensar que as mudanças já começaram – disse a sra. March. – Na maioria das famílias, de vez em quando, há períodos cheios de acontecimentos. Este foi um desses para nós, mas acabou bem, afinal.

– Espero que ano que vem termine melhor – resmungou Jo, que achava muito difícil ver Meg absorta, contemplando um estranho; Jo amava poucas pessoas de forma intensa e temia perder seu afeto ou vê-lo diminuir de alguma forma.

– Espero que o terceiro ano, a partir deste, termine ainda melhor. Quero dizer, deve terminar, se eu puder viver para colocar meus planos em prática – disse o sr. Brooke, sorrindo para Meg, como se tudo agora fosse possível para ele.

– Não parece uma espera muito longa? – perguntou Amy, que tinha pressa para que o casamento ocorresse.

– Tenho tanto a aprender até estar pronta, parece pouco tempo para mim – respondeu Meg, com uma seriedade doce no rosto nunca vista antes.

– Você terá apenas que esperar, e eu faço o trabalho – disse John, começando seus deveres pegando um guardanapo para Meg, com uma expressão que fez Jo balançar a cabeça e dizer para si mesma, com ar de alívio, ao ouvir a porta da frente bater: "Aí vem Laurie. Agora teremos uma conversa razoável".

Contudo, Jo estava errada: Laurie entrou visivelmente transbordando de alegria, carregando um lindo buquê de noiva para a "Sra. John Brooke" e, era evidente, com a ilusão de que toda a história havia acontecido por conta sua eficaz interferência.

– Sabia que Brooke resolveria tudo à sua maneira, como ele sempre faz; quando decide fazer algo, consegue, mesmo que o céu desabe – disse Laurie, apresentando seu presente e suas congratulações.

– Muito obrigado pelo elogio. Tomo como um bom presságio para o futuro e convido-o desde já para meu casamento – respondeu o sr. Brooke, que se sentia em paz com toda a humanidade, incluindo seu pupilo travesso.

– Irei até o fim do mundo, pois só a visão do rosto de Jo na ocasião já valeria a viagem. Você não parece animada, madame, qual o problema? – perguntou Laurie, seguindo Jo até um canto da sala, onde todos se reuniram para cumprimentar o sr. Laurence.

– Não aprovo a união, mas decidi suportá-la e não vou dizer uma palavra contra isso – disse Jo, solenemente. – Você não sabe como é difícil para mim perder Meg – continuou ela com um pequeno tremor na voz.

– Você não vai perdê-la. Vai apenas ter parte da sua atenção – disse Laurie, consolando-a.

– Nunca mais será como antes. Perdi minha melhor amiga – suspirou Jo.

– Você tem a mim, de qualquer forma. Não sirvo para muita coisa, eu sei, mas ficarei ao seu lado, Jo, todos os dias da minha vida. Dou minha palavra! – e Laurie era sincero em suas palavras.

— Eu sei que sim e serei sempre grata por isso. Você é sempre um ótimo consolo, Teddy — respondeu Jo, apertando, com gratidão, a mão do amigo.

— Bom, agora, não fique triste; ele é uma boa pessoa. Está tudo bem, não vê? Meg está feliz, Brooke vai trabalhar e logo conseguirá se firmar, o vovô vai ajudá-lo e será muito bom ver Meg em sua própria casinha. Teremos ótimos momentos depois que ela for; terei terminado a faculdade e, então, faremos uma grande viagem para o exterior ou qualquer outra coisa. Isso não a consola?

— Prefiro pensar que sim, mas nunca se sabe o que pode acontecer em três anos — disse Jo, pensativa.

— É verdade. Você não gostaria de saber o futuro para ver onde e como estaremos? Eu queria — respondeu Laurie.

— Preferiria não saber, pois eu poderia ver algo triste, e todos parecem tão felizes agora que não acredito que possa melhorar — e os olhos de Jo brilharam ao passear pela sala, que estava iluminada com as boas perspectivas.

O pai e a mãe estavam sentados juntos, tranquilos, revivendo o primeiro capítulo do romance que para eles começara vinte anos atrás. Amy desenhava os namorados, que estavam em seu próprio mundo, cujas faces eram tocadas pela luz com tanta graça que a pequena artista não conseguiria copiar. Beth deitara-se no sofá, conversando alegremente com seu velho amigo, que segurava sua mãozinha como se esta fosse capaz de conduzi-lo pelo caminho pacífico que a menina percorria. Jo relaxava em sua cadeirinha favorita, com o olhar quieto e sério que melhor a definia; e Laurie, apoiado nas costas da cadeira, com o queixo ao nível dos cabelos encaracolados da amiga, sorria do jeito mais amigável e acenava com a cabeça para ela através do grande espelho que refletia a ambos.

E, assim, as cortinas fecham-se para Meg, Jo, Beth e Amy. Estas, talvez, voltem abrir. Tudo dependerá da recepção que o primeiro ato do drama doméstico chamado *Mulherzinhas* receberá.